KB076768

로 투 스(합본)

로투스(합본)

발행일 | 2024년 7월 7일

지은이 | 황태연

발행처 | 부크크

출판사 등록 | 2014.07.15(제2014-16호)

주 소 | 서울특별시 금천구 가산디지털1로 119

전 화 | 1670-8316

이메일 | info@bookk.co.kr

ISBN | 979-11-410-9241-2

로투스

(합본)

황태연 지음

목차(Table of Contents)

"이 책을 전 세계 친구들에게 바칩니다."

제1장 유토피아를 찾아서

〈세상을 향해 발을 내딛다〉

꼬박 하루 가까이 비행한 뒤 연은 암스테르담(Amsterdam) 공항(空港)에서 잠시 도중하차(途中下車) 중이다. 갑자기 사무실 안에서 입국 심사관이 난생처음 해외여행을 하는 연을 불러, 그는 제자리에서 담당(擔當) 공무원이 나올 때까지 기다려야만 했다. 짐을 검사할 때 심사관이 무언가 발견한 듯 의심스러운 표정을 지었다.

"어디로 가나요?" – "뭐라고요?"

"목적지가 어디입니까?" – "아, 저 스웨덴(Sweden) 둘러보러 왔어요."

"스웨덴에 예약한 곳은 있나요?" – "아뇨, 비수기(非需期)에 굳이 예약할 이유가 있나요? 그냥 여행 중이에요."

"다들 적어도, 뭘 하고 어디 경로로 다닐지 준비는 해 오지 않습니까?" – "보다시피, 내 나라 밖으로 나오긴 이번이 처음이에요. 그리고 난 즉흥적이고..." 연이 장황(張皇)하게 말하자, 그는 심기가 불편한 듯 네덜란드(Netherland)에 거주하는 연의 모국 여성을 전화로 연결해 주었다.

그들의 통화가 끝난 후 그 남성 직원은 그녀와 몇 분 동안 더 이야기하더니 연에게 말했다, "이제 가도 좋아요." – "내가 좀 예의 없이 군 행동은 미안(未安)하네요. 그리고 너무 꼬치꼬치 캐묻지 않아서 고마워요." "네." '뭐 그렇게 물어볼 게 많을까?' 연은 안도(安堵)의 한숨을 내쉬었다.

공항에서 기다리는 동안 그는 진열창 안의 상품을 들여다보고 다니며 시간을 보내고 있었다.

스웨덴으로 가는 탑승구(搭乘口) 근처에 마치 동화책 속에나 나올 법(法)한 매력적인 한 무리의 젊은 스웨덴인들이 대기열(待機列) 끝에서 기다리고 있는데, 그들 모두 특출나게 아름다워서 연은 가슴이 두근거리고, 순간 숨을 멈추고 지켜보았다.

마침내, 연은 최종 목적지로 가는 비행기에 올랐는데 대형 여객기가 아닌 중소형이었고, 좌석은 비좁았다.

스톡홀름 알란다 공항(Stockholm Arlanda Airport)으로 출발한 때는 저녁이다. 그의 가슴은 아까의 흥분(興奮) 탓인지 진정되지 않았다.

승무원은 행여나 승객들에게 문제가 생겼을 때를 대비해 비행 전 안전 수칙에 관해 시범을 보이며 평이한 영어로 설명한다.

연이 졸려서 잠이 들 찰나(刹那), 한 거무튀튀한 중년의 아랍인이 그의 바로 옆자리에 앉았다. 연은 그를 경계하며 무의식적으로 자신의 전 재산이나 마찬가지인 재킷(jacket) 속에 있는 지갑을 움켜쥐었다. 그에겐 그 흔한 신용 카드(card)도 한 장 없었다. 아랍 남성은 마치 아는 사람처럼 연에게 안심하라는 듯이 미소(微笑)를 지었지만, 그게 오히려 더 그를 불편하게 했다.

얼마 후 비행기가 연속적으로 약하게 몇 번 통통거리더니 짙은 안개로 뒤덮인 활주로 위로 착륙해 미끄러지듯 달린다.

이번엔 어떤 입국 심사 직원이 있을까 온갖 상상을 하며 왔으나 허무하게 아무도 없었다. 게다가 큰 공항인데도 사람까지 뜸해, 휑한 사막에서 [i]회전초(回轉草)만 지나다니는 듯한 착각(錯覺)이 들 정도다. 연이 [ii]소화물(小貨物) 찾는 곳에서 캐러셀 컨베이어 벨트(carousel conveyor belt) 위에 놓인 어마어마한 크기의 짐을 꺼낸다. 등에는 배낭(背囊)을, 한 손으로는 이제 손짐이 되어 버린 대형 소화물 캐리어(carrier)를 질질 끌면서 문밖으로 나오는데, 앙증맞은 맹꽁이자물쇠가 양쪽 지퍼(zipper)에 채워져 있다.

그때, 얼마 전 암스테르담 공항에서 보았던 선남선녀들이 스웨덴어로 명랑(明朗)하게 떠들어대면서 그의 옆을 지나간다.

밖으로 나온 연은 공항-버스(bus)에 올랐다. 차량(車輛) 내부는 띄엄띄엄 야간등만 몇 개 켜져 있어서 차분하면서도 약간 침울한 분위기를 연출(演出)했다. 머리가 희끗희끗한 버스 운전사(運轉士)가 묻는다, "140크로노르(kronor)입니다. 어디로 가요?" – "스톡홀름 중심부까지." "도착하려면 한 40분 걸립니다." – "네, 고맙습니다."

칠흑 같은 바깥에 시선을 둔 채, 그는 창문에 비치는 자신을 찬찬히 보는데 노인의 모습을 한 사탄이 어두운 입김을 뿜어 유리를 뿌옇게 만드는 착각에 빠졌고, 평상시라면 평온함을 느낄 고요함과 짙어가는 어둠이 왠지 숨이 막힐 듯 답답했다.

쉬지 않고 달리던 공항버스가 마침내 정차했다. 운전사를 쳐다보자, 그는 뭘 물을지 안다는 듯이 대답한다, "아직 아니요." 눈치 빠른 운전사 덕분에 연은 굳이 익숙지 않은 외국어를 할 필요가 없었다.

잠시 뒤 도심부에 도착했다. "여기가 시내요. 행운을 빕니다." – "당신에게도." 그가 공항 셔틀-버스(shuttle bus)에서 대형 짐 가방을 내리는데, 얼마나 묵직한지 지면에 부딪히자 '쿵!' 소리가 들린다.

연이 스톡홀름에 도착했을 때는 3월이었다. 약간 바람이 불고 쌀쌀했다. 바람은 인적이 끊긴 빌딩(building)을 휘감으며 무미건조한 사막을 누비듯 돌아다닌다. 다행히(多幸-) 소형 짐-택시(minicab)가 아닌 평범한 택시(taxi)는 늦은 밤에도 꽤 보였다. 도보(徒步)로 숙박소를 찾던 연은 잠깐 망설인다. 왜냐면 이런 도심에서는 [iii] 유스-호스텔(youth hostel)이 100미터 이내 근방에 있을 가능성이 높기 때문이다. 바로 코 앞이라고 생각하니 굳이 택시를 타야 하나 싶었지만 헤맬 수도 있어 택시가 안전하기도 하고, 이러든 저러든 손해인 느낌이 들었다. 그는 우렛소리가 나는 거대한 검정 캐리어를 끌며 앞으로 나갔다. 지나가는 그를 한 택시 운전사가 힐끗 본다, "여보쇼, 지금 빈 차라 태워드릴 수 있는데 찾고 있는 곳이라도?" – "프라이드 헴스플란 유스호스텔요." "좋아, 청년은 운이 좋소. 내가 당신을 단돈 80크로노르에 데려다 주지. 저렴(低廉)한 가격(價格)이오." – "그러죠." 짐이 너무 많아 불편한 그에겐 단순히 싸냐 비싸냐의 문제만은 아니었다. 게다가 여행 첫날부터 재수(財數) 없게 헤매고 다니고 싶진 않았다.

호스텔에 들어가자, 연은 접수대에서 한 젊은 여성과 눈이 마주쳤다. 그녀가 잠시 망설이는 연에게 원하는 방의 종류를 묻자, 그는 합숙(合宿)형 방, 즉 공동 침실(dormitory)을 원한다고 대답했다. 이유는 단 하나, 가격이 저렴해서다. "지하실에 여러 명이 같은 방에 잘 수 있는 기숙사형 침실은 자리가 다 찼습니다. 현재 3층 2인실만 남아 있어요." – "알겠어요. 아침 제공(提供) 포함해 303호, 560크로노르, 이걸로 하죠."

'대충 계산해 보니 60유로(euro)가 날아갔군. 맙소사, 나 자신한테 호사스럽게 한턱을 단단히 내네.'

기본적으로 그의 나라 표준 시간은 그리니치(Greenwich) 평균시, 즉 유럽(Europe) 시간을 훨씬 앞선다. 오랜 비행기 여행과 시차로 인해 피로(疲勞)가 겹친 데다 스웨덴에 도착한 후 아무것도 먹지 못한 상태라 그에게 선택의 여지는 없었다. "앞으로 고생문이 훤할까? 아니! 나 자체가 자유를 향해 질주(疾走)하는 브레이크(brake) 없는 시한폭탄인데 뭘 새삼스레. 어차피 더 비싼 바다 위 아프 샤프만(af Chapman)에 묵을 예정이었으니 뭐 괜찮아, 신나게 살자고, 연!" 그의 무모한 여행이 그렇게 시작되었다.

다음 날, 아침 일찍 일어난 연은 호스텔의 탁상용(卓上用) 컴퓨터(desktop computer)를 이용하고 있었는데, 설정된 언어가 스웨덴어여서 영어나 모국어로 변경하려고 하니 암호 때문에 실행할 수 없었다. 곧 호스텔 여직원에게 근방에 [iv] 인터넷 카페(internet cafe)가 어디 있느냐고 물은 후 그녀가 알려 준 방향으로 무작정(無酌定) 걷기 시작했다. 도중에 그는 건설 현장에서 노동자들과 마주쳤다. 주소가 적힌 종이를 그들에게 보여 주며 평이한 영어로 말하자, 멜빵 달린 헐렁한 작업용 바지를 입은 건설 노동자가 감탄한다, "와! 중국인치고 영어 잘하는걸?!" – "난 중국인이 아니에요!" "알았소. 진정하시게, 다혈질 청년! 보다시피 조금만 더 내려가 오른쪽으로 돌면 찾을 수 있소." – "Tack så mycket(Thanks so much)." 스웨덴어를 배운 적이 없지만, 외국어에 천부적 재능을 지닌 연은 능숙하게 그들의 모국어로 답변했다.

그런데 그가 그곳에 도착했을 때는 이미 문이 굳게 닫혀 있었다. 하는 수 없이 연은 20크로노르짜리 빅맥을 먹으며 다시 숙소로 돌아왔다.

"그나저나 여기가 스웨덴 수도(首都) 스톡홀름이니까, 최소한 이 나라에서 앞으로 살아 나갈 유용한 정보(情報)는 얻을 수 있겠지." 짐 없이 홀가분하게 가슴을 펴고 걸으면서, 그는 스톡홀름이 한 국가의 수도로서 이곳 여행객을 수용하기엔 아직 준비가 덜 되었다고 느꼈다. 연은 늦은 저녁까지 로뷘(Lovön) 섬 왕궁인 드로트닝홀름 궁전(Drottningholm Palace)이 있는 서쪽 지역을 제외한 도시 전체를 다 둘러보았다. 그런데 해가 질 무렵 숙소로 돌아올 때 문제가 생겼다. 길을 잃어버렸다는 사실에 부득이(不得已) 그는 주머니에서 작은 지도를 꺼냈지만 돌아올 길을 찾진 못했다. 시각 장애인(障礙人)을 위한 교통 신호등(信號燈)이 삑삑거리며 그의 조급한 마음을 더 조마조마하게 한다. 도심 한복판에서 길을 잃은 채, 그는 스톡홀름 교외까지 방황하다가 한 스웨덴 남녀와 마주쳤다. 어두워지면 휴대 전화기(携帶電話機)가 있어도 길을 찾기 어렵다. 다급한 마음에 기차역(汽車驛)까지 어떻게 가냐고 물었지만, 그들은 무뚝뚝하게 대답했다, "Vi vet inte. Lycka till(모르겠네요. 행운을 빌어요)." 잠시 숨을 고르며 서 있던 연은 결국 지는 해를 보고 방향을 계산해 냈다. 그렇게 기지(機智)를 발휘해 방향을 잡고 돌아오던 중, 왕립 과학 아카

데미(Royal Swedish Academy of Sciences)인 쿵리가 베텐스카프사카데미엔(Kungliga Vetenskapsakademien)과 스톡홀름 공립 도서관 스타즈비블리오테켓(Stadsbiblioteket)에 우연히 도착했다. 호기심(好奇心)이 강한 그는 들어가 보고 싶었지만 너무 늦은 시간인지 아쉽게도 문이 닫혀 있었다.

그날 저녁, 아침에 햄버거(hamburger) 하나를 제외하고는 종일 아무것도 먹지 않은 연은, 호스텔 내 [v]식당(食堂)에서 푸짐하게 홍두깨살 쇠고기-스테이크로 식사했다. [vi]카운터(counter) 뒤의 [vii]로비(lobby)에는 무언가 낯이 익은 장소가 보인다. 맞다! 간이 흡연실! 그가 중간에 경유(經由)한 암스테르담 공항에서 보았던 [viii]부스(booth)였다. 보통 방이나 휴게실 형태나, 이건 전화-박스(box)같이 한 대 또는 몇 대를 합쳐놓은 모양이다. 마치 감옥의 독방 같고, 그 안의 사람은 지하 광산의 카나리아(canary)처럼 보였다. 간접 흡연으로부터 비흡연자를 보호하기 위해 설치했지만, 부스 안에서 질식하듯 빼끔거리는 그들을 보는 일도 유쾌(愉快)하지는 않다. [ix]라운지(lounge)에서 그는 먼저 자리한 파란 눈의 스웨덴인 둘을 보았다. 그들 중 한 명은 TV를 보고 있는 [x]육감적(肉感的)인 곡선미를 지닌 옅은 갈색(褐色) 머리의 소녀고, 나머지 한 명은 호리호리한 금발 남성인데 그냥 빈둥대고 있다. 연이 먼저 그들에게 다가갔다. 몇 가지 의례적인 가벼운 주제로 대화를 시작하면서 그들은 금세 친해졌다.

"루카스(Lucas), 넌 어디 출신이야?" – "응?" "아, 어디서 왔어?" – "룰레오(Luleå)" "룰레오? 그럼 너희 고향에서 북극광(北極光)을 볼 수 있겠네?"

– "북극광인 북쪽 오로라(aurora)를 확실히 보고 싶으면, 아비스코(Abisko)로 올라가야 해. 거기가 스웨덴에서 거의 최북단(最北端) 마을이거든."

"그나저나 너희들 몇 살이야? 스웨덴에서는 나이 물으면 예의에 어긋나?" 그들은 연에게 미소를 지었다, "전혀 그렇지 않은걸? 난 17살이야. 저기 저쪽에 있는 여자애 안나(Anna)는 나랑 동갑이고," 루카스라는 청소년은 얼굴에 환한 웃음을 머금은 채 대답했고, 연의 앞에 앉아 있는 소녀는 뒤돌아 그를 보더니 인사(人事)한다, "안녕(安寧), 만나서 반가워, 연." – "안나, 나야말로 기쁜걸."

"연, 넌 술 마셔? 우리, 한잔 할래?" 루카스가 연에게 제의했다. "알코올(alcohol)? 음, 하지만 너희들은 미성년자잖아." – "응, 우리는 16살부터 음주할 수 있어. 담배는 18세부터 피울 수 있는데... 18살 이하면 도수 낮은 알코올을 마실 수 있고, 18살 이상이면 제한이 없어." "네 말은 집을 뜻해, 아니면 공공장소?" – "당연히 공공장소지."

연은 미소를 짓는다, '거짓말쟁이! 하지만, 마셔도 되지 않을까? 여긴 사적 장소인걸.'

서로 오랜 시간 대화를 해서인지 그들은 가까워졌고, 그는 맥주(麥酒)를 사러 밖으로 나갔다.

연은 오래지 않아 세븐-일레븐(Seven-Eleven) 편의점(便宜店)을 발견하고 외친다, “망할 북유럽! 고상한 척하더니 북미(北美)가 여기 있잖아!” 그는 맥주를 할짝할짝 마시며 회심(會心)의 미소를 지었다. 늦은 밤 맥주가 떨어지자, 연은 재차(再次) 그 모퉁이 가게로 향했다. 그런데 무슨 일이지? 10시밖에 안 됐는데, 불은 꺼지고 문은 굳게 닫혀 있었다. 분명(分明) 세븐일레븐 간판(看板) 맞는데? 아시아(Asia)에서 세븐일레븐 대부분은 24시간 열려 있다. 하지만 지금 그가 서 있는 그곳은 스웨덴이다. 연은 다시 발길을 돌려야만 했다. 호스텔로부터 약 30미터를 걸어, 그는 한 수척(瘦瘠)한 흑인 아이가 계산대를 보고 있는 가게에 도착했다. “어서 오세요.” - “안녕!” “무얼 도와드릴까요?” - “나 [xi]에일(ale) 맥주 좀 찾고 있는데, 가지고 있어?” “물론(勿論)이죠! 안내(案內)해 줄게요.” - “판매(販賣) 가격이 얼마?”

“25크로노르에요. 여기 있습니다.” - “좀 깎아줄 수 없나?”

“안 돼요! 전 여기 고용원(雇傭員)일 뿐이에요. 미안합니다!”

- “알았어. 그나저나, 꼬마 너 영어 되게 잘하네. 이거 말고 좀 더 나은 삶을 위해 정진(精進)해도 되겠는걸?” “당신은 꼭 제 아빠처럼 말하네요. 이건 당신 일이 아니고 내 문제에요.”

- “좋아, 또 보자고.” “안녕히 가세요.”

〈스톡홀름에 지리다〉

루카스, 안나와 맥주를 마시며 대화한 후 연은 방에 돌아와 샤워(shower)를 했다. 문득 스웨덴의 밤생활이 어떨까 궁금하다. 그는 샤워가 끝난 후 옷을 벗어 논 역순대로 차려입고 스웨덴 수도를 둘러보러 나갔다. 얼마나 많이 걸었는지도 잊은 채 걷다 보니 저편 바다 건너 배가 눈에 들어왔다. 연은 등 뒤의 뭍바람을 즐기며 부두(埠頭) 근처를 거닐다가 하얀 새가 고개를 바닷물 속에 처박고 있는 광경을 목격했다. "물오리? 아니야, 백조인데 이상해!" 그는 가까이 다가가 유심히 살폈다. 웬일인지 백조의 머리는 물속에 처박힌 채 끝내 나올 줄 모른다. 연이 부두 끝부분에 다다를 정도가 되자 그제야 그는 그게 진짜가 아님을 발견한다, "아, 이건 정교하게 만들어진 가짜 백조잖아!" 그러다 그는 문득 한밤중에 숙소로부터 꽤 멀리 걸었다는 사실을 인지하고 돌아가기 시작했다. 얼마나 걸었을까, 어느덧 다시 도심지 한복판의 한 빌딩에 도착했는데 경비원 둘이 지키고 서 있다. "여기가 어디예요?" 그들은 이를 드러내고 씩 웃었다, "맞춰 보쇼." 연은 스웨덴어로 대답했다, "나이트클럽(nattklubb)?" 연의 대답에 그들은 그에게 양손으로 엄지를 들어 보이더니 주변(周邊)을 살피며 하던 [xii]파수(把守)를 계속한다.

호스텔까지 얼마 남지 않았다. 돌아가려는데 갑자기 연은 소변(小便)이 마려웠다. 주변을 둘러보니 마침 공원(公園) 안 오르막길에 간이 화장실이 있었다. 그는 서둘러 그곳으로 갔다. 5크로노르 동전을 문의 [xiii]슬롯(slot)에 넣었지만, 작동을 안 한다. 한 번 더 시도한 후에도 역시 되지 않자, 어쩔 수 없이 그는 간이 화장실 옆에서 그의 물줄기를 뿜었다. "쳇! 생리 현상이 고상함을 망치는군!" 그런데 연이 노상 방뇨를 하자마자 순찰차(巡察車)가 바로 그를 향해 다가왔다. [xiv]버성긴 분위기를 바꾸려고, 그는 고장(故障) 난 유료 화장실을 가리켰다. "저 유료 화장실이 고장 났네요. 환급 가능합니까?" – "아뇨, 이건 늦은 밤에는 작동 안 합니다." '뭐라고! 날 바보로 만드네.'

이후 연은 딱히 특별한 일 없이 무료(無聊)한 시간을 보냈고 그에게 어떤 희망도 보이지 않는 스톡홀름을 떠나기로 결심했다.

다음 날 아침, 지하철을 타려고 지하도로 내려가니, 한산한 지상과는 달리 땅 밑 늙은 난쟁이 놈(gnome)의 토굴(土窟)처럼 사람들로 붐볐다.

〈스톡홀름 신데렐라〉

연은 30크로노르를 주고 [xv]'투벤(Tuben)'을 타고 'C-센터(C-centre)'로 갔다. 비싸 보이지만 사실 그렇지 않다. 실질 임금을 계산해 요금을 고려해 보면 적당하다고 느꼈다.

그는 지하철-표 판매 박스 안의 흑인 직원에게 자신이 여행자인데 다음 행선지(行先地)가 마땅치 않아 서성이고 있다며 어디가 좋은지 물었다. 예민(銳敏)한 연은 벌써 이 선진국 시스템(system)이 자신을 밀어냄을 본능적으로 직감하며 비참(悲慘)한 심정이 들었다, '이런 빌어먹을! 지금 난 정치적 망명자(亡命者)나 불법 이민자도 아닌, 그냥 넨장칠 관광객이나 마찬가지군!'

그때 매표소 직원이 대답한다, “난 당신에게 웁살라(Uppsala)를 추천(推薦)합니다. 그곳은 스웨덴에서 단연코(斷然-) 자유롭고 역동적이며 재밌는 도시죠. 내 말 믿어도 돼요.”

연은 그의 말에 귀가 솔깃했다. 사실 그는 원래 처음부터 살고 싶어 한 [xvi]“여테보리(Göteborg)”, 일명 고텐버그(Gothenburg)라 불리는 대도시로 가려 했다. 하지만 즉각 계획(計畫)을 바꾸어 스톡홀름 근처인 웁살라부터 탐색하기로 한다. 상대적으로 실패했을 때 아무래도 가까운 곳이 지출이 적기 때문이다.

연은 철도역에 도착하여 안으로 들어가다 한 아름다운 금발 소녀를 조우(遭遇)하게 된다. 그녀는 어디로 갈지 몰라 두리번거리는 연에게 동정을 느끼고 다가왔다. 놀랍게도 처녀(處女)는 그가 스웨덴에 처음 온 이방인(異邦人)이라는 사실을 이미 알고 있다는 듯이 상냥하게 영어로 말을 걸었다, “내가 도움이 될 일이라도?” – “웁살라로 갈 기차를 어디서 탈지 몰라서요. 그나저나 내가 도움이 필요한지 어떻게 알았죠? 짐작건대, 당신은 경이로운 [xvii]‘안테나(antenna)’를 가졌네요.” 그의 익살에 그녀는 우호적인 분위기로 키득거렸다, “당신은 재밌군요. 맘에 들어요. 이쪽으로 가면 E번 게이트(gate)에요.” – “Tack så mycket. Vad är ditt namn(What is your name)?” “Jag heter Marlin(My name is Marlin).” – “Har du en pojkvän(Do you have a boyfriend)?” “Jäpp(Yep).” – “Okej(Okay)! Hej då(Bye then), Marlin.”

그 순간, 연은 헐렁하게 걸친 스카프(scarf)가 흘러내림을 인지하지 못했다. 그 자잘한 상태를 신경 쓰기엔 그녀가 너무 멋졌기 때문이다. 그게 그들의 짧은 만남의 끝이었지만 그에게 모국의 여성과 비교해 많은 생각이 들게 했다.

웁살라에 도착한 후 그는 그제야 그녀를 만나는 도중 목도리를 잃어버린 사실을 깨달았다, "아 이렇게 생각하자. 나는 하늘이 나에게 보내준 멋진 스웨덴인을 만났고, 여기 [xviii]머플러(muffler) 없이 왔어. 별로 신경 안 써."

연은 기차에 오른 뒤 그의 대형 캐리어를 객실 칸 뒤쪽 구석에 놓고 노부부와 마주하고 앉았다. 연이 스웨덴어 입문서를 읽자, 노신사는 연에게 그의 책을 잠깐 봐도 되냐고 물었고, 그는 선뜻 넘겨주었다. 할아버지는 책장을 넘기며 훑어보더니 말했다, "'ni'와 'du'에는 큰 차이가 있어. 넌 항상 나이 든 사람에게는 'ni'라고 말해야 해." – "그건 이미 경험하고 있는걸요." 연은 그 노인의 기분을 고려해 억지웃음을 지으며 고개를 끄덕였다. 그들의 맞은편에서 의대생 집단이 의학 서적을 펼친 채 열띤 토론을 벌이고 있다. 청년들 중에 40대 후반으로 보이는 중년 여성도 보인다. 인간 [xix]'햄스트링(hamstring)'이란 주제로 한 토론을 본의 아니게 강제로 듣게 된 연은 그들을 장난기 어린 눈으로 보더니 다가갔다, "난 이 굴러가는 바퀴 위에서 가장 무시무시한 '햄스터링(Hamstering)'을 갖고 있어요, 보여요?" 그러나 그들은 연의 유머(humor)를 이해하지 못했기 때문에, 그의 당돌함을 넘은 무례한 발언에 어안이 벙벙했다. 맙소사! 나름대로 머리 굴려 수준

높다고 던진 유머가 이렇게 싸늘한 분위기를 만들다니!

웁살라에 도착해 갈 때, 연은 웁살라 지도에서 기차역에 가까운 'Vandrarhem & Hotell'이라는 한 [xx]"청소년 여관(靑少年旅館)"을 발견했다. 그는 아직 낯선 사람들과 같이 묵는 공동생활에 익숙지 않기 때문에 전과 달리 1인용 방을 요구했다. 여성 접수원은 1인용 방은 없다고 하며 2인실을 1인실로 사용하라고 권했다. 그가 어쩔 수 없이 고개를 끄덕이며 메뉴(menu) 중 할인(割引)되는 조건을 선택하자 그녀는 그같이 유스호스텔 싱글(single)에 투숙(投宿)하면서 돈을 아끼려고 이불·베개·침대의 덮개를 직접 가지고 다니는 사람은 본 적이 없다면서 놀라는 표정을 지었다. '당신들이 할인해 준다고 그렇게 만들었잖아!'

그날 저녁 연은 바(bar)에 들렀다. "여기 얼음 띄운 스카치(Scotch) 한 잔요." 구어체가 섞인 유창한 영어로 짧게 주문(注文)하고 오래전부터 드나들었던 단골집인 양 편안하게 지배인(支配人) 앞쪽의 높은 의자(椅子)에 몸을 걸쳤다. 칵테일 바(cocktail bar)인 그곳에서 술을 홀짝이는데 [xxi] 바텐더(bartender)가 먼저 몇 마디 이야기를 건넨다, "웁살라는 이상한 곳이에요. 경찰이 술집 주변을 순찰하며 우리에게 잔소리합니다. 그 이유가 뭔지 아세요? 밤에 때때로 몇몇 사람이 취해서 돌아다니기 때문이래요." – "설마!" "정말이에요."

– "여기 팁(tip). 잔돈은 가지세요." 연이 팁을 주려 하자 지배인은 단칼에 거절했다, "안 돼요! 우리는 여기서 팁을 받지 않아

요. 어쨌든 고맙습니다.”

연의 눈은 대화 중에 주변을 두리번거렸다. 벽에는 달러(dollar)를 제외한 각국의 지폐(紙幣)가 붙어 있다. 그는 각각 1달러, 5달러, 그리고 10달러 미화(美貨)를 지갑에서 꺼내 테이블(table) 위에 탁 놓는다. “이건 다 뭐죠?” 지배인이 눈을 휘둥그레 뜨고 묻자, 연은 미소를 지었다, “보다시피, 미국 달러예요. 기념품으로 간직하세요.” - “매우 고맙네요. 복 받으실 겁니다.”

***

제2장 동화 속의 나라

〈웁살라의 작은 아씨들〉

한잔한 후, 연이 버거-킹(Burger King) 패스트푸드 체인점(fast-food chain)을 어슬렁거리는데, 그곳에는 두 명의 소녀가 창가 탁자(卓子)의 의자에 앉아 있었다. 그가 같이 앉아도 괜찮겠냐고 제안하자 그녀들은 기꺼이 허락했다. 면식(面識)도 없는데 마법처럼, 남자와 여자로서가 아닌 진짜 절친(切親)한 친구(親舊)인 양 그들의 대화는 거침이 없었다.

"자, 봐. 우리는 종일 여기서 어슬렁거려 점점 살이 쪄. 뚱보가 되지 않을지 걱정이야." 연은 그들의 몸에 시선을 던졌다, "완벽(完璧)한걸! 너희들은 여성스럽게 굴곡졌지, 뚱뚱하진 않아. 굳이 꾸미려 할 필요 없어. 나는 너희들이 이제 사춘기고 아직 성숙하지 않았기 때문에 식이 요법(食餌療法)을 안 한다고 몸매 걱정할 필요는 없다고 생각해." – "정말? 넌 참 다정다감하구나. 방학이야?" 웁살라 소녀들이 금방 미소를 되찾으며 말했다. "그렇다고 볼 수 있지, 하지만 사실은 아니야." – "무얼 말하고 싶은 건데?" "난 쉬는 기간에 여기 오긴 했는데 내 남은 인생을 스웨덴에서 살고 싶은 마음이 간절해." 그러자 웁살라 소녀들이 동시에 물었다, "스웨덴어 할 수 있어?" 그는 옅은 미소를 띤 채 대답했다, "Jag kan tala svenska lite grann. Det e allt(스웨덴어를 약간 할 수 있는 게 다야)." 소녀들은 키득거린다, "네가 스웨덴어를 제대로 들으려면 줄잡아도 최소 2년은 귀 기울여 연습해야 해." – "그건 맞아. 난 망할 영어를 10년간 꾸준히 들었거든. 귀 기울여 진위를 파악하기보다 말 그대로 그냥 듣는 게 더 어렵다는 사실은 의심할 여지가 없어." "그래," 그녀들은 고개를 끄덕인다. "말 나온 김에 좀 더 얘기하자면, 영어는 전 세계 공용어지만 듣기를 통달(通達)하기엔 정말 뼈를 깎는 노력이 필요해. 왜냐면 영어에는 정말 많은 구어와 방언(方言)이 있거든. 특히 미국은 더하지. 한마디로 영국 영어는 미국에서 이해가 안 되는 상황이 종종 발생하고, 반대는 더 심해. 영어는 한 언어지만 바빌론(Babylon) 이전이 아니라 이후 언어야. 가벼운 대화나 잡담에서 시작해 사회가 발전함에 따라 눈덩이처럼 불어났지. 듣기는 블록(block) 쌓기로 따지면 영어의 무게 중심축이라, 듣기 완성은 신성 모독(冒瀆)이 아니라 신성불가침이야."

그녀들과의 이야기는 다른 10대들 수준을 훨씬 넘어서, 연과 잘 어울릴 수 있었다. 약 한 시간 뒤에, 그들은 간식을 끝내고 밖으로 나갔다. "'베이빌롱(Baby-Long)'은 잊어버려.[xxii] 하이-파이브(high-five)하자!" 그녀들이 오른팔을 들어 올려 손바닥을 마주치자, 연이 분위기를 띄운다, "어이, 하이(hi), 틴(teen)! 하이-텐(high-ten)!" 그러자 그들은 천진난만(天眞爛漫)하게 웃으며 양손을 들어 손뼉을 마주쳤다. 그렇게 생기발랄(生氣潑剌)한 소공녀(小公女)들과 유쾌한 작별(作別)을 하며 그는 숙소로 돌아왔다.

그의 방 밖에서 떠드는 소리가 들렸을 때는 자정(子正)쯤이었다. 연이 방문을 열자 어떤 젊은이들이 복도에서 술을 마시고 있었다. 마침 공교(工巧)롭게도 한 나이 많은 남성이 복도(複道) 반대편에 있는 그의 방에서 나오더니 그들에게 소리쳤다, "이 무슨 소란(騷亂)이냐! 그만 좀 떠들어! 도대체(都大體) 지금 몇 시야, 응?! 부끄러운 줄 알아!" 화가 난 그는 방문을 신경질적으로 '쾅' 하고 닫는다. 의자도 없이 맨바닥에 앉아 있던 그들은 자신들을 훈육하는 나이 든 남성을 손가락으로 가리키며 큰 소리로 웃었다. 그러더니 아무 일도 없었다는 듯 다시 술을 마시며 떠들기 시작했다. 연이 근처로 다가가자, 그들은 그를 보며 환대한다, "안녕, 일로 와 맥주 좀 해. 여기 앉을래?" 그들은 남녀 각각 두 명씩으로 이루어진 혼성(混成) 록 밴드(rock band)였다. 소녀들에 대해 얘기하면, 머리를 검은색으로 염색한 통통한 여성은 코를 뚫었고, 나머지 한 명은 다소 호리호리한 붉은 머리로 예쁘장하게 생겼다. 두 청년은 그냥 평범하며 한 명은 키가 190 cm 남짓으로 꽤 컸다. 그들은 모두 사슬을 주렁주렁 단 검은 가죽 [xxiii]“덧웃옷”을 입었다.

“너희들, 록 하는 사람 맞지?” 연이 확신에 찬 어조로 물었다. “당연하지. 그런데 우리 밴드는 아직 이름을 날릴 정도로 유명하지는 않아,” 리더(leader)로 보이는 검은 머리 소년은 그를 보며 의미심장한 웃음을 짓는다, “당신은 진정한 사랑을 찾으러 여기 왔지? 하하.” ‘이런, 날 [xxiv]꼭뒤 지르네!’

잠시 대화의 흐름이 끊기자, 그들의 서먹서먹함을 깬 매개체(媒介體)는 맥주였다. 그래서 사실 그들에겐 형식적인 대화 시작거리가 필요 없었다. 얼마 되지 않아 그들의 주량을 채우지 못한 채 맥주 캔(can)은 텅텅 비었고, 연은 그들에게 그가 마신 맥줏값으로 100크로노르를 건넸다, “이번에는 내 차례야. 말리지 마!” 그들은 연의 돈을 받길 원하지 않았지만, 그의 고집은 어쩔 수 없었다.

그때 밴드리더(band-leader)가 그들의 방에서 맥주를 꺼냈고, 늦은 밤 맥주에 절 때까지 마셨다. 그들은 취할수록 점점 솔직함을 넘어 거칠어졌다. 자신의 이름을 울릭(Ulrik)이라고 소개(紹介)한 리더가 연을 보고 능글맞게 웃었다, “너 저기 있는 아스트리드(Astrid) 거기에 넣고 싶지? 하하!” 연은 울릭이 가리키는 빨간 머리 소녀를 보았다. “그녀는 너한테 반했다고. 18살이야.”

그가 말하는 도중, 아스트리드라 불리는 그녀는 연에게 미소를 지었다.

몇 분 뒤 그들은 신선(新鮮)한 공기를 마시러 밖으로 나갔다. 연은 옆에 서 있는 아스트리드와 길게 눈을 마주쳤다. 반반한 그녀는 자신의 열정을 드러내는 눈빛으로 그가 그녀의 감정에 응하기를 갈구(渴求)하고 있었다. 둘은 [xxv]경상(鏡像)처럼 동시에 끌리듯 다가왔고, 키스(kiss)했다.

그들의 혀가 입 속에서 서로 엉켰을 때, 쾌감의 절정에 달했다. 마치 날아갈 듯 몸이 붕 뜨는 기분이라니! 다른 이들은 담배를 피우면서 떠드느라 바쁜지 그리 심각(深刻)하게 받아들이지 않았다. 연도 마찬가지였다. 그도 별 신경 쓰지 않고 그들에게 그녀와 키스했다고 말했다.

“네가 아스트리드에게 키스했어?” 옐하트(Gerhart)란 이름의 키 큰 사내가 갑자기 표정이 험상궂게 변하더니 연에게 되물었다.
“서로 자연스럽게 하게 된 건데, 왜?”

옐하트는 연을 연이 묵고 있는 방으로 밀쳤다, “다시 한번만 우리에게 접근하면, 네 등에 칼을 확 꽂아 버린다!” 난데없는 무력행사와 협박에 연은 걷잡을 수 없이 화가 나 맞서 싸우려 했지만, 타국에 와 있는 처지(處地)에 사고(事故)를 칠 수는 없었다. 더구나 여정(旅程)의 시발점에서는 더더욱. 그래서 그는 단 한마디 대꾸도 하지 않은 채 침묵(沈默)을 지켰다, ‘넌 운이 좋군. 네가 우리 나라에서 그랬다면 비록 평범한 주먹이지만 네 주둥이를 함

부로 놀리지 못하게 할 수는 있을 터인데.'

그날 저녁 연은 숙소 입구에서 누군가 [xxvi]"아기-수레"를 훼손한 흔적을 보았다. 수레는 완전히 부서져 조각조각 흩뿌려져 있었다. 근처에 있던 물건 주인으로 보이는 부부는 훌쩍였다, "우리도 왜 저렇게 됐는지 몰라요."

그다음 날 아침, "아기-수레"는 온전한 상태로 되어 있었다. 불가해함을 넘어 기묘하다. 연은 어제와 다른 점원이 서 있는 접수대로 갔다, "웁살라 사람들은 재밌네요. 그런데 행동이 좀 서툴러요. 알잖아요, 공연 배우들이 하는 거..." 그리고 그는 다음 여정을 향해 떠났다.

웁살라는 마음이 따뜻해지는 곳이지만 자연스럽지 않고 뭔가 그가 사는 현실과 동떨어진 느낌이었다.

⟨진정한 사랑⟩

연은 고속 여행을 위해 SJ AB 기차를 탔다. 그의 좌석 번호는 한 여성 옆으로 할당되어 있었다. 18살 소녀 정도로 보이는 여성은 한 손에 책을 들고 읽는 중이다.

"실례(失禮)합니다. 옆자리에 혹시 누가 앉나요?" – "아뇨." "옆에 앉아도 되겠습니까?" 그러자 [xxvii]"백금발(白金髮)"의 처녀는 무표정한 얼굴로 답변한다, "좋을 대로." '와, 무슨 이런 [xxviii]포커-페이스(poker face)가 다 있어!' 연이 그녀 옆에 앉는 그 순간에도 그녀는 스웨덴어가 아닌 영어로 쓰인 소설책(小說冊)

을 읽는 데 정신없이 몰두하고 있었다. 그녀의 진지함이 그의 궁금증을 유발했지만 책을 읽는 그녀에게 더 말을 걸기도 애매한 상황이라 그도 자필 영어로 빽빽한, 때묻은 사전(辭典)을 꺼내 펼쳤다. 연은 그녀에게 계속 신경 쓰지 않으려 하였으나, 그게 말처럼 쉽지 않았다. 그는 그녀를 힐끗 보더니 결국 짓궂은 장난기가 발동했다.

"Hej(Hey)!" – "Va(What)?"

"Jag älskar dig(I love you)."

전혀 모르는 사람의 예기치((豫期–) 않은 발언에 그녀는 부끄러워 얼굴이 귀까지 빨개졌고 고개를 숙인 채 그를 쳐다보지를 못했다. 그건 어느 모로 보나 그의 변덕스러운 기행(奇行)이다.

"내 스웨덴어에 무슨 문제라도 있나요?" – "아뇨 조금도. 다만..."

"다만 뭐요? 당신은 날 미쳤다고 생각하거나, 이게 중대한 외교적 실수라고 생각하진 않잖아요? 난 정치인이 아니에요. 그냥 무모하고 몰상식한 놈이죠." 그녀는 그의 말에 웃지 않을 수 없었다. 순간 연은 그런 그녀의 순수함에 사로잡혔는데, 매우 상쾌(爽快)한 느낌이 들었다.

몇 시간 뒤에 그녀는 어느 한 조그만 도시에서 내렸다. 역에는 마중 나온 그녀의 친구들이 기다리고 있었다.

기차 안에서는 어느새 그녀의 자리를 차지한 14살 소년이 이어폰을 귀에 낀 채 아이팟(iPod) 노래를 손가락으로 툭툭 넘기며 듣고 있다.

'철그렁, 철커덩, 철그렁, 철커덩' 기차가 철로(鐵路)를 미끄러지는 소리와 함께 바깥 경치를 바라보며 그는 어찌 될지 모르는 미래에 대해 미리부터 걱정하고 있다. 저 멀리 소나무같이 키가 그리 크지 않은 나무들로 듬성듬성 이루어진 숲 지대가 보인다. 마침 그 숲이 전망을 방해하지 않고 주변과 어우러져, 탁 트인 바깥에서 시선을 뗄 줄 모르게 했다. 게다가 전 세계 철도 대부분이 그러하듯 도시가 아닌 곳을 주 루트(route)로 하다 보니 경치는 더 환상적이다. 옛날 책에나 나올 법한, 말의 발굽에 말굽쇠를 대어 붙이는 편자공이 그에 눈에 들어오는데 날씨가 아직 쌀쌀한지 말은 전용 담요까지 등에 덮은 상태다. 오래지 않아 사람이 꽤 사는 듯한 마을이 보이기 시작한다. 유럽인은 각양각색의 초를 좋아해 로맨틱(romantic)한 촛불을 밝힌 저녁 식사라든지 파티(party) 등을 즐긴다. 초에 불이 켜지면, 곳곳이 따뜻한 색깔로 불타오르고, 그들의 장소를 아늑하고 평온하게 만들었다.

얼마나 시간이 지났을까? 연은 [xxix]"연셔핑(Jönköping)"에 도착했다. 저녁 9시를 넘긴 어두컴컴한 시각이라 기차역은 사람의 발길이 뜸했다. 그나마 몇몇 보이는 사람은 휴대 전화기를 만지작거리거나 주변을 서성이고 있다. 그는 택시를 타기로 했다. 왜냐면 캄캄한 어둠 속에서 "청소년 여관"까지 걸어가는 행동은 분별없는 모험이기 때문이다. 택시 승차장까지 걸어가면서 연은 두 명의 인상 사나운 모국인 남성을 우연히 보았다. 그들의 첫인상은 단순히 험악함을 넘어 위협을 느낄 정도로 안 좋았으나 그는

곧 편견을 떨치려 노력한다. '연, 그건 같은 민족인 너한테도 마찬가지 아냐?'

연은 여행 안내 책자를 훑어보고 연셔핑의 한 호스텔을 찾았다. 그러더니 이내 망설임 없이 택시를 잡는다. "어디 가십니까?" – "'청소년 여관'요." "연셔핑에는 [xxx]'청소년 숙박소(青少年宿泊所)'가 두 곳 있는데 그 중 어디로 갈까요?" 택시 운전사가 [xxxi]후사경(後寫鏡)을 통해 그를 보며 말했다. "가장 가까운 곳이요."

연이, 급속도로 올라가는 [xxxii]택시미터(taximeter)의 요금을 내심(內心) 불안한 듯 뚫어지게 바라보는 가운데 택시는 어느덧 목적지에 가까워지고 있었다.

10분 정도 달린 후, 그들은 어떤 외진 곳에 있는 판잣집 같은 곳에 도착했다. 물결무늬의 철재 지붕에 컨테이너(container) 벽으로 이루어진 가로로 길쭉한 건물이다. 그곳 창문 너머로 한 무리의 사람들이 술을 마시며 유흥(遊興)을 즐기고 있었다. 연은 잠시 택시에서 내려 그곳으로 접근했다. 창유리를 통해 보니 투숙객은 맥주잔을 손에 들고 있다. 그가 초인종을 누르자, 안에서 이내 한 남자가 나왔다. "여기 숙박 가능합니까?" – "미안합니다. 아무래도 안 되겠습니다. 자리가 다 차서 오늘은 여행객을 더 받을 수가 없네요." "알겠습니다."

연은 택시에 다시 타며 운전사에게 말했다, "다음요."

이번에 그들은 호수 옆에 있는 한 모텔 앞에 멈췄다. "도착했습니다. 여깁니다."

연은 택시에서 내려 바로 앞 건물의 문을 열고 들어가 접수대 직원에게 빈방이 있는지 확인했다. 이번에는 다행히 빈방이 있다. 그는 택시 운전사에게 요금을 내고 자동차 뒤칸의 짐을 두는 곳에서 커다란 캐리어를 내렸다.

접수대에는 중년의 여성이 앉아 있었다. "얼마나 여기 묵으실 예정이에요?" – "이틀이요." "700크로노르입니다." – "Tack så mycket(고마워요)." 수지맞는 장사인데! 환율로 계산해 보니, 매우 싸다. 하나 직업이 없고 4,000유로 남짓 정도가 전 재산인 연에겐 역시나 부담(負擔)이다. 그가 얼마 전에 보았던 그 인상 더러운 모국인들을 찾을 수 있다면 어떻게든 스웨덴에서 살 방법을 알아낼 수 있을지도 모른다고 생각하며, 그는 즉각 스웨덴 화폐(貨幣)를 접수대에 올려놓았다.

밤은 여행객에게 하루 고단함의 끝이다. 흡연자였던 연은 한 모금의 담배 때문에 수고스럽게 노곤(勞困)한 몸을 이끌고 모텔 밖으로 나와야 했다. 담배 연기를 허공에 뿜어내며 불과 며칠 전과 다른 나라에 왔다는 현실을 만끽(滿喫)한다. 다 피우고 계산대를 지나가는데, 아까 접수했던 중년 여성의 이미지가 그의 모친과 겹쳤다. 그는 눈물을 글썽거리며 그녀에게 다가가 속삭인다, "엄마..." 연은 그의 입술을 그녀의 볼에 살포시 대었다, "엄마, 무척 보고 싶어요." 그러자 그녀는 예측지 못한 그의 행동에 화들짝 놀라 한마디도 못 한 채 돌처럼 굳어 버렸다. "미안해요!" 순간 어린아이가 된 연은 모텔 룸(room)에 들어가자마자 침대에 몸을 던졌다.

일출로 유리창에서 스며 나온 눈 부신 햇살이 그의 눈꺼풀에 앉아 간지럽힌다. 연은 눈을 비비며 일어났다. 나른해지기 쉬운 아침이다. 모텔에서 간단하게 식사를 한 그는 거추장스러운 짐을 놔둔 채 홀가분하게 밖으로 나갔다. 연셔핑은 스웨덴에서 두 번째로 큰 베턴(Vättern) 호수의 남쪽 끝에 자리 잡고 있다. 아침 내내 시야(視野)를 가렸던 안개가 걷히며 주변 수 킬로미터 반경 내에 있던 거대한 호수가 그 모습을 드러낸다. 개간지(開墾地)와 수목을 번갈아 통과하며 연은 인구가 밀집한 시내 방향으로 호숫가를 따라 걸었다. 호수까지는 모텔에서 도보로 10분 거리 정도 되는데 조깅(jogging)할 수 있는 길이 호숫가를 따라 나 있다. 그가 있는 연셔핑 교외에서 도심 중심부까지는 7 km 남짓 되었다.

연은 길이 난 흔적을 쫓아가다 레게(reggae)-풍(風)의 키 작은 황갈색 머리와 키 큰 금발 소년을 만났는데, 길거리 농구(籠球) 코트(court)에서 일대일을 하고 있었다.

기분도 전환할 겸, 농구를 좋아하는 연은 즉석에서 그들과 함께했다. 흥미(興味)롭게도 농구 테의 망(網)은 할렘(Harlem) 지대의 그것처럼 쇠로 되어 있었다. 그는 완벽하게 자유투(自由投) 라인(line) 근처에서 [xxxiii]야투(野投)를 성공시켰다. 자신감에 가득 찬 연이 연속으로 골(goal)에 성공하며 상대에게 뽐낸다, “이 정도 높이면 충분히 덩크(dunk)할 수 있어.”

말은 그렇게 했지만, 사실 그는 그동안 농구를 안 한 지 꽤 되어, 한 번에 성공하기는 무리로 보였다. 그런데 연은 한술 더 떠 공을 드리블(dribble)하며 달리더니 자유투 라인 근처에서 뛰어오르지 않는가! 이런! 공은 농구 쇠테를 쳤고, 순간 그의 오른쪽 중지가 네트(net) 강철 사슬로 인해 심하게 찢겼다. 그건 찰과상 정도가 아니었다. 정확히 말하면, 그의 손가락 살덩이가 기이한 소리를 내며 툭 뜯겨 나갔고 그 깊이 베인 상처 틈새에서 피가 콸콸 쏟아져 나왔다.

그것은 스웨덴에서 그에게 일어난 일종의 전조(前兆)였다. 그 다음 해 그의 모국에서도 똑같은 일이 일어난다. 하지만, 큰 차이가 있었다. 첫 번째 상처는 오래지 않아 아물었고, 반면에 두 번째 상처는 영구적으로 남아 사라지지 않았다.

어쨌든 지금 연은 피가 뚝뚝 떨어지는 손가락을 다른 한 손으로 부여잡고 있다. 그러자 소년들은 걱정하는 표정을 지었다, "괜찮아?" "많이 안 다쳤어?" 그는 하나도 안 아픈 척하며 미소를 띤 채 어깨를 으쓱거리고 대수롭지 않은 표정을 짓는다. 그런 그의 행동에 그들의 걱정스러운 표정이 다소 누그러졌다.

키 작고 머리 땋은 소년이 그에게 이를 드러내며 씩 웃는다, "나 네가 마이클 조던(Michael Jordan)처럼 덩크하려는 사진(寫眞) 찍었어."

연은 무안(無顔)한 표정을 지었다, "정말? 좀 보자," 그는 사진을 보았다.

놀랍다! 그 스웨덴인이 즉석에서 찍은 사진은 너무나 훌륭해서 도저히(到底-) 그가 전문가가 아닌 아마추어(amateur)라고 생각할 수 없을 정도다. 뛰어올라 공중에 떠 있는 그가 멋들어지게 막 슬램 덩크(slam dunk)를 하려고 하는 찰나를 찍었다. 매우 힘차 보여 금방이라도 덩크를 성공시킬 자세다.

연의 불에 타는 듯한 새빨갛고 화려한 재킷이 남성적인 동작을 중성적으로 만들었고, 결과적으로 그 빨간색 "덧옷옷"은 예술적인 사진을 완성하는 데 일조하였다.

확신을 가지고 프로(pro)가 찍은 사진과 동일한 수준이라고 말할 수는 없지만, 그래도 놀라울 정도로 훌륭했다. "나의 멋진 장면을 놓치지 않고 찍어준 데에 감사(感謝)를 안 할 수가 없네." 그러자 레게 소년은 웃으며 그에게 사진을 보관해도 되겠냐고 물었고 연은 선뜻 승낙(承諾)했다. "고맙고 즐거웠어." – "나야말로 즐거웠어. 다음 휴가 때 여기 다시 돌아와, 연?" "물론 당연하지!"

그들을 뒤로하고, 손가락에 반창고(絆瘡膏) 하나 붙이지 않은 채 연은 베턴 호수 옆길을 따라 걷는다. 그는 파상풍(破傷風)의 위험이 있는데도 병원에 가지 않았다. 광대한 호수를 감상하며 가는 도중 이따금 호숫가 길을 걷는 사람들과 마주쳤는데 그들의 반응은 한결같았다; 웃으며 "[xxxiv]Hej!" 무뚝뚝해 보인다고 소문(所聞)난 낯선 이국땅 스웨덴의 그곳은 모국보다 더 살가웠다. 얼마나 호수를 따라 걸었을까? 한 폭의 그림 같은 호수는 햇빛을 반사하며 반짝거리는데, 근처에서 조깅하는 사람들과 매우 잘 어울린다.

모텔에서 도시 중심부까지 약 한 시간 정도 걸었다. 혹시라도 지난밤에 보았던 모국인으로 추정되는 아시아인들을 만날 수 있을까? 도착하자마자 연은 마을 번화가를 샅샅이 뒤지기 시작했다. 점점 반경을 넓히다 보니 어느새 시내에서 약간 벗어난 곳에 이르렀는데, 차를 타고 누군가 지나간다. 맙소사, 검은 머리다! 하지만, 어제 본 사람이 아님을 그는 바로 알 수 있었다. 그들과 연락할 방법이 없기에 연은 인근을 꼼꼼히 살폈으나 결국 만나진 못했다.

그는 돌아오는 길에 커피-숍(coffee shop)에 들어가 커피를 주문했다. 어느 금발 소녀가 혼자 그의 정면에 서 있었는데 친절(親切)하게 그에게 길을 비켜 주었다. 연은 그녀에게 감사하며 묻는다, "일행(一行) 있어요?" - "네. 당신은 일행이 없네요. 혼자?" "네, 보다시피."

커피숍에서 나온 연은 시내에서 북유럽의 태양을 만끽하며 카페-라떼(caffè latte)를 홀짝거린다. 커피를 음미하면서 헛수고가 된 일을 마음에서 털어내는 중이다. 음료를 다 마신 그는 특별한 목적도 없이 뭘 해야 할지 모른 채 방황한다.

(순간 밋밋한 책을 뚫고 나올 정도로 생생한 기운이 가득 퍼진다!)

사랑의 여명(黎明)이 결국 그에게도 밝아 오는구나!

두 명의 스웨덴 소녀가 연에게 다가온다. 그중 발랄한 18세 소녀가 그에게 말을 걸었다. 예측하지 못한 상황에서 연의 심장은 처음 느껴보는 알 수 없는 감정으로 고동치기 시작했다. 그의 눈을 매력, 아니 마력적으로 사로잡은 소녀는 태양에 반사되어 빛나는, 고전적으로 아름다우면서도 찰랑거리는 금발 머리에 xxxv 설화 석고(雪花石膏) 같은 피부를 지녔는데, 그 모습에 연은 순간 숨이 멎는 줄 알았다. 그 감정은, 그의 내면 깊숙이 잠재한 파동의 바다에서 걷잡을 수 없이 폭주하는 중이다. 그래, 연은 그녀에게 첫눈에 반했다.

"도와줄까요?" 그녀가 친절히 먼저 말을 걸었다.

아! 듣기 좋은 매력적인 목소리다.

"어, 나-- 난 그냥 생각 없이 시내를 돌아다니는 중이에요." 그러더니 그들의 사이엔 잠시 정적이 흘렀다. 왜냐면 더 대화를 이끌어 나갈 주제가 마땅히 없기 때문이다. 서먹서먹함을 깨고자 연이 손을 내밀었고 그녀들은 기꺼이 그와 악수했다. "만나서 반가워요. 전 엠마(Emma)라고 해요. 옆의 제 친구는 크리스티나(Kristina)예요." – "반갑습니다. 내 이름은 연(Yeon), 라틴어식 영어로는 로투스(Lotus)라고 부릅니다." 그러면서 연은 그 운명의 여인에게 시선을 고정한다, "당신 손이 좀 차갑네요." – "정말요? 그래도 그렇게 냉혈한은 아니에요," 그녀는 호의를 잃지 않으면서도 기지 있게 대답했다. 그가 그녀에게 홀딱 빠진 건 운명이었다. 눈치 빠른 그녀의 친구는 집에 가야 한다며 홀로 떠났고, 둘만 남았다.

"뭐라도 마실까요?" 엠마가 묻는다. "네, 영광입니다." 그녀는 그를 인근 카페로 데리고 가 시럽(syrup)과 생크림(whipped cream)을 얹은 딸기 밀크-셰이크(milk-shake)를 주문하였고 그도 같은 걸로 했다. 두 선남선녀는 카페 밖에서 얼굴을 맞대고 꽤 오랫동안 대화했다. 사실 그들은 이야기보다도 따사로운 햇살과 함께 말로 형용할 수 없는 둘 사이에 흐르는 짜릿한 교감을 즐기는 중이다.

날이 어둑해지고 작별의 때가 다가오자, 서로의 눈은 벌써 아쉬움으로 가득 찼다. "아, 시간이 다 됐네. 다음에 우리가 데이트(date)할 때 내 특별한 요리법(料理法)이 유용하게 쓰일지도," 엠마가 집에 돌아가야 함을 넌지시 비쳤다. "만약 당신이 나에게 저녁을 해 준다면 그건 신의 음식이야. 당신이 키스한다면, 그건 불로 장생약이고…" 연은 잠시 망설이더니 이내 그의 입술을 그녀의 육감적인 입술에 천천히 포갠다.

순간 온 우주의 시간이 정지된 듯이 황홀(恍惚)하다. 키스 후 그들은 자신들의 돌발(突發) 행동에 화들짝 놀라서 잠시 처음의 어색한 분위기로 돌아왔다.

"저, 그래서 여기 온 진짜 목적이 뭐예요? 솔직히 말해봐요. 당신의 조력자가 되고 싶어요," 엠마가 그를 놓치지 않고 싶은 눈으로 쳐다보았다. "고마워요, 엠마. 난 그냥 같이 동거할 여자를 찾고 있어요. 반려자(伴侶者)요." 상황이 갑자기 난처해서 엠마는 잠시 대답할 수 없는 듯 보였다. "그건 내 능력 밖의 일이에요. 미안해요." 연도 순간 얼굴이 붉어졌지만, 애써 태연(泰然)한 척했다. "문제없어요. 해결할 방법이 있겠죠. 하지만 찾아봐도 없다면, 당신은 내가 진짜 남자가 되어 돌아올 때까지 기다려 줄 수 있나요? 그리고 그 어떤 곳이라도 함께해 줄 수 있어요?" – "글쎄요, 그건 그때 가 봐야죠." 시무룩해지는 연은 보며 엠마는 거부할 수 없는 마력적인 웃음을 짓는다. "당신 삐치지 않았죠?" – "아니, 그럴 리가! 내 사랑." "난 운명을 믿어요. 만약 어떻게든 우리가 다시 만난다면, 난 당신과 영원(永遠)히 함께할래요."

엠마는 따뜻한 마음씨를 지녔지만 매우 현명해서 그 상황에서 어떻게 행동해야 할지 정확히 알고 있었다. 연에게 그녀는 모든 스웨덴인 중에서 단연코 육체적, 정신적 측면에서 흠(欠)잡을 데 없이 완벽했다.

그가 원했다면 당장(當場) 그녀와 하룻밤을 보낼 수도 있었다. 육체적 욕구를 충족시킨다고 그녀에 대한 열정이 사라지진 않을 테니까. 남자란 때때로 철없는 아이같이 경솔하고, 여성과의 하룻밤 잠자리를 무슨 훈장(勳章)인 듯 여길 때도 있지만, 그게 육체적 관계를 가진 모든 여성을 소중히 하지 않음을 의미하지는 않는다. 오히려 반대로 남자는 짧은 성적 만남을 가진 여자를 잊지 못하는 사례가 [xxxvi]왕왕(往往) 있다. 그런데도 이 절호(絕好)한 기회의 끈을 스스로 잘라 버린 연은 그 처녀의 좋은 짝이 될 상황이 아님을 스스로 깨달았나 보다.

<사랑의 실타래>

우리가 비록 떨어져 소원할지라도
또 다른 우리로 어디에나 있다오
비록 우리가 떨어져 갈라져도
우리는 서로 이어져 있다오

그날 저녁, 연은 고민(苦悶) 끝에 예정대로 스웨덴에서 두 번째로 큰 도시인 고텐버그라고 불리는 여테보리에 가기로 결심했다. 그곳은 그가 어렸을 때부터 살고 싶어 한 도시였다. 엠마를 잃고 싶지는 않았지만, 한편으로는 오히려 그게 그가 일자리를 얻어 함께 살 수 있는 가장 가능한 방법일 수 있다고 생각했기에 내린 힘든 결정이다. 운명적인 그녀를 생각한다면 무슨 일이 일어나도 그는 스웨덴에 정착해야만 했다.

다음 날 연은 연셔핑을 떠나 여테보리로 향했다. 스웨덴에서는, 그는 물론이고 스웨덴 사람들도 영어를 유창하게 구사(驅使)하지만, 연은 되도록 스웨덴어를 쓰도록 노력했다. 서투른 스웨덴어 실력이지만, 스웨덴 사람들이 좋아함을 본능적으로 느꼈기 때문이다, '그게 전 세계에 통하는 상식이라고 생각해!'

연셔핑을 떠나기 위해 역 안에서 기차가 오길 기다리고 있던 연은 접수대 앞 바닥에서 떨어진 동전 하나를 발견했다. 그는 몸을 굽혀 동전을 주운 후 [xxxvii]프런트 데스크(front desk)로 돌아가, 서투르지만 또박또박 스웨덴어로 발음하며 탁상에 동전을 올려놓는다, "내 거 아닙니다. 이 동전을 찾는 주인이 있을지 모르니 당신이 갖고 계세요." - "찾은 사람이 임자죠," 접수대 여직원이 우회적(迂廻的)으로 짧게 대답하며 동전 받기를 거부했다. "이봐요, 잘 들어요, 내가 몸을 굽혀 동전을 주우러 간 목적은 돈에 굴복(屈伏)하기 위해서가 아니에요!" - "좋아요! 그나저나 당신은 스웨덴어에 재능이 있네요," 그녀는 그를 칭찬(稱讚)했지만 연은 빈말을 좋아하는 타입(type)이 아니다. '내가 그녀의 보스(boss)도 아닌데.'

〈고텐버그〉

연은 어느덧 꿈의 도시 고텐버그에 도착해 역 밖에서 담배를 한 대 피우면서 휴식을 취하고 있다. 얼마 지나지 않아 누군가 부르는 소리에 그는 고개를 들어 쳐다보았다. 기차역 계단에 서 있는 연에게, 꾀부정하게 어슬렁거리던 흑인 청년이 환심을 사려는 듯한 미소를 지으며 말한다, "당신 동양에서 왔죠?" 긴 여정에 피곤(疲困)한 그는 대답 대신 고개를 끄덕여 그렇다는 뜻의 표시를 했다. "이봐요, 나에게 담배 한 개비만 주면 안 돼요?" - "뭐, 그러죠," 연이 담뱃갑(-匣)에서 담배 한 대를 꺼내려는 순간, 그의 일행으로 보이는 또 다른 흑인이 연에게 다가온다. 정신적으로도 지친 그는 [xxxviii]분란(紛亂)을 피하려 미리 담배 한 개비를 재빨리 더 꺼내 눈앞의 흑인에게 건넸다, “이건 당신 친구의 몫이요.” 그러자 그들은 감사의 표시로 엄지를 들어 보이더니 가 버렸다. 글쎄, 어쨌든 그 얼쩡거리는 인간들이 뒤도 안 돌아보고 빨리 가서 그나마 다행이다.

연은 근처 표지판을 보고 따라가 어렵지 않게 여행자 정보 센터에 도착했다. 기차역 지하는 여러 갈래로 분기된 지하도인데 신기하게도 그곳은 지표를 받치는 가장 큰 기둥 안에 있었고, 들어가자 일하는 여성 점원은 친절하게 그에게 도시 지도를 주며 설명했다. 고텐버그엔 “청소년 숙박소”가 두 곳 있었고 그중 연은 당연히 기차역, 즉 현재 그가 있는 곳에 더 가까운 곳을 선택했다. 그다음은 교통수단(交通手段) 문제다. 짐이 많던 그에겐 시가(市街) 전차(電車)로 가는 편이 버스로 가는 방법보다 편리해 보인다. 스웨덴에서 두 번째로 큰 도시답게 도회(都會) 중심 인근은 사람들로 바글바글하고 대중교통 수단도 붐볐다.

“내가 이 큰 짐을 가지고 전차에 탈 수 있겠죠?” 연이 걱정스러운 표정으로 묻자, 여성 직원이 확답한다, “안될 리가요. 그러나 [xxxix]트램(tram)이 현재 만원인지 아닌지 확신할 수는 없어요. 왜냐면 지금이 [xl]러시-아워 (rush hour) 바로 직전이거든요.” 연은 안도 반 걱정 반의 한숨을 내쉰다, ‘음, 이 빌어먹을 골칫덩이 짐이 걸림돌이긴 하네.’ 그는 다시 그녀에게 물었다, “그러면 내가 어디서 택시를 호출할 수 있죠?” – “그럴 필요 없어요. 이 건물을 나가서 오른쪽으로 돌면 바로 찾을 수 있습니다.” “정말 고맙습니다.” 그는 떠나려는 찰나 무언가 생각난 듯 마지막으로 묻는다, “혹시 여기서 전화 카드 구할 수 있나요?” – “우리는 그런 카드 안 팔아요. 하지만 저쪽 가게에서 구할 수 있을 겁니다,” 그녀는 싱긋 웃었다. “다시 한번 감사합니다.”

〈성미 고약한 붉은 머리 코뚜레 문신 소녀〉

연은 “청소년 여관” 근처에 도착하자 주위를 둘러보았다. 트램 선로가 거기서부터 오르막길이다.

접수를 담당하는 사람은 팔에 장미꽃 문신(文身)을 하고 코를 뚫은 붉은 머리의 소녀였다. 연이 [xli]체크-인(check-in)하겠다고 하자, 빨강 머리 [xlii]코뚜레 문신 소녀는 숙박부(宿泊簿)부터 내놓더니 그에게 성명(姓名)을 적으라고 한다. 연이 그녀에게 무어라 말하려 할 때, 전화-벨이 울렸다. 그녀의 엄마였다. 그녀는 신경이 과민한 상태로 스웨덴어로 통화하고 있다.

그러면서 연에게 한마디 툭 던진다, “여기 연령(年齡)도 적으세요.” 그녀의 요구에 그는 이해가 안 된다는 표정으로 물었다,

“내가 왜 나이를 적어야 하죠?” 그러자 그녀는 짜증을 내며 말한다, “난 당신 나이에 털끝만큼도 관심 없어요!” 그녀가 퉁명스러운 어조(語調)로 무시하는 듯 말하자, 연은 심기가 불편했다, “안 좋은 양식(樣式)이네요. 나이까지 적으라니!” 적발(赤髮)의 소녀는 잠시 침묵하였고 그는 첨언(添言)하였다, “성깔머리 참!” – “뭐요?! 나요? 성깔머리?!” “그래요. 당신은 그 신경질을 좀 누

그러뜨릴 필요가 있네요." 그는 무거운 여행 가방을 메고 한 손에는 대형 캐리어를 질질 끌며 계단을 올라갔다.

〈욕봤실〉

연이 여장(旅裝)을 풀고 여러 사람이 같이 쓸 수 있는 공동-욕실로 들어갔는데 벌써 몇몇 사람이 샤워하고 있다. 그런가 보다 하고 옷을 벗으려는 찰나 갑자기 처녀들의 목소리가 들렸다. 그는 황급히 샤워실을 뛰쳐나왔다. 그곳은 남녀가 분리된 곳이 아니었다. 연은 그녀들이 나올 때까지 기다렸다.

드디어, 몸매 좋은 매력적인 처녀들이 그녀들의 은밀한 부위에 큰 목욕(沐浴) 타월(towel)을 두른 채 깔깔거리며 나오고 있다. 그녀들 중 한 명이 연을 발견하더니 유혹적으로 윙크(wink)를 하는데 물이 뚝뚝 떨어지는 젖은 긴 금발 머리카락이 그녀의 목과 등에서 흘러내린다. 그 금발이 그를 얽어매기라도 한 듯 연은 쩔쩔맨 채 어떻게 해야 자연스럽게 행동할지 몰랐다. 다행히 완전 나체는 아니지만, 그게 그녀들을 알몸인 상태보다 더 관능적(官能的)으로 보이게 했다. 정신을 차리고 연은 어색함을 무마하려 인사했다. 반나체 처녀들은 그에게 농염(濃艶)한 미소를 짓고 스치듯 지나가더니 그의 방 바로 옆방으로 들어갔다.

넋 놓고 있다가 잠시 후 정신을 차린 연은 묵는 곳에서 신을 슬리퍼(slippers)가 필요하다는 사실이 갑자기 떠올라 시내에 쇼핑(shopping)하러 나갔다. 그는 번화가의 지하 소매점에 들어가

사장으로 보이는 중년 여성에게 슬리퍼가 어딨냐고 물었다. “슬리퍼요? 나로서는 도무지 무슨 말인지 모르겠네요.”

그가 그녀에게 슬리퍼에 관해 영어로 설명하자, 그녀는 그제야 알겠다는 듯 외쳤다, “아, 토플루어(tofflor)!” 그리고 신발 진열 통로를 가리켰다. ‘저런! 스웨덴에서 “슬리퍼”란 말을 잘 안 쓰나?’

〈쌀 먹는 스웨덴인〉

요리를 해 본 적이 거의 없는 연은 공동 부엌 안 전자 오븐(microwave)에 고텐버그 시청 근처 시장에서 산 칠면조(七面鳥) 냉육(冷肉)을 넣고 돌린 채 식당 TV를 보고 있다. 옆에서는 한 스웨덴 남성이 저녁 식사를 만드는 중이다. 그는 다양한 요리 기구를 꺼내 능숙하게 조리(調理)하고 있는데 한쪽에는 압력 밥솥에 밥을, 다른 한쪽에는 돼지고기를 굽고 있었다. 그렇게 뚝딱 쌀밥과 돼지고기를 요리하더니 다른 밀가루 음식 없이 맛있게 먹는데, 연은 자기도 모르게 군침을 삼켰다. ‘서로 바뀐 거 아냐?!’

〈고텐버그의 오스트리아인〉

연이 간소(簡素)한 식사를 들고 식당에 들어갔을 때, 열 명 남짓 되는 오스트리아인(Austrian)들이 한쪽 구석에서 탁자를 붙여놓고 정찬(正餐)을 들고 있었다. 식사하는 동안 그는 그들의 꾸밈없는 자연스러움에 매료(魅了)되었다. 보일 듯 말 듯 적절히 가슴이 파인 드레스(dress)를 입은 오스트리아(Austria) 소녀가 연에게 [xliii]추파(秋波)를 보낸다. 이에 그의 얼굴은 살짝 상기(上氣)되었다. 분명 생물학적으로 서로 다른 인종임에도 그들은 꽤 빨리 친밀감을 가지며 잘 어울렸다. 만약 그가 부자였다면 이런 곳에서 마주치지도 않았을 터이고, 위선적이라면 그가 지켜보는 앞에서 그들의 일상생활을 꾸밈없이 드러내지 않았을지도 모른다. 설사(設使) 의도를 가지고 어울려도, 그들은 곧 눈치채게 되고 그 결례(缺禮)는 결국 커다란 적의로 역효과를 불러올 수도 있다.

다음 날 아침, 전날 낮 욕실 사건의 주인공인 반나체 처녀 중 한 명이 식당에서 피자(pizza)를 홀로 먹고 있다. 그와 눈이 마주치자, 그녀는 무슨 이유에서인지 분개(憤慨)한 듯한 표정으로 그를 쳐다보더니 피자 박스를 손에 든 채 방으로 돌아갔다. 그는 곰곰이 자신이 무슨 잘못을 했는지 생각해 보지만 도대체 뭐가 잘못된 건지 찾아낼 도리(道理)가 없었다.

칠면조 냉육만 먹다가 물린 검은 머리 소년이 고텐버그 기차역 근처에서 쇼핑하고 있다. 다름 아닌 우리의 검은 머리 청년 연이다. 그런데 엉뚱하게 [xliv]시스템볼라겟(Systembolaget) 가게에 있다. 그곳에서 그는 스웨덴 남성과 같이 있는 20대 동포(同胞) 여성과 마주쳤다. 그들이 눈을 마주친 이후, 그녀는 줄곧 연을 노골적으로 바라보며 시선을 떼지 않아 그를 당황(唐慌)하게 했다, '뭐지? 앤?' 그때부터 연은 애써 그녀의 시선을 외면했다, '내 눈은 못 속이지. 그녀는 이곳에 정착하려고 저 스웨덴 남성에게 암고양이 발톱을 꽂으며 애쓰고 있어. 여기 살 수 있게 해 주는 비자(visa) 빼고 그에게 더 얻을 수 있는 건 없단다, "[xlv]젠장녀".'

〈고텐버그의 신부〉

연은 돌아가는 길에 고텐버그 성당에 들렀다. 들어오면서 연기 나는 향로에 천상의 신비스러움으로 붕 뜨는 기분을 느끼며 그의 폐는 마음을 진정시키는 향기로 구석구석 가득 찼다.

그가 성당 중앙인 회중석(會衆席)으로 들어섬과 동시에 검은 성직자 복장을 한 남자가 성물(聖物) 안치소에서 나와 동쪽 끝 성단(聖壇) 근처에 있는 그에게 다가온다. 검은 법의를 벗어 회중석에 걸치니 딱 맞는 흰 통상복이 드러났다. 신부였다. 그는 연을 따뜻하게 맞이했다, "어서 오십시오. 하느님의 품에 오신 걸 환영합니다." – "안녕하세요. 전 궁금해서 그냥 둘러보러 온 지나가는 사람입니다." 신부는 직설적으로 연에게 화두를 꺼냈다, "실례입니다만, 선생님, 당신은 무신론자입니까? 아니면 [xlvi]불가지론자(不可知論者)입니까?" – "전 아기 때 세례를 받았고 소년으로 [xlvii]복사(服事)도 섰습니다. 그리고 지금은 딱히 종교를 부정하지는 않지만, 제 심연(深淵) 소리를 좇는 나름의 신념이 있는 무신론자입니다, 신부님. 저는 과학을 지금까지 믿고 있습니다. 하지만 동시에 과학의 불완전함이 신의 영역임을 알고 있습니다." "심연의 소리? 깨달음의 바다를 의미하는군요." – "음, 전 선생님이라 불리기에 좀 그렇습니다. 그냥 세례 받았던 무신론자, 방황하는 어린 양이죠. 이런 말 하면 결례가 될지 모르겠지만, 신부님은 미국인들이 흔히 말하는 [xlviii]'지적-선생님'이시네요. 전 스파(spa)하면서 명상하길 좋아하는 '스파맨'입니다." 잠시 당황한 듯 보이는 신부는 이내 너털웃음을 터뜨렸다, "재치(才致)가 있군요, 젊은 양반. 허허!" 그러고 나서도 그들은 상당히 오랜 시간 동안 철학적인 주제를 이어갔다.

연은 신부를 보며 미소 지었다, "신부님, 이거 일종의 [xlix]교리문답 아니죠?" – "하하, 그렇게 받아들여질 수도 있겠군요."

그가 초에 불을 붙이자, 성직자가 그에게 축사(祝辭)를 한다,

"이제, 당신은 우리의 가족입니다."

연은 말없이 고개를 끄덕이며 미소로 답했다.

〈연, 엑스칼리버를 뽑아 들다〉

성당에서 나와 정처 없이 길을 거닐다가, 연은 우연히 바다 근처 도로와 나란히 뻗은 철도 옆 오르막길의 조그만 성에 도착했다. 다소 가파른 비탈길을 올라 주위를 둘러보니 큰 바위에 [l]타륜(舵輪)과 검이 박혀 있어 호기심에 연은 그 검을 두 손으로 쥐고 뽑으려고 시도하였다. 단단한 바위 깊이 박혀서 뽑히겠단 기대는 전혀 하지 않았지만 그래도 있는 힘껏 당겼다. 그러자 놀랍게도 칼이 흔들리기 시작하더니 조금씩 들리기 시작했다.

순간 그는 황급히 주변을 둘러보았다. 가시거리에는 아무도 없

었다. 연은 다시 칼을 있는 힘껏 돌 속 깊이 찔러 넣었다. 그가 시험 삼아 흔들어 보자 그것은 조금도 꿈쩍 안 했다.

'이거 엑스칼리버(Excalibur) 이야기 아냐?'

〈고텐버그의 오스트리아인 II〉

눈이 내리는 저녁의 공용 식당 겸 거실 안, 예전에 본 오스트리아인들이 감미로운 향 가득한 초를 식탁에 놓고 화기애애(和氣靄靄)한 분위기 속에서 음악(音樂)을 즐기며 저녁 만찬(晩餐)을 들고 있다. 촛불의 빛과 함께 행복이 방사(放射)되어 눈에 보이는 듯한 그들 무리는 유명한 오케스트라(orchestra)처럼 조화롭게 서로 잘 어울렸다. 연은 그들 옆에서 식사를 했다. 엄밀히 말하면 그들과 함께는 아니고 혼자지만, 그들의 분위기에 자연스럽게 녹아든 느낌이다. 그들은 있는 그대로의 삶을 즐길 줄 알았다. 연은 오스트리아인들이 그에게 직접적으로 말을 걸지 않아서 다행이라는 표정이었다.

스피커(speaker)에서 부드럽게 흘러나오는 음악과 함께 식사와 맥주를 즐기면서, 오스트리아인들은 연에게 동석(同席)하자고 몸짓했다. 그렇게 저녁을 함께 하면서도 연은 별다른 말이 없었다. 그날은 유난히 눈이 많이 와 땅으로부터 50 cm 정도 쌓였다. 오랜만에 가슴 따뜻해지는 식사를 같이 한 그들의 전염성 강한 웃음을 등 뒤로 한 채, 연은 눈송이를 바라보고 있다. 다음 날 그들은 이구동성으로 연에게 합석을 제안했다. 하지만 그가 이번에는 그 제안을 정중히 거절했다. 왜냐면 마음 같아서는 같이하고 싶지만, 두 번이나 끼어들면 그들에게 폐가 될 수 있다는 미안한 감정이 앞섰기 때문이다. 후에 알고 보니 연에게 저녁을 함께 하자고 한 남성은 오스트리아 오토(Otto) [li]대공(大公)의 칠촌(七寸)이었다. 그가 비록 대공의 최근친은 아니지만, 고귀한 귀족의 거처가 호프부르크(Hofburg) 왕궁이 아닌 변변찮은 호스텔이라니? 이런 우연이 있을 수 있나?!

연이 계속 내리는 눈을 멍하니 보며 부엌 뒷문 계단에서 흡연하고 있다. 잠시 후 식당 안에서 오스트리아 소년과 소녀가 그가 있는 곳으로 나오더니 담배를 태우며 오스트리아식 독일어와는 다른 그들만의 독특한 지역 방언으로 재잘댄다. 그들이 무슨 얘기를 하는지 알 수는 없지만, 그들의 표정과 행동에서 마음은 읽을 수 있었다.

갑자기, 밝게 웃는 흑발의 청년이 아이가 되어 맨발로 눈속에 달려든다. 연이다! 그는 어린아이처럼 폴짝폴짝 뛰어다니다가 갑자기 쭉 미끄러져 눈 위에 대(大)자로 뻗었다. 그러자 머쓱해진 연은 그의 역력(歷歷)한 실수를 감추려 팔다리를 벌린 채 하늘을 감상하듯 쳐다보았다. 오스트리아인들이 그가 미끄러져 자빠진 장면을 본 순간이 그에겐 정말로 태어나서 가장 길었던 수 초의 찰나였다. 하지만 의외로 그들은 비웃음이 아닌 여전히 순수한 웃음을 띠며 내려왔다. 예쁜 소녀가 슬리퍼를 벗어 던지고 그의 주변을 깡충깡충 뛰어 돌아다니다가 눈 위에 넘어진다. 그리고 그의 행동을 흉내 낸다. 그런데...

다르다! 그녀는 [lii]"눈-천사(snow angel)"를 만들고 있었다. [liii]"설천사(雪天使)"와 [liv]동장군(冬將軍)은 완벽한 커플(couple)이 되었다. 소녀의 얼굴에 띤 미소는 아이같이 순수하고 겨울의 정수인 동장군은 무뚝뚝한데도 묘하게 조화를 이룬다. 그 순간 그들은 서로 연결되어 예술적, 정신적으로 교감하고 있었다.

그다음 날 오스트리아인들은 3월의 눈처럼 사라졌다. 사실 그들은 전날 연에게 유럽을 여행 중이라고 밝혔다. 비록 작별의 인사말을 하지는 않았지만, 그들은 이미 눈빛만으로도 서로 알 수 있었다.

그날 오후, 연은 동부(東部) 공동묘지인 외스트라 실코고던(Östra kyrkogården)을 지나가고 있다. 그곳의 무덤은 위엄(威嚴)차거나 웅장(雄壯)함과는 거리가 멀고 수수하였으며, 향로, 조각상과 장식된 꽃이 무덤의 칙칙한 분위기를 균형 잡아 묘지가 아닌 쉼터같이 보이게 했다. 시청으로 걸어 돌아오는 길에 도시를 가로지르며 자리한 예타-강(Göta älv)이 얼굴을 비친다.

타는 듯한 붉은 머리가 미풍(微風)에 옆으로 쓸린 듯 자연스러운 [lv]헤어스타일(hairstyle)을 한 미소년이 예타강에 반사되어 빛나는 금발의 아름다운 소녀와 키스하는 중이다.

두 연인의 입맞춤 자취가 굽이치는 강을 따라 흘러간다.

주변 사람들은 햇볕을 쐬며 즐기고 있다. 그런데 무언가 연의 시선을 끌었다. 갈매기인데 도도하게 시청 앞 동상의 모자 위에 앉아 있다. 그것은 고텐버그 창립자인 구스타부스 아돌푸스(Gustavus Adolphus) 왕의 동상이다. 갈매기는 머리를 쳐들고 마치 그 모자가 자신의 둥지인 양 날카롭게 울어댄다.

연은 옆에서 빈둥거리는 남성에게 말을 걸었다, “그것참, 용감한 새네요, 그렇지 않나요?” 그 스웨덴 남성은 한참을 웃더니 대답한다, “난 그게 핀란드(Finland) 비디오 게임(video game)인 앵그리 버드(Angry Birds) 중 하나인 줄 알았네.” – “뭐라고요? 하하!” 그들은 박장대소했다.

연은 스웨덴에 온 이래(以來), 처음으로 한바탕 웃음이 터졌고 상쾌한 마음으로 숙소로 돌아왔다. 바로 그날 저녁, 연은 고텐버그에서 무얼 할지 고민하다가 바람을 쐬러 밖으로 나왔다. 그렇다! 그는 여행객으로 이곳에 있는 게 아니라 망명자다. 그의 생각으론 그가 입에 풀칠할 정도만 된다면 비록 임시직인 시간제 직업을 얻는다고 해도 행운이다. 그가 마땅한 벌이나 자금 없이 스웨덴에서 살아갈 수 있을까? 그렇지 않다. 아무리 사회주의 국가인 스웨덴에 있지만.

공교롭게, 빨강 머리 소녀가 퇴근하며 집으로 걸어가고 있다. 겉으로 보기엔 연이 그녀를 따라가고 있는 듯하다. 처음에 그녀는 그가 뒤에 있다는 사실조차 눈치채지 못했지만, 그것은 얼마 가지 않았다. 그녀는 벌컥 화를 내면서 연을 향해 뒤돌아섰다, “당신의 행동이 이 나라에서 아주 이상하다는 사실을 아나요?” – “무슨 행동? 뭔 일 있어요?” 그녀는 아무 말 없이 다시 오르막길을 신경질적으로 걸어 올라갔다. 이에 연은 망설임 없이 그녀를 앞질러 지나쳤다, '내가 그녀를 쳐다보기라도 하는 날엔, 그녀는 내 행동에 대해 또 트집 잡겠지.' 그는 거의 뛰다시피, 속보로 그녀의 시야에서 멀어졌다. '뭐, "쌩~가기"보다 낫긴 하지만 여전히 서먹서먹한 분위기는 깨기 어렵고, 폭탄같이 다루기 힘든 처녀야.'

〈고텐버그 록〉

그의 삶에서 처음으로 낯선 사람들과 묵은 지 며칠 후, 연은 가장 소중한 소지품이라고 할 수 있는 전 재산이 든 지갑을 숙소 접수대에 맡기기로 작심한다, "여기 머무는 동안 당신들이 제 지갑을 좀 맡아주시겠어요?" – "안 될 게 뭐 있습니까?" "청소년 여관" 주인이 망설임 없이 접수대 위에 놓인 그의 지갑을 받으며 기꺼이 그의 부탁(付託)을 들어주었다.

연과 함께 머무르는 숙박인들은 각자가 모두 개성적이다. 코펜하겐에서 포주(抱主)였던 아샤르(Aashar)라고 불리는 가장 나이 많은 중년 팔레스타인(Palestine)계 덴마크(Denmark) 남성은 아이러니(irony)하게 절제와 독신주의를 강조하는데, 특이하게도 [lvi]한갓 맑은 공기 때문에 아무리 춥거나 폭풍우가 쳐도 문을 열어놓고 지내는 일명 [lvii]"환기남(換氣男)"이다. 그는 [lviii]라마단(Ramadan)이 아닐 때도 종종 단식하곤 했다.

20대 중반인데 벌써 탈모가 진행되어 앞이마가 훤히 드러나고 숱이 매우 적은 유대인(Judean) 남성 게르숌(Gershom)은 팔레스타인 남성 아샤르에게 꼼짝을 못 한다. 게르숌이 무슨 말을 하려고 하면 괴짜 아샤르가 아무 소리 못 하게 하고 자기만 지껄이기 때문이다. 반-대머리 유대인 남자의 유창한 영어는 연보다는 한 수 아래지만 3개 국어에 능통(能通)하다. 그렇게 보란 듯이 화려한 이력(履歷)을 뽐내는 사람이 여관(旅館), 아니 "청소년 여관"에 장기 투숙하면서 고작 잡다한 시간제 일을 여러 개 하고 있다? 연은 이해를 못 하고 고개를 갸우뚱했다. 같은 방을 쓰는 투숙객 전부가 무슨 이유에서인지 그 유대인과 팔레스타인 남성이라면 질색(窒塞)을 한다.

그중 한 명인 아일랜드(Ireland)에서 온 에이던(Aidan)은 록 음악을 매우 좋아하고 특히 베어 그릴스(Bear Grylls)같이 [lix]오지(奧地) 등 야생 탐험을 즐긴다. 그는 평범한 19살 청년 그 자체다. 단 몇 가지 기벽(奇癖)만 빼고. 바로 잠잘 때 속옷을 홀딱 벗고 자며 깊은 잠을 못 이루고 항상 겉잠을 잔다. 나머지 한 명은 로베르토(Roberto)라 불리는 키 작은 [lx]고수머리인 28살 이탈리아인(Italian)이며 고텐버그 정보통신 대학원생으로 기술 대학과 연계해 논문 과제를 수행 중이다. 그는 종종 우유부단(優柔不斷)함을 넘어서는 행동으로 상대를 당혹스럽게 했다. 무슨 말이냐면 결정을 스스로 못 한다. 그리고 언제나 말뿐인 약속을 했다. 결단성 없음이 그의 결점이긴 하지만, 다른 면에서는 성격이 좋다. 앞서 말했듯이, 그들은 모두 두드러질 정도로 개성적인 측면을 지니고 있었다.

늦은 밤 괴짜 팔레스타인-인 아샤르는 늘 하던 대로 모든 유리창을 활짝 열어 놓았는데 밖은 눈이 오고 있었다. 다른 동숙인(同宿人)이 그의 기괴한 행위에 불만을 표시하기 시작했다. 특히 바로 그 창문 옆에 침대가 있는 유대인 게르숌은 화가 나서 유리창을 닫으라고 아샤르에게 소리쳤다. 그런 그를 보며 아샤르는 코웃음을 친다, "내가 여기 먼저 왔어, 탐욕스러운 유대인아. 우리 사는 방식대로 못 살겠다면, 네가 나가." - "이곳에 도대체 인간 삶의 존엄성은 어디에 있나?!" 게르숌이 억울한 듯 떨리는 목소리를 높였다. 그러자 아샤르는 딱 잘라 단호히 대답한다, "유대인은 존엄성이 없다." 돌연, 다른 사람들은 침묵해야만 했다. 왜냐면 상황이 개인의 다툼에서 영원히 누그러질 수 없는 이스라엘-팔레스타인 분쟁(Israeli-Palestinian conflict)으로 변해가기 때문이다. 글쎄, 아랍인들은 추운 날씨를 좋아하지 않기 때문에 눈 오는 날 창문을 열고 싶어 할 리가 없다. 그는 유대인의 침대가 창문 바로 옆이라는 이유로 더 그러는 듯하다.

어제 막 들어와 같은 방에 묵는 사람이 인내심의 한계에 달해 둘 다 비판하기 시작했다, "이봐, 친구들. 기본적으로 난 유대인 배척자인데 지금부터 서아시아인 배척자로 돌아설래. 아무리 종교, 민족적 분쟁이라지만 무관한 타인의 사생활을 무시하면서까지 저렇게 안하무인(眼下無人)으로 행동하는 사람이 도대체 어딨어? 모든 종교는 이기심의 반대잖아, 내 말이 틀려? 이건 진짜 너무 반어적이야.”

그러자 그 두 서아시아인은 단 한마디도 하지 않은 채 동시에 등을 돌리고 침대 안으로 들어갔다.

“내가 유대인에게 ‘안녕(shalom)’이라고 하고, 이슬람교도에게 ‘안냥(salaam)’이라고 말해야 하나?” 연이 이렇게 말하며 일축(一蹴)한다, “평화(平和)!” [lxi]

바로 그다음 날, 문제의 두 명은 일 때문에 밖으로 나갔다. 그러자 방 분위기가 갑자기 좋아졌다. 비 온 뒤에 땅이 굳어졌는가 아니면 타산지석(他山之石)인가, 그 일 이후로 다른 모든 동숙인은 서로 친구처럼 친하게 지내려고 노력했다. “이봐, 로베르토, 악의로 하는 말은 아니야. 너 머리 볶았어?” – “아니, 난 날 때부터 원래 곱슬머리야. 이탈리아인 머리의 상당수가 곱슬이지, 연.”

어느 날, 로베르토는 연과 그의 학교 근처에 있는 나이트클럽(nightclub)에 가기로 약속했다가 막상 가기로 한 그날이 다가오자 갑자기 취소했다. ‘이게 이탈리아(Italia) 남성의 결단력 없는 무름이자 동시에 여자를 리드(lead)하는 방법인가?’ 연은 당혹스러웠다, “우리 약속을 어기지 않을 거잖아, 그렇지?” 연의 물음에 로베르토는 곧바로 대답하지 않고 머뭇거렸다. 그런 그를 본 연은 결국 로베르토에게 화가 났다, “나는 계집애가 아니야, 로베르토. 조심스럽게 돌려서 얘기할 필요는 없어.” – “정말 미안해! 하지만 난 그런 곳에 가길 좋아하지 않아. 더군다나, 난 프로젝트(project)하러 학교 가야 해.” 연은 얼떨떨하였지만, 대수롭지 않게 넘어갔다. "좋아, 또 보자([lxii]arrivederci), 로베르토."

로베르토를 뒤로 한 채 연이 부엌으로 오는데, 그곳에서 또 팔레스타인인 아샤르와 요리하고 있는 유대인 게르숌이 마주쳤다. 예상대로 아샤르는 게르숌에게 호통친다, "네 배 채우려면, 너희 유대인 음식점인 [lxiii]카셰르(kosher)에 가서 먹어. 이 집에서는 절대 안 돼!" 그리고 그는 문을 쾅 닫으며 방으로 들어갔다. 한편, 아샤르의 훼방에 요리를 멈춘 게르숌은 탁자에 [lxiv]랩톱(laptop)을 올려놓고 [lxv]넷서핑(net-surfing)을 하기 시작한다. 연은 그에게 뭐 하냐고 물었다. "아, 난 이미 여러 시간제 직업을 가지고 있지만 또 알아보고 있어. 너도 알듯이 나는 언어에 재능이 있고 3개 국어에 능숙하잖아. 사람들은 나에게 왜 정규직을 갖지 않냐고 물어보는데 난 아직 다른 직업보다 프리랜서(freelancer)가 좋아. 내 능력이 지속되는 한, 내가 원할 때마다 직업을 찾을 수도, 바꿀 수도 있거든." – "책을 쓰거나 무언가 사회에 공헌(貢獻)할 수 있는 일을 생업으로 삼으면 어때?" "난 글쓰기도 대단하지만, 이것저것 조금씩 해서 가능한 한 빨리 돈을 벌고 싶어. 한 번에 하나씩 하면 내 방식이 아냐. 그리고 반짝가수, 아니 반짝작가가 되긴 싫어. 돈이 바로 세상을 움직이는 힘이거든." '아, 이제 왜 사람들이 게르숌이 당해도 싸다고 말하는지 알겠네.' 그러나 연 자신 또한 목적을 위해서는 수단인 돈이 필요하다는 사실을 마음속 깊은 곳에서 절실히 느끼고 있었다.

숙박소에서 머무는 시간이 길어지면서 연은 그들 모두와 친구가 되었다. 아직 문제의 두 사람과 터놓고 지내기엔 쉽지 않지만. 그들은 다른 사람들이 뭐라 하든지 앞뒤 가리지 않으며 서로 상대에 대해 험담(險談)하기에 바빴고 민감한 종교적인 공격도 서슴지 않았다. 어느 날 밤, 아샤르가 연의 사생활에 참견한다, "이봐, 젊은 친구, 내가 사람 볼 줄 아는데 당신은 여러모로 뛰어난 능력이 있어. 그대는 부처가 되어야 해. 그리고 채식해야 하고." 연은 당최 아샤르의 의도를 가늠할 수 없었다. "뭐라고요? 아랍 대장님([lxvi]amir) 그거 알아요? 당신은 이상한 [lxvii]'노틀'일 뿐이에요. 이슬람교도면서 나에게 계속 헛소리를 하시네요. 특정 종파에서 모든 사람이 부처가 될 수 있지만 그들을 정식으로 승인하지는 않습니다. 왜냐면 그들은 로마 가톨릭(Catholic) 교회처럼 [lxviii]시성(諡聖)하지 않거든요. 또 모든 아시아인이 불교 신자는 아니죠. 개인적으로 난 둘 다 좋아하지 않아요. 사람들은 그저 종교를 이용해 세습적인 사회 계급을 굳건히 다지거든요, 카스트(caste) 제도 같은 수단이요. 그리고 인간이 풍부한 감정을 가졌다는 점을 자본화해 먹고 살죠." – "유감이네. 난 그냥 청년이 부처가 되지 않은 사실이 안타까워서 그러네. 하지만, 어찌됐든, 자네는 마음속에 강력한 [lxix]영성(靈性)을 지니고 있네. 그게 다야. 미안하네." "그 사과 받아들이죠. 이제 잠자리에 들어야겠습니다. 좋은 꿈 꿔요. '안냥(Salaam)!'"

바로 다음 날 연은 로베르토와 같이 묵고 있는 사람들에 대해 이야기하는 중이다. 그때, 옆에서 잠자고 있던 아일랜드 청년 에이던이 불쑥 대화에 맞장구치며 끼어들었다. "미안, 미안, 친구들. 난 잠을 깊게 못 자. 그러니 수면 중에 갑자기 대화에 끼어들었다고 너무 놀라 겁먹지 마!" 그렇게 대화하게 되면서 연은 에이던이 모험을 좋아하고 록 음악 듣거나 춤을 추는 데 [lxx]사족(四足)을 못 쓴다는 사실을 자연스럽게 알게 되었다. 놀라운 일이다. 그동안 에이던은 차분한 청년인 줄 알았는데.

어느 날, 에이던은 로베르토처럼 연에게 나이트클럽에 가서 신나게 밤을 즐기자고 제안했다. 그날 저녁, 연과 에이던은 약속대로 그곳에 갔다. 연의 스웨덴에서 첫 번째 나이트클럽 방문(訪問)이다. 그들이 그곳에 들어간 뒤 연은 다소 놀랐다. 일반 나이트클럽이 아닌 하드록(hard rock) 클럽 같다. 연은 에이던과 흘러나오는 록 음악을 들으면서 술을 마셨다. 처음에 에이던이 한 잔 사고 다음은 연이 한 잔 사는 식이다. 얼마 후 흡연실에 들어갔는데 어떤 록 밴드와 마주쳤다. 짙게 염색한 긴 머리카락에 전형적(典型的)인 문신과 눈 주변에 어두운 화장을 한 그들에게 에이던이 씩 웃으며 먼저 인사한다. 옷에 치렁치렁 금속 장신구를 단 그들은 역시나 록에 관한 이야기를 하고 있었다. "이봐, [lxxi]믹(Mick), 지금 흘러나오는 이 음악 어때?" – "음, 약간 조잡하지만 나쁘진 않아. 네 곡이야?" "아니. 믹의 새로운 친구 넌 어떻게 생각해?" – "안녕, [lxxii]'록키(Rockie)', 난 록 음악을 연주(演奏)하거나 작곡하진 못해. 그냥 듣기를 즐기지." "음, 그럼, 당신이 바로 우리 록 간판 홍보자네, 하하." – "응?" "우리 음악을 듣는 사람이 어떨지 짐작할 수 있게 해 준다고." – "아! 때때로 록같이 취하게 하는 음악은 사람들의 억제력을 달나라로 가게 하지. 난 한계점에 다다른 군중이 굳이 적절하게 그들의 감정을 억누를 필요는 없다고 믿어. 펄펄 끓는 감정의 용암은 [lxxiii]비트(beat)와 사운드(sound)를 통해 폭발시킬 수 있잖아. 특히 불경(不敬)과 독보적으로 외설(猥褻)스러운 가사로."

그 사이 에이던이 사라졌다. 연이 흡연실에서 나오니 클럽 분위기가 한창 무르익고 있었다. 그는 박작거리는 사람 사이를 뚫고 나아가며 에이던을 찾고 있다. 그때 춤추던 한 금발 여성이 다가와 그녀의 엉덩이를 그의 국부(局部)에 문질렀다. '이 뭐––?!' 순간 그녀를 밀치려다가 동시에 마음 한편에서는 정직인지 욕망인지 모를 화신(化身)이 그에게 속삭인다, "지금 내가 왜 자신에게 거짓말을 하고 있지? 그냥 놔둬." 그 상황을 본 여성 편파적인 대머리 보안 요원이 그녀한테서 떨어지라고 그에게 손짓했다. 연은 어깨를 으쓱거리며 대머리 경호원에게 표정과 손짓으로 그녀가 먼저 비볐다고 해명했다. 그러자 그 대머리는 알았다는 표시로 고개를 끄덕이며 돌아갔다.

기본적으로 그들은 비용을 나눠 계산했기 때문에 술값 때문에 굳이 붙어 다녀야 할 이유는 없지만, 연은 혹시 여기서 문제가 생길 때를 대비해 이곳을 잘 아는 사람이 필요했다.

30분–가량(假量) 에이던을 찾다가 포기(抛棄)한 연은 온 김에 몇 잔 더 하고 집으로 돌아가려 한다. "에이던은 왜 갑자기 혼자 사라졌지?”

새벽 2시가 되자 안전 요원은 앞장서서 사람들이 자발적으로 나가게 유도했다. 사람들은 [lxxiv]벽감(壁龕)이 있는 후미진 좁은 공간을 통해 다른 쪽에 있는 출구로 나가기 시작한다. 연을 포함해 그들 중 일부는 도중에 탁자에 앉아 남은 술을 마시며 어느 정도 병목 현상이 해소될 때까지 기다리는 중이다. 한 가무잡잡한 여성이 다가와 연의 옆에 앉더니 그를 [lxxv]갈보 같은 눈으로 쳐다보며, 마시다 남은 자신의 술잔을 그에게 넘겼다. 연은 쌉싸래한 표정으로 웃으며 남은 술을 목구멍에 털어 넣었다.

얼마 후 그에게 칵테일 반 잔을 건넨 여성이 밖으로 나와 [lxxvi]연석(緣石) 위에서 마치 택시를 잡으려는 듯 서 있다.

그녀의 편의를 위해 연이 택시에 손짓해 그들 앞에 세운 후 택시 문을 열었다.

그러자 그녀는 갑자기 [lxxvii]분격(憤激)해 날뛰었다.

“넌 네가 날 그렇게 쉽게 따먹을 수 있다고 생각해?!” – “뭐?! 따먹어? 멍청한 암캐 같으니! 세상에 뭐 이런 빌어먹을 멍텅구리 [lxxviii]파티광(狂)년이 다 있어?! 넌 진짜 이게 택시를 손짓해 부르는 건지 널 어떻게든 해보려고 꼬시는 건지 몰라? 참 황당(荒唐)하게 하네.”

옆에서 지켜보던 술 취한 남성이 그에게 소리쳤다, “이봐! 당신은 지금 스웨덴 여자랑 싸우려고 여기 왔나? 나 같으면 싸우기보다는 차라리 같이 놀면서 꼬시겠는데.”

그 클럽 사건 이후 버스 정류장까지 걸어간 연이 고개를 푹 숙이고 벤치(bench) 위에 앉아 있는데, 근처에서 안면(顔面)이 없는 스웨덴 처녀가 다가와 그에게 말을 건다, "오, 불쌍한 것, 너 떨고 있구나." 그 말과 함께, 그녀는 그를 어깨동무하듯이 덥석 안았다. "외람(猥濫)된 말입니다만, 아가씨 누구세요?" [lxxix]고동색(古銅色) 머리의 소녀는 인제 막 20대에 진입해 보였다, "이봐, 아시아인! 소문에 의하면 네 고추가 번데기라더라!" 연은 갑자기 어떤 춤추던 여성이 대놓고 그녀의 둔부(臀部)를 그의 남근(男根)에 비비는 장면이 떠올라 얼굴이 확 붉어졌다. 자존심이 상한 그는 과장되게 젠체하며 소리쳤다, "고추 잘못 골랐습니다! 내 덜렁이는 이 팔 반만 하고, 우리집 가보(family jewels)인 내 고환(睾丸)은 타조알만큼 겁나 커!" 그러자 그녀는 포복절도(抱腹絶倒)하도록 자지러지게 웃으며 물었다, "저, 그럼 넌 켄타우로스(centaur)야?" – "어이! 그만 놀리라고, 입만 산 [lxxx]논다니야!"

그 여자한테 관심을 거둔 연이 주변에 뭔가 이상함을 느껴 쳐다보니 다른 한쪽에 앉아 있던 젊은 남성이 느끼한 눈으로 그에게 추파를 던지고 있다. 무언가 매우 [lxxxi]야릇한 눈빛이다. "실례합니다. 기분 나쁘게 듣지 마세요. 당신 게이(gay)죠? 맞나요?" – "[lxxxii]'넵(Japp)!'" "이런 '비역먹을!' 아 죄송요. 난 '빌어먹을'이라고 말하려고 했어요."

봄인 데다 바다 근처인 항구 도시인데도 그날따라 눈이 많이 왔다. 버스 정거장까지 걷던 그의 눈에 한 [lxxxiii]단려(端麗)한 10

대 후반 소녀가 들어온다. 그녀는 얇은 [lxxxiv]담자색(淡紫色) 파티 드레스를 입은 채 추운지 벌벌 떨면서 집으로 뛰어가고 있다. 그 순간 연은 자신의 [lxxxv]코트(coat)를 벗어 [lxxxvi]새틴 드레스(satin dress)만 입은 소녀의 어깨에 둘러 주고 싶었으나 그날의 잇단 악몽이 그렇게 하길 잠시 망설이게 했다. 그사이에 그녀는 이미 가 버렸다.

연이 버스에 올라타 버스 운전사에게 지폐를 내밀자, 그가 손을 내저었다, "잔돈 없으면, 교통 카드나 스마트-카드로 하면 됩니다." 그러다 연이 카드가 없어 주저(躊躇)함을 알아채자마자 버스 운전사는 거친 목소리로 그에게 소리쳤다, "영어 못 해요?!" 그에게 버스비를 받을 길이 없음을 깨달은 운전사는 태도가 돌변(突變)하여 홧김에 호통치지만 내쫓지는 않고 버스는 가던 길을 달리고 있었다. '뭐지? 이 사람? 도대체 뭐야! 왜 화났어? 그 개넌 아빠야? 내리라고 하면 되지, 왜 나한테 화를 내?' 속으로 화를 삭인 연이 다음 정류장에서 내리려고 하는데 하차 버튼(button) 앞에서 머뭇거린다. 한 호의적인 스웨덴인이 그를 대신해 [lxxxvii]'누름단추'를 작동해 주었다. 그러나 설상가상(雪上加霜)으로 잘못 내려서 길을 잃고, 그날 밤새 고텐버그 전체를 헤매야 했다.

동틀 무렵에야 겨우 돌아온 연은 식사하는 곳에서 홀로 훌쩍훌쩍 울고 있다. 그의 울음을 듣고 있자니 마치 귀신 같다. 역시 예상대로 바로 그날, 아일랜드 출신 여관 여주인은 한바탕 난리법

석이다. 그녀의 주장은 이렇다; "[lxxxviii] 밴시(banshee)가 애끓는 소리로 통곡(痛哭)했다."

한편 어느 봄날 아침, 에이던은 자신이 원하는 모험으로 가득 찬 탐험길에 올랐다. 그가 떠나기 바로 전날 밤, 그는 연에게 그의 휴대 전화기에 있는 비디오를 보여 주었다. 그 영상에서 에이던은 격렬한 눈보라가 몰아치는 광활(廣闊)한 황무지를 배회하고 있었다. 그곳에서 그는 이렇게 말한다, "자칫 잘못해 헤매다 길을 잃으면 여기서 죽을 수도 있지만, 앞으로 누릴 성취감(成就感)을 고려해 본다면, 현재 짊어진 이런 고난(苦難)과 역경(逆境)은 싼 편이죠." – "싸긴 개뿔!"

추운 폭설이 내린 날 밤새도록 헤맸던 불쾌한 기억이 있는 연에게 사서 고생이란 사치다. 그땐 취기 때문에 덜 고통스러웠지만. 그러나 그도 사실 인생에 있어 모험 중이지 않은가?

에이던은 그런 말을 한 그에게 개의치(介意-) 않는 듯하다. 연이 잠들자, 에이던은 한 갑 분량의 고급 시가(cigar)가 담긴 금속 케이스(case)를 그의 침대에 놔두고 사라졌다.

〈지하의 필하모닉 오케스트라〉

연은 그전까지 고텐버그를 예술의 도시로 알고 있었으나 그곳에서 살아갈 방법, 특히 일거리를 찾지 못하는 가운데 고텐버그는 시간이 갈수록 그냥 평범한 항구 도시일 뿐이었다. 기분 좋은 기억도 오스트리아인들과 그의 룸메이트(roommate) 몇몇을 빼곤 없어서 굳이 이 도시에 살아야 하는 생각도 들었다. 지금 상태에서 딱히 직업도 없이 이곳에 머무르면 쓸데없는 짓이다. 그래서 연은 떠나기 하루 전에 기차표를 예매하려고 고텐버그 역으로 향했다. 지하도에 들어서는데 역시나 사람들이 빽빽하게 들어차서 가까운 곳도 제대로 보이지 않는다. 그 와중에(渦中-) 멀리 떨어진 곳에서 희미하게, 감탄을 자아낼 만큼 멋진 클래식(classical) 교향악(交響樂) 소리가 들렸다. "이거 놀랍군! 무슨 교향악단이 기차역 지하도에서 연주를 하지?" 연이 몸을 돌려 가려는 찰나, 교향악단 유니폼(uniform)을 입은 남성이 그를 불러 세웠다. '고텐버그 심포니 오케스트라? 왜 스웨덴 국립 교향악단이 이런 시장판같이 복잡하고 시끄러운 곳에 있을까?'

교향악단 관계자는 그에게 의견을 물었다, "실례합니다, 선생님. 우리 교향악단은 가난한 사람들을 위해 무료로 연주하려고 합니다. 선생님의 생각은 어떻습니까?"

'지나가는 사람들 때문에 공연 소리가 묻힐 텐데?'

잠시 얼떨떨했던 연은 곧 그 남자에게 정중히 격식을 갖추어 응대(應對)했다, "그 아이디어(idea)에 찬성합니다. 고텐버그 오페라 하우스 걱정을 하기엔 지금 교향악이 너무 좋습니다," 연은 활짝 웃으며 그들을 존경한다고 덧붙였다, "그럼 이제 당신들 공연을 들을 수 있는 은혜를 베풀어 주시겠습니까?" 그러자 그 관계자는 연에게 말없이 밝은 미소를 지었다.

그로서는 청중의 처지에서 굳이 그런 뜻-깊은 기획(企劃)을 거절할 이유가 없다. 가 보니 그곳은 질풍(疾風) 같은 행인 인파를 빼면, 정식 연주로서 지휘자를 포함한 악단과 감사할 줄 알고 배려하는 관중들이 있어 일반 관현악단 연주회와 다를 바가 없었다. 연은 연주의 완성도가 궁금해 주의 깊게 듣는 중이다.

어떻게 그들이 끊이지 않고 계속되는 불협화음의 북새통 속에서 연주할 수 있지? 이렇게 지속적으로 낮게 웅웅거리는 지하에, 그것도 가장 붐비는 곳에서 오케스트라 [lxxxix]종지(終止)를 어떻게 느끼나? 그러기는커녕 교향악단이 저 소음에 반쯤 귀가 먹겠네.

연은 단원들이 어떤 상태인지 알고 있기 때문에 그들이 존경스러웠다. 대체로, 관현악단원은 소음에 민감해서 공연 시 관중은 휴대 전화기를 끄거나 무음 혹은 약한 진동으로 설정한다. 소리를 모아 증폭시키는 공연장 때문에라도 당연한 일이다.

지하도는 증폭까지는 아니더라도 난잡하게 소리가 울리는 구조로 되어 있다. 그렇기 때문에 그들이 연주하는 클래식 음악이 소음에 묻혀 사람들이 [xc]실연(實演)으로 제대로 들을 수 있을지 의문이다. 또 다른 측면으로 교향악단은 그런 조악(粗惡)한 환경에서 집중력을 유지해야 하는 등 많은 스트레스(stress)를 감내해야 한다. 그러나…

놀랍게도 연주는 대성공이었다!

지하도의 교향악단이 연주를 [xci]장려(壯麗)하게 끝낸 뒤, 땅굴과 같은 그곳에서 마치 지진처럼 온몸을 부르르 떨리게 하는 우레와 같은 갈채가 쏟아졌다.

그들은 고텐버그에서 연의 심금(心琴)을 울렸다. 얄궂게도 과거 모국 동포는 그의 [xcii]"내장금(內臟琴)"을 울리며 비틀어 버렸는데.

〈적발 코뚜레의 독기〉

연이 숙박 연장을 하러 돈을 내야 할 때가 코앞이다. 그가 접수대로 갔더니 십 대 후반으로 보이는 다른 소녀가 서 있었다. 그가 일주일 더 연장을 원한다고 말하자, 적발 코뚜레 소녀가 갑자기 접수대 뒤 사무실에서 나왔다, "당신은 그동안 되게 이상한 행동만 했죠. 인제부터 더 이상 숙박 허용이 안 됩니다. 그리고 나도 더 이상 당신을 참을 수 없어요." – "다른 여자들은 지금까지 다 해 줬는데? 왜 당신만 항상 나에게 안 된다고 말하죠? 나에 대해서 미심(未審)한 점을 선의(善意)로 해석할 수는 없나요? 조그만 과오가 있긴 하지만, 그건 전 세계에 걸쳐 어느 나라의 규칙에도 어긋나지 않습니다. 당신과 이방인인 나 사이에는, 개인적으로 막대(莫大)한 [xciii]소격(疏隔)이 있어요. 내가 만약 당신을 욕지기 나게 한다면, 굳이 끔찍함을 감수할 필요는 없죠. 그러나 당신이 제 말을 좀 더 참고 들어준다면--" 연이 말하는 도중에 그녀가 거칠게 씨근거리며 몸을 홱 돌렸다. 그녀는 얼마 전 전화 통화로 그녀의 어머니와 말다툼한 뒤에 그에게 화풀이하고 근래 며칠 동안 안 좋은 감정을 품던 바로 그 적발 코뚜레 문신녀다. 더 이상 그녀에게 얘기해도 소용없다.

연이 방으로 돌아가는데 계단 앞에 유대인 게르숌이 서 있었다. 같이 방으로 돌아오면서 게르숌은 그의 편을 든다, "그 신경과민에, 건방진 스웨덴 계집(shiksa)은 일부러 몽니를 부리고 있지. 걔한테 굳이 해명하려고 해도 소용없어." 그날 밤 연은 친구들에게 단 한마디 말도 없이 짐을 싸기 시작하는데, 여테보리와 타 도시 중 선택의 기로에 놓여 속은 타들어 가고 있었다. 틀림없이, 고텐버그는 그에게 좋은 인상을 남겼다. 그러나 그곳에서 살 방법을 찾는 일은 그의 깜냥으로 어찌할 도리가 없었다. 게다가 이렇다 할 운도 따라 주지 않았다.

그날 밤, 연은 전에 유령 소동을 벌인 나이 든 여주인이 안뜰에서 신사복을 입은 중년 남성과 대화하고 있는 광경(光景)을 우연히 목격(目擊)했다. 그녀가 몸짓을 섞어 가며 그에게 집 주위를 안내하는 행태(行態)를 보아 여인숙(旅人宿)을 팔려고 내놓은 듯 보였다. "건물 임자가 아마 곧 바뀌려나 보네. 저런, 난 밴시가 아니라고! 여긴 아일랜드도 스코틀랜드(Scotland)도 아니잖아."

다음 날 아침, 연은 큰 짐을 이끌고 쿵쿵거리며 계산대로 내려갔다. 그가 인사조차 없이 막 떠나려는 순간, 사무실 창을 통해 그간 친하게 지냈던 여성 직원들이 눈에 들어왔다. 그녀들은 우울하다기보단 다소 쓸쓸한 표정으로 앉아 있었다. 그가 우연히 그녀들 중 한 명과 눈이 마주치자마자 나머지 이들이 도미노

(dominoes)처럼 돌아 그를 쳐다보았다. 적어도 그녀들에게만큼은 그가 너무 오래 머물다가 미움을 사진 않아 보였다. '"코뚜레녀"는 처음부터 날 싫어했지.' 연은 덤덤한 표정으로 "청소년 여관"을 나왔다. 이제 그는 붉은 머리의 코뚜레 xciv처자(處子)에게 아무 감정이 없어 보인다. 반감이 무관심이 되었음은 오히려 그녀에 대한 극도로 안 좋은 감정의 표현이다. "그런데 내 심장을 후벼 쑤시는 듯한 저 낙심한 소녀들의 표정은 뭐지?"

연은 그렇게 허무하게 고텐버그를 떠났다. 역에 들어오는 기차를 보며 그는 복잡한 감정에 휩싸여 어디로 갈지, 언제 다시 연셔핑에 있는 사랑하는 사람을 볼 수 있을지 고민한다.

'일단(一旦) 일거리를 구하려면 다음 행선지 역시 대도시인 말뫼로 하자.'

말뫼로 가는 기차 안, 벌목꾼 몇 명이 의자에 앉아 있다. 검표(檢票)하던 열차(列車) 승무원은 연 근처에서 머뭇머뭇 주저하며 앞뒤로 왔다 갔다 한다. 이제 그의 차례인데 대신 다른 사람의 티켓(ticket)을 먼저 검사하고 맨 마지막에 그의 열차표를 확인했다. '아마도 그녀는 평상시에 표 검사를 잘 안 하는 듯하네,' 연은 남몰래 쓴웃음을 지었다.

열차에서 내리면서, 그는 아까 검표한 중년 여성을 흘깃거렸다. 그녀는 승무원 찻간에서 무언가를 읽으며 통화 중이었는데 일도 활발하게 하고 표면상으로는 아무렇지 않아 보였다. '그냥 특이한 이방인이 타서 어쩔 수 없이 검표했군. 남자는 중년이 되면 저렇게 쉽게 쭈뼛댄다던데, 미래의 나에게 중년 남성의 위기는 어떨까?' 글쎄, 고환이 쪼그라드는 시기를 극복(克服)해야 한다는 부담만으로도 마초(macho)에게는 견디기 힘든 삶을 의미하지 않겠는가.

말뫼에 도착하고 곧바로 연은 버스로 지도에 표시된 "청소년 여관" 쪽으로 가고 있다. 그가 목적지 근처 버스 정류장에 내려 주변을 둘러보았을 때, 누군가 바로 길 건너편 공동 주택 발코니(balcony)에서 그에게 올바른 방향으로 손짓해 도움을 주었는데, 신기하게도 스웨덴 사람이 아니라 아라비아(Arabia) 사람이다. 연은 그 아랍인에게 손짓으로 고마움을 표시하며 별 어려움 없이 그곳에 당도(當到)했다.

연이 체크인했을 땐 해가 지평선에 반쯤 걸쳐 저녁이 다 될 때였다. 방에 짐을 푼 직후 그는 공동 주방으로 내려갔고, 그곳에서 저녁 준비를 하는 한쪽 다리가 부러진 일본 남성과 마주쳤다. 그들이 서로 소개하고 난 후, 카즈토(かずと)라는 일본 남성은 연에게 그의 새우 요리를 평가해 달라고 부탁했다.

잠시 주저한 연은 요리를 맛보더니 의미심장한 농담을 건넨다, "음! 쪼그라들었지만 맛깔나네요. 수많은 일본 새우([xcv]shrimp)에게 감사를!" 그러자 카즈토는 그걸 농담 섞인 찬사로 받아들이고 득의(得意)에 찬 얼굴로 식사하며 대화를 이어나갔다, "스웨덴 북쪽 지역에 있는 유카새비 얼음 호텔(Jukkasjärvi Icehotel) 근처에서 스키(ski)를 탔는데, 경사로를 넘어 전속력으로 직활강

(直滑降)하다가 왼쪽 다리가 부러졌지. 일본에도 얼음 호텔은 있지만 그곳과 견줄 만한 데는 없어. 거기서는 스키는 말할 필요도 없고 개-썰매 타기같이 다양한 활동을 즐길 수 있거든. 아주 기가 막히지. 연, 너도 시간이 있으면 그곳에 가보는 편이 좋을걸? 난 내일 아이슬란드(Iceland) 레이캬비크(Reykjavik)로 떠나."

아무래도 이 일본인 카즈토는 연을 유람(遊覽)이나 하러 나온 부잣집 도련님으로 간주하는 듯하다.

건너편에는 키 큰 독일인 연인 한 쌍이 저녁을 준비하고 있다. 인사를 나눈 연은 그들이 스웨덴 전역(全域)을 여행 중이란 사실을 알게 되었다.

연이 그렇게 숙소 사람들과 안면을 익히는 사이 한쪽 구석에서 한 험상궂은 인상의 머리 짧은 동양인이 스웨덴 신문을 보고 있었다.

〈입양된 동포〉

부엌 겸 식당 내에서 사람들의 대화가 잠시 일단락(一段落)되니 순간 귀신이 지나간 듯 어색한 분위기가 되었다. 말없이 주변을 둘러보던 연은 그 동양인에게 다가갔다. 그는 연을 올려다보더니 읽던 신문지를 접었다.

의외로, 무뚝뚝하게 앉아 있던 그가 갑자기 환한 미소를 지으며 먼저 악수를 청했다, "난 스몰란드(Småland) 지방의 유리(琉璃) 세공으로 유명한 오레포스(Orrefors) 마을에서 온 칼 올로

프슨(Karl Olofsson)이라고 하오." – "아, 당신의 고향이 그 유명한 크리스털(crystal) 왕국이군요. 그곳 숙련공들의 솜씨도 대단하지만 스몰란드의 유리 제품을 만드는 기술은 놀랍습니다." "그렇지요." – "체코(Czech)의 모제르(Moser) 유리 회사보다 낫나요? 비교하면 어때요?" "어, 그건 상황에 따라 다르죠."

잠시 후 연은 저렴한 여인숙인데도 핀란드식 사우나(sauna)에다 옆에 샤워실까지 붙어 있는 지하로 내려갔다. 그는 가벼운 샤워 후 사우나 중이다. 잠시 후 두 명의 핀란드인 남성이 들어오더니 사우나 벤치에 앉았다.

[xcvi]'증기욕(蒸氣浴)'을 끝내고 다시 정식으로 목욕한 뒤, 연은 상쾌한 기분으로 호스텔 앞마당에서 담배를 피우고 있다. 그때 그의 뒤에서 기침 소리가 들려 연이 소리가 나는 쪽으로 돌아서자, 칼이 시가같이 생긴 걸 흡연하고 있었다. 칼은 그에게 갑자기 맥주에 관해 물었다, "식도락가(食道樂家), 아니 '음도락가(飮道樂家)'처럼 당신도 맥주 맛을 느끼실 줄 아는가요?" – "뜬금없이 무슨 말씀을 하나요?" "아, 오늘 벨기에(Belgium)로 일하러 가면서 맥주 한 병 가져왔어요," [xcvii]칸나비스(cannabis) 여송연(呂宋煙)을 말던 그는 밭은기침을 하면서 말했다. 그때부터, 맥주에 '일가견(一家見)', 아니 [xcviii]"일가미(一家味)"가 있는 칼은 유럽 전역에서 온갖 맥주를 연에게 가져오기 시작했다.

〈말뫼의 아랍인〉

다음 날 아침 일찍 목발을 짚은 카즈토는 연에게 인사하며 떠나려 한다, "이봐요, 왜 그런 오래된 여행 가방을 버리지 않고 계속 가지고 다니죠? 내가 쓰던 물건을 줄게요. 난 탐험가용 가방으로 새것 샀으니까 필요 없어요." – "어쨌든 고맙네요, 카즈토. 근데 만약 나중에 생각이 바뀌어 맘에 안 들면 버려도 되나요?" "하하, 맘대로 해요! 어차피 난 버리고 갈 생각이었으니까. 자 그럼, 행운을 빌어요!" – "Break a leg(다리가 똑 부러지길)!"[xcix] "Break a leg?" 잠시 고개를 갸우뚱하던 카즈토가 떠난 후, 연은 그가 준 가방을 여관 주인에게 바로 넘겼다. "일본인들이란..."

연은 늦은 오전에 식사도 안 한 채 지하 휴게실로 내려갔다. 그곳에는 이미 한 아랍 여성이 긴 소파(sofa)에 앉아 영어로 쓰인 책을 읽고 있었다. 여자들이란... 그들은 한결같이 혼자 있을 때 독서를 즐기는 듯 보인다. 연이 TV [c]리모트(remote)를 집어 드는 과정에서 그들은 서로 짧게 눈이 마주쳤고, 오래지 않아 자연스럽게 대화를 나눌 정도의 안면은 익히게 되었다. 나일라(Naila)라는 이름을 가진 그녀는 스웨덴으로 이주하기 위해 정식 이민 절차를 거치는 중이고 그녀의 삼촌이 이 부근에 살고 있다고 했다. 나일라는 히잡(hijab)이라고 불리는 [ci]보(褓)를 머리에 두르고 있었다. 연은 갑자기 장난치고 싶어져 그녀에게 말을 걸었다, "내가 당신과 신체적 접촉을 하면 어떻게 됩니까?" 그러자 나일라는 거리낌 없이 답했다, "사람들은 당신에게 돌을 던지거나 [cii]태형(笞刑)을 가해요." – "만약 제가 거부하면?" "당신은 선택권이 없어요. 그건 선택의 문제가 아니니까요."

점심(點心)을 먹고 어느 정도 소화할 시간을 가진 후 연은 말뫼를 답사(踏査)하러 밖으로 나왔다. 근처 길거리에서는 나일라와 얼마 전 그에게 손짓해 숙박소까지 인도(引導)해 주었던 아라비아 남성이 서로 한창 대화에 열중하고 있었다. "샤피크(Shafiq) 삼촌, 난 오바마(Obama) 삼촌을 안 믿어요." – "그렇지만 그는 네가 삼촌이라 부를 만큼 우리 종족과 가깝지도 않아. 그는 아프리카(Africa)계 미국인이란다, 나일라."

연은 스웨덴에서 잡일이라도 얻지 못할 가능성에 대비해 이미 다음 나라로 갈 수 있다는 각오(覺悟)까지 하고 있다. 그래서 이 도시에서 깜빡하기 전에 먼저 가까운 덴마크를 둘러볼 필요가 있었다. 늦은 아침, 연은 덴마크를 가로지르는 큰 다리를 왕복하는 코펜하겐(Copenhagen)행 버스를 탔다. 가는 동안 그는 버스 안에서 눈앞에 펼쳐진 망망대해(茫茫大海)를 멍한 눈으로 바라보고 있었다.

코펜하겐에 도착한 연은 무작정 돌아다녔다. 얼마 후 그는 울타리로 둘러싸인 어떤 공원에 다다랐는데 작은 철문이 약간 열려 있었다. 마치 안으로 들어오라고 손짓하는 듯한 문에 이끌려 연은 외르스테즈파켄(Ørstedsparken)이라 불리는 공원으로 들어갔다. 그곳의 풍경은 마치 다른 세상 같은 한 폭의 그림 그 자체였다.

봄은 봄바람이 새싹을 너풀거리게 하듯 모두의 심장을 두근거리게 한다. 그곳의 어린이 놀이터에서 뛰어노는 아이들의 흩날리는 머리에는 곱슬머리같이 월계관이 씌어 있었다. 외르스테즈-공원 중앙으로 가니 기다란 호수가 있다. 만약 요정(妖精)이 실제로 존재한다면 물의 요정 나이아드(naiad)가 살 법한 장소다. 천상의 크리스털 호수에 반사된 매혹적인 풍경은 [ciii]만화경(萬華鏡) 그 자체였다. 훗날 그가 인터넷에서 사진 및 영상 매체로 접했을 때는 그곳에 그 어떤 불가사의한 에메랄드(emerald) 빛깔도 없었다. 예전의 환상적인 곳은 어디에 있는가? 아무리 좋은 카메라(camera)로 테크니칼러(technicolor) 같은 영화 제작 기법을 써도 그 봄날의 신비로운 광경을 전달해 주지 못함이 참으로 애석(哀惜)할 뿐이다.

점심때가 훨씬 지나 돌아오는 길에, 그날 처음으로 연은 버거킹 연쇄점(連鎖店)에서 햄버거와 감자 튀김으로 허기를 달랬다. 하지만 하루에 한 끼로는 한창때 청년에게 턱없이 부족했다.

아니나 다를까, 늦은 저녁 다시 출출해진 그는 길거리에서 파는 소시지 샌드위치(sausage sandwich)를 마닐라(manila) 봉투(封套)에 담아 숙소로 돌아왔다. 그런 그를 보면서 칼이 고개를 끄덕였다, “음, 그래도 맥도날드(McDonald's), 버거킹 같은 정크-푸드(junk food)보다는 낫지.” – [civ]“맥똥(McDung's)과 뿡아-킹(Booger King)이죠.” “하하하하, 자네의 유머에 [cv]홍소(哄笑)를 멈출 수 없네.” 그의 번득이는 유쾌한 재치는 금세 친근함으로 번졌다.

밤에 연이 목에 근육이 뭉쳐서 불편하다고 하자 칼은 연에게 뒤로 돌아앉으라고 하고 그의 뻣뻣한 목을 문지르는데, 척추 지압사(指壓師)처럼 능숙하게 마사지(massage)하여 순식간에 뭉친 근육을 풀어 버렸다.

〈룬드〉

다음 날, 연은 룬드(Lund)로 떠났다. 룬드 기차역에 도착하자마자, 높디높은 계단이 그를 기다리고 있었다. 옆에는 에스컬레이터(escalator)도 없다. 계단 하나하나가 높아서 그는 큰 "이민 가방" 캐리어를 끌며 오르락내리락하는 데 꽤 애를 먹어야 했다. 플랫폼(platform)에서 내려오는데, 남녀 혼성 학생 한 떼가 그에게 손짓한다, "안녕, 너 결국 여기에 왔네! 룬드 방문을 환영해, 친구야!"

– "안녕, 친구들. 이렇게 만나게 되어 영광이야. 나중에 또 보자!" "또 봐!"

이후 연이 여행자 정보 센터의 위치를 근처 행인에게 묻자, 그는 망설임 없이 답했다, "거기 오래된 교회(Old Church) 앞에 있어요." – "오래된 교회? 그게 대체 뭔데요?" "그건 룬드에 있는 모든 사람이 아는 유명하고 가장 큰 교회예요. 당신도 금방 찾을 수 있습니다." – "알았어요, 무슨 말인지. 있잖아요, 어떻게 그 교회까지 가죠?" "여기를 따라 세 블록(block)을 곧장 가면 고대풍의 교회가 보일 겁니다." – "매우 감사합니다." "행운을 빌어요!"

연은 좁은 데다가 울퉁불퉁한 자갈길을 통과하느라 낑낑대며 가야 했다. 꽤 오랜 장애물과의 씨름 끝에, 그는 여행자 정보 센터에 도달하게 되었다. 들어가니 한 여성 점원이 미소를 띠며 그를 맞이하였다, "안녕하세요, 뭐 도와드릴 일이라도 있나요?" - "난 룬드 지도가 필요해요. 근처 '청소년 여관'이 어딘지 모르거든요." 연에게 그녀가 지도를 보여 주었다, "자, 여기요. 우리는 현재 이곳에 있어요," 그녀는 지도에 있는 방문객 센터에 동그라미를 친다. "그리고 여기가 룬드의 기차역이에요," 그러고 나서 룬드 기차역 뒤쪽에 자리한 트레인 유스호스텔(Train Youth Hostel)을 표시했다.

그 "청소년 여관"은 지도에 표시된 대로 철도역 뒤에 있는데 골같이 파인 곳에 있어 자세히 살피지 않으면 알아보기 힘들다.

"이런 빌어먹을, 연 너 취했냐? 왜 못 찾아?!" 작고 좁은 역 뒷골목에서 그는 한숨 돌리려고 잠깐 멈췄다. 쉬는 도중에, 주변을 둘러보던 연은 덤불 옆 도랑에 있는 무언가를 발견하였다. 그건 사용하지 않는 낡은 기차를 개조한 "청소년 숙박소"였다.

한바탕 땀을 흘린 후에야 겨우 그 지도의 장소를 찾았다. 그러나 연은 기쁘기보다는 처음 봤을 때 그게 도대체 어디에 있는지 찾을 수 없어 지나쳐 버린 사실에 짜증이 났다.

연이 그곳에 도착했을 때, 문은 굳게 닫혔고, 다음과 같은 간판이 걸려 있었다.

"영업 시간: 오후 5시에서 저녁 10시까지."

"지금은 오후 2시네. 제기랄! 3시간이나 때워야 하잖아!"

연은 문 앞에 있는 벤치와 함께 그의 캐리어에 맹꽁이자물쇠를 채우고 오후 5시까지 어슬렁거리며 룬드 대학 전체를 둘러봤다.

룬드는 스웨덴에서 다섯 손가락 안에 들 만큼 가장 큰 대학을 보유한 도시지만 룬드의 땅덩이는 상대적으로 작다.

한마디로 도시 자체가 룬드 대학인 셈이다. 룬드 중심부에는 초소형 산림이 형성되어 있고, 곳곳에 분산된 둥지에서 까마귀가 약간 쉰 듯한 목소리로 까악까악 울어댔다. 대학 도서관 근처에는 룬드의 의과 대학으로 기능하는 스코네 대학 병원(Skåne University Hospital)이 있었다. 매머드(mammoth)같이 거대한 룬드 대학은 외관만 둘러보는 데 2시간이 걸렸다. 그것만으로 그곳이 얼마나 큰 곳인지 짐작할 수 있게 했다. 그렇게 한참 시간이 흘러 연이 돌아왔을 때, 기차 숙박소 문은 열려 있었다.

룬드의 기차 호스텔은 낡고 오래된 기차를 처분(處分)하지 않고 오히려 그걸 숙박 업소의 장점으로 살렸다는 점에서 신선했다. 복도는 역시나 기차 통로답게 비좁아서 투숙객과 승무원은 서로 지나갈 때 반드시 신체적 접촉을 하게 된다. 그렇지 않으려면, 그들이 투숙하는 칸 근처에서 방으로 들어가 다른 사람들이 지나갈 때까지 기다려야 한다. 글자 그대로 서로 몸을 부딪치는 양상은 룬드 기차 호스텔을 매혹적으로 만들었다. 좁은 통로를 지나갈 때마다 옆걸음질 치거나 비켜 가는 와중에 인사나 배려 등 조금씩 정이 쌓여 빨리 친해짐은 물론, 서로의 관계를 깊고 굳건하게 했다.

〈수다쟁이 영국 청년〉

입구 근처 벽에는 아동용 도서의 그림이 걸려 있다, '닐스의 신기한 모험'. 연이 그 그림을 보는데, 어디서인지도 모르게 밖에서 사람들이 폭풍처럼 쇄도(殺到)했다. 영문도 모른 채 멀뚱멀뚱 쳐다보던 그는 왁자지껄 떠드는 억양(抑揚)에서 그들이 어디 출신인지 금방 눈치챘다. 입구 근처 접수대에서 그들은 예상대로 영국 맨체스터(Manchester)에서 왔다고 하면서 자신들을 한 명 한 명 소개했다. 일행은 키가 190 cm인 건장(健壯)한 흑인 남성과 170 cm가 조금 넘는 남성들, 그리고 160 cm 남짓한 여성들로 구성되어 있었다. 그들은 한결같이 스웨덴의 아름다움에 대해 격찬(激讚)하였고, 투숙 절차를 밟은 후 그들 숙소인 기차간(汽車間)에서 짐을 푸느라 정신이 없다.

그중 눈에 띄게 수다스러운 [cvi]"대중 가면(大衆假面)"을 쓴 20대 초반의 금발 백인 영국 청년이 있었는데 그는 무언가 우울해 보이는 기차 숙박소에 활기를 불어넣으려 노력하는 모습이다. 루퍼트(Rupert)라 불리는 청년은 주위를 의식하는 듯, 근처에 있는 연을 이따금 힐끗거리며 명랑하게 떠들어댄다. 그는 지금 여성 접수원에게 수다를 속사포(速射砲)로 쏴대는데 그녀는 그다지 개의치 않는지 미소를 짓고 있었다. 루퍼트의 수다는 가식이나 인기를 끌기 위한 술책(術策)과는 거리가 멀어서 그가 따발총 영어로 떠든다고 허풍선이(虛風扇이)나 잘난 체하는 사람으로 보이지는 않았다. 루퍼트는 그냥 분위기를 밝게 하려고 노력할 뿐이었다. 하지만 그게 그를 더 외로워 보이게 했다.

해질녘, 기차 숙박소는 부지불식간(不知不識間)에 갑자기 들어찬 사람들로 병목(瓶-) 현상을 겪고 있었다. 늦은 오후에 귀가하는 학생이 주 숙박인이라 일어나는 일이다. 물론 신체적 접촉도 빈번(頻繁)히 일어나지만, 앞서 말했듯 나쁜 일이 생긴다기보다는 친밀도가 높아져 활기가 넘치고 화기애애했다.

저녁이 되자 영국인들의 탁구 경기를 보다가 지루해진 연은 탁구공이 왔다 갔다 할 때마다 재미 삼아 소리를 흉내 냈다. "핑(Ping)! 퐁(Pong)!" 그러자 키 큰 흑인이 웃는다. "오 기가 막힌데? 너 진짜 재밌구나." – "넌 리버풀(Liverpool) 출신이야?" "아니, 난 맨체스터 출신이야. 웬 리버풀?" 연은 미소로 대답을 대신하고 창문 밖을 바라보았다. 기차 여인숙 주변에는 토끼 한 쌍이 뛰어놀고 있었다.

얼마 뒤, 모두 식당칸에 모여 각자 저녁을 준비하고 있다. 한쪽 구석에는 랩톱 컴퓨터(laptop computer)를 탁자에 올려놓은 헝가리인 해커(Hungarian hacker)가 음악을 크게 틀어 놓고, 조그만 태블릿 컴퓨터(tablet computer)로는 돌릴 수 없는 복잡한 프로그램(program)을 한꺼번에 실행하면서 친구들과 대화 중이다. 자기 일을 하느라 분주(奔走)한 사람들과는 달리 뭘 할지 몰라 멀뚱멀뚱 서 있는 연에게 한 이탈리아 청년이 고맙게도 [cvii]마카로니(macaroni)를 요리해 주었다.

〈룬드의 대형 흑묘〉

밤에 기차 숙소 유리창 밖을 보던 연은 무언가 커다란 물체가 어둠 속에서 나오는 장면을 포착(捕捉)하였다. 밖으로 나가 보니 그것의 정체는 평범한 고양이의 두 배 크기는 족히(足–) 되어 보이는 거대한 검은 고양이었다. 연이 쪼그리고 앉자, 놀랍게도 대형 흑묘(黑猫)는 굽힌 무릎을 타고 그의 품에 덥석 안겼다. 하지만, 그는 고양이를 다룰 줄 모른다. 그가 대형 암고양이를 양손으로 안은 채 숙소 친구들에게 보여 주려고 하는데, 문을 열 수가 없어서 발로 문을 걷어차 그들에게 신호를 보냈다. 그 순간 고양이는 놀라서 그의 가슴을 확 할퀴고 달아났다.

바로 다음 날 아침, 연은 역 육교를 지나 내려오다가 주차장 안에 있는 자전거 대여점을 발견했다. 그가 자전거를 빌리는 데 하루에 얼마 드냐고 묻자, 가게 주인은 50크로노르라고 대답했다. "종일 돌아다닌다면 저렴한 편이네." 대중 교통 수단에 불편함을 느낀 연은 잠깐 고민하다가 결국 대여받기로 했다. 가게 안에 들어서자 아라비아 점원이 그에게 다가왔다, "요즈음엔 당신이 자전거를 빌리려면 분실 방지를 위해 공인된 신원 확인 서류나 카드가 필요해요." – "여기 있어요. 내 여권입니다." "죄송합니다, 오로지 스웨덴인만 자전거를 대여받을 수 있어요." – "뭐라고요? 이봐요, 아저씨. 당신이 방금 내 여권을 복사하고, 서명(署名)

까지 받았잖아요. 한갓 자전거 한 대 빌리는 데 이거면 충분하지 않나요?" "우리 자전거는 그동안 여러 차례 도난당해서 외국인에게 대여하지 않습니다. 그들은 후무린 자전거를 가지고 손쉽게 자기 나라로 돌아가거든요." – "당신 말이 틀린 말은 아니에요. 근데 당신 역시 외국인이잖아요."

〈숲속의 산보〉

수풀에 가려진 철로 위의 "기차 청소년 여관"은 꽤 풍치(風致)가 있다. 사방에서 새들이 아침 기상-나팔을 불듯이 지저귄다. 산보(散步) 중에 마주친 한 노부인은 수제 새 모이통에 씨앗을 넣고 있었다.

중심가 밖으로 나가자, 만개(滿開)한 꽃들로 가득한 덩굴시렁이 주변과 잘 어우러진 주택가가 보였다. 다시 도심지로 돌아오는 길에 연은 우연의 일치인지 한 피자 가게 유리창을 통해 기차 호스텔의 영국 혼성 일행과 눈이 마주쳤다. 그들이 연에게 들어오라고 손짓하여, 그는 피자 레스토랑(restaurant)에 합석하게 되었다. 바질(basil)잎을 뿌린 모차렐라(mozzarella)로 가득 찬 커다란 피자가 나오자, 일행 중 남자들은 각자 접시에 덜었다. 탁자 가운데서 연이 피자 조각을 떼어 자신이 아닌 반대편 처녀들에게 먼저 건네자 영국 여성들은 그의 신사적인 행동에 홀딱 반한 눈치다, "연 당신, 너무 다정다감해요!" "멋져요!" – "전 '로망(roman) 신사' 그 자체랍니다." "그러게요. 호호!" 그들은 밝게 웃었다. 이에 영국 남자들은 서로 머쓱하게 바라보았다.

늦은 오찬(午餐)을 한 뒤, 그들과 헤어지고 연은 갑자기 술 한 잔하고 싶어졌다. 술집을 찾는데, 그는 젊은이들로 들끓는 도시에 화끈한 나이트클럽이 거의 없다는 사실에 매우 놀랐다. 그나마 드물게 있는 곳의 [cviii]디스코 볼(disco ball)은 장식일 뿐 청소년용처럼 너무 건전(健全)했다.

그날 저녁, 연은 숙소에서 위스키(whisky)를 병째로 꿀꺽꿀꺽 들이켜는 중인데 어느덧 3분의 1을 해치웠다. 곧 그에게 취기가 오름은 당연한 현상이다. "룬드 학생은 쉬지도 않고 공부만 죽어라 하나?"

그러면서 연은 술김에 기차를 타고 말뫼에 갔다. 비틀비틀 걷는데 위스키 악취가 끔찍할 정도로 진하게 풍겨 그의 옆을 지나가는 사람 모두가 얼굴을 찡그릴 정도다. 그는 그곳에서 제대로 된 나이트클럽을 찾아 들어가려다가 보안 요원에 의해 쫓겨났다. 다른 곳도 마찬가지였다. 어쩔 수 없이 연은 숙소로 돌아가려고 택시가 있는 쪽으로 걸었다. 그때 한 [cix]유색인(有色人)이 슬그머니 그에게 다가와 제안했다. "당신이 나에게 100크로노르만 주면, 저 경비들 사이를 통과해 무사히 클럽에 들어가게 해 주지." 만취해 제대로 된 사고를 못 하는 연이 지갑에서 돈을 꺼냈다. "나 오줌 좀 갈겨야겠어. 후딱 돌아올게." 그 순간 그는 연의 돈을 낚아채고 골목길 모퉁이를 휙 돌더니 그대로 달아났다. "요건 [cx]'몰랐지롱!' 주정뱅이야!" – "누가 내 돈을 후려갔네. 참, 변덕스러운 금요일이야!” 남의 일처럼 태연하게 말하며 여전히 만취한 연은 근처에 있던 길거리 악사를 붙잡고 잔돈을 준다. 그리고 그의 어깨를 자신의 가슴에 끌어안았다. 그러자 그 나이 많은 남성은 질색하더니 돈을 돌려주며 그를 뿌리치고 가 버렸다.

〈대리운전자〉

연이 숙소로 돌아가는 기차를 타려고 한 때는 자정이 훨씬 넘어서였다. 그건 바로 기차역이 문을 닫았음을 뜻한다. 난처해진 연이 머리를 긁적일 때 누군가 그를 불렀다, “제가 은밀히 당신을 집까지 태워 줄 수 있어요.” – “은밀히? 당신은 택시 운전사가 아니군요.” “전혀 아니죠. 그렇지만 난 당신의 대리운전자가 될 수는 있어요.” – “난 차도 없는데?” 연은 잠시 갸우뚱하더니 자신의 시시콜콜 따지려는 생각을 쫓아내려는 듯, 이마 근처로 손을 올리며 휘휘 손사래를 쳤다, “아무런들 뭔 상관이냐. 당신이 날 태워 주는 데 얼마죠?” – “룬드까지는 200크로노르에요.” “좋아요, 교섭 끝!”

사실 그는 대리운전하는 사람이라기보다는 무허가 택시 운전사였다. 단지(但只) 돈을 위해 연을 그의 기차 여인숙까지 태워다 주는.

“다 왔어요.” – “여기까지 데려다 줘서 고맙습니-- 딸꾹! 그럼 안녕!”

〈판박이〉

연이 과음으로 인해 숙취가 덜 풀린 상태로 일어났을 때는 이미 늦은 아침이었다. 투숙객 대부분은 학생이라 모두 수업(授業) 등 볼일을 보러 나갔고 몇몇 직원만이 일하느라 분주했다. 연이 숙소 밖으로 막 나가려는데, 한 건장한 중년 남성이 출입구 근처에 있는 접수대 겸 사무실 출입문을 열고 들어갔다, "모두 나와요!" 같이 따라 나가 보니 그들은 기차 호스텔 뒤 잔디에서 무거운 깃대를 세우려는 참이었다. 연도 그 순간만큼은 승무원이 되어 그들을 도와주었다.

어느새 깃발은 그들이 세운 깃대 끝에서 드높이 휘날리고 있다. "잘 걸렸어! 자, 이제 아침 겸 점심을 먹자!" 이 호스텔의 사장은 리처드 기어(Richard Gere)와 똑 닮았다. 그의 털털함 덕분에 연은 승무원들과 함께 식사하는 특권을 누렸다. 알고 보니 승무원 중 상당수가 고아 출신이다. 호스텔 사장은 그동안 고아들을 보살피고, 그들을 승무원으로 받아들여 왔다.

〈룬드를 떠나며〉

연은 왜 이곳에 계속 머무르는지 자신도 [cxi]도시(都是) 알 수 없었다. 아마도 그건 또래의 무리와 어울리고 싶어 하는 본능 때문인지도 모른다. 갑자기 룬드 대학의 라틴어 [cxii]'모토(motto)'인 '둘 다에 대해 준비하라(Ad utrumque paratus)!'가 마음에 떠올랐다. 그의 한쪽 자아는 그를 나무라듯 외친다, '처음부터 얼마나 부실하게 준비했는가! 난 이주하러 왔는가? 아니면 답사를 핑계로 그냥 여행하러 왔는가?' 다른 쪽 자아는 다음 기회를 위한 경험적 포석(布石)이라 어쩔 수 없다고 항변한다. 만약 연이 실패한다면, 결과적으로 귀국한다는 점에서 지역 특유의 음식을 맛보러 유람하는 관광객과 별 다를 바 없다. 하지만 그 도전은 나중에 이 동양인 청년을 거인으로 만들어 주는 기반이 된다. [cxiii]진퇴유곡(進退維谷)을 겪고 이겨낸 경험은 괜한 헛수고가 아니다.

연은 칼스크로나(Karlskrona)를 다음 행선지로 정했다.

칼스크로나 역에서 내리고 맨 처음 역시나 정석대로 여행자 정보 센터로 향한다. 그에게는 가장 중요한 그곳부터 먼저 찾는 일이 자연스럽게 되었다.

여행자 안내소로 향하는 오르막길은 무척 가팔랐다. 경사각이 족히 30도는 되어 보인다. 시내 중심지가 이렇게 비스듬한 곳에 있다는 점도 독특한데 물감을 칠한 듯한 새파란 하늘이 묘하게 어우러져 한 폭의 그림 같았다. 평상시의 변덕스러운 여성 같은 스웨덴 날씨와는 딴판이며, 마치 스웨덴 여왕이 "잘 오셨소, 페르시아(Persia) 왕자 라피스 라줄리(Lapis Lazuli)여!"라며 친히(親-) 환영하는 듯했다. [cxiv]필경(畢竟) 이곳에서 힘을 비축할 수 없는 페르시아 왕자는 밀려나겠지만.

하늘에는 기러기 떼가 'V'자 대열을 이루며 날아간다. 그 기러기가 매우 커서 조그만 어린아이라면 '닐스의 신기한 모험'에서처럼 탈 수 있을 정도다. 몇몇 노인은 벤치에 앉아 유럽 특유의 강렬한 햇빛을 즐기고 있다.

연은 캐리어의 거추장스러운 장애물인 울퉁불퉁한 자갈길을 우스꽝스럽게 큰 이민가방을 질질 끌면서 올라가고 있었다.

그냥 오르기도 가파른 길을 커다란 짐까지 가지고 가는 힘든 버둥질이 끝나니 연은 그제야 피곤이 온몸에 퍼짐을 느낀다. 하지만 참고 끝끝내 시내 중심부에 있는 "청소년 여관"에 도착하였다. 짐을 풀고 그는 곧바로 쌓인 피로도 풀 겸 맑은 공기를 쐬러 밖으로 나갔다.

연이 칼스크로나에서 어느 한 금발 미녀를 만난 곳은 쇼핑-몰(shopping mall) 근처다. 그녀는 많아 봐야 20대 초반으로 보이는데 최소 165 cm 키에 둔부가 탄력 있게 위로 올라가 매력적인 몸매를 지녔다. 마른 눈물 자국, 소위(所謂) 눈곱이 그녀의 눈언저리에 있지만 그건 조금도 흠이 되지 않는 듯, 그 곁을 지나가는 모든 사람이 그녀의 아름다움에 매혹되었다.

그녀는 연과 눈을 마주치자, 윙크로 인사한다, "안녕!"

'아니! 뭐 이렇게 넋을 잃은 만큼 매력적인 처녀가 다 있어?!'

- "안녕하세요, 실례합니다. 어떻게 여행자 정보 센터로 갈 수 있을까요?"

그 말에 그녀는 대담하게 연에게 바짝 다가와 그의 팔에 그녀의 팔을 살짝 끼고 그를 인도한다. 그러자 그의 가슴은 쿵쾅쿵쾅 미친 듯이 뛰기 시작했다.

"저기 첫 번째 교차로에서 오른쪽 길로 가서, 그다음 네 블록 지난 뒤 왼쪽으로 돌면 바로 찾을 수 있어요.” – “정말 고마워요.” “Varsågod(You’re welcome)!”

〈변덕쟁이 스웨덴 날씨〉

갈등 끝에 페르시아 왕자가 떠나고 스웨덴 여왕이 돌아온 듯, 조금 후에 갑자기 억수 같은 비가 내린다. 연이 빗속에 꼼짝없이 갇혔을 때, 그는 이 상황을 어떻게 예상했는지 소형 접이식 우산을 쓰고 있다. 당연히 이 비로 인해 모두 피할 곳을 찾아 허둥지둥 달릴 거라 생각했는데 실상은 그렇지 않았다. 행인들은 속옷까지 흠뻑 젖었지만, [cxv]“옷-두건(頭巾)”을 쓴 채 자연스럽고 여유(餘裕)롭게 걷고 있는 듯 보였다.

연은 빌딩 입구 안쪽에 서 있는 스웨덴인에게 질문했다, “난 북유럽인이 양산을 안 가지고 다니는 행동은 이해하겠는데, 왜 비 올 때도 우산 없이 다니죠?” – “글쎄요, 이런 기후(氣候)에 산다면 누구나 왜 그런지 곧 이해하게 됩니다.”

시스템볼라겟에 들어오면서, 연은 비에 젖어 미끄러운 타일(tile) 바닥에 휘청거렸다. “걸을 때 발밑 조심해요!” 한 직원이 그에게 큰 소리로 외쳤다. 다행히 연은 넘어지지 않았다. 술병을 집어 들고 그는 계산대로 조심조심 걸어 온다.

초로(初老)의 여성 점원이 연을 물끄러미 올려다보고는 신분증을 보여 달라고 요청했다. 그는 망설임 없이 여권을 그녀에게 보여 주었다. 그녀는 자세히 들여다보더니 그와 신분증 사진을 대조해 보며 이상하다는 듯이 그에게 묻는다, "당신 정말로 미성년자 아닌가요?" – "그럼요, 사모님!" 그러더니 연은 검지 손가락을 입술에 댄다, "쉿! 이거 우리끼리 비밀이에요, 알겠죠?" 그는 장난으로 그 노부인에게 말했다. 그녀는 그걸 심각한 표정으로 받아들이며 고개를 끄덕였다. 연이 1,000크로노르짜리 지폐를 계산대 위에 올려놓자, 그녀는 앞에 놓인 지폐 검사기에 스캔(scan)한다. 그리고 기계에서 나오는 빛을 통해 꼼꼼하게 두 번씩 확인하면서 그게 진짜인지 아닌지 살폈다. "그거 가짜 아니에요. 진짜 법정 화폐 맞아요," 졸지에 비행 청소년이 되어 버린 연이 빙그레 웃으며 얘기했다.

〈해군 박물관〉

다음 날 연은 칼스크로나를 목적지도 없이 돌아다니다가 두 갈래로 나뉜 뒷거리의 막다른 길에 도달했다. 잠시 멈췄던 그는 한쪽 길로 망설임 없이 나아간다. 철새와 같은 연의 본능은 그를 실망시키지 않았다. 막힌 듯 보이는 길 끝에는 옆으로 빠져나갈 수 있는 샛길이 있었다.

그가 마침내 걸음을 멈췄을 때, 앞에 커다란 지붕널로 덮인 집이 그 모습을 드러냈다. 그 건물 지붕 바로 아래 [cxvi]박공(牔栱)에는 'MARINMUSEUM'이라고 쓰여 있다. 그렇다! 그곳은 집이 아니라 스웨덴의 국립 해군 박물관이다. 게다가 입장료는 무료였다. 스웨덴에 온 이래 전부 유료로 사용한 그에게는 눈이 휘둥그레질 만한 일이다.

연은 들떠서 해군 박물관에 들어갔다. 그곳에는 스웨덴 해군 역사와 관계된 인공물과 옛 유물이 전시되어 있었다. 둘러보던 그는 흥미로운 기계를 발견한다. 바로 해군이 포격하는 클래식 비디오 게임기다. 연은 호기심에 조종대를 조작해 몇 번 플레이(play)해 보았다. 이내 싫증이 났는지 그만두고 그는 건물 깊숙이 후미진 곳까지 들어갔는데 그곳에는 경외(敬畏)를 불러일으킬 만큼 거대한 조각상이 서 있었다. 조각 양식으로 판단하건대, '선수상(船首像) 홀(Figurehead Hall)'에 있는 거인상은 너무 깔끔해서 그렇게 오랜 역사를 지니고 있지는 않게 느껴진다.

그곳에서 나와 "청소년 숙박소"로 돌아가는 도중에 연은 한 공립 학교에 도착했다. 지나가는 김에 선진국의 학교는 어떤지 보려고 내부를 돌아다녔지만, 외관상 그리 특별한 점은 없었다. 숙소로 돌아오니 어떤 코뚜레 문신 여학생이 라디오(radio)에서 나오는 음악을 즐기며 청소하고 있다. 그녀는 고등학생(高等學生)인데 거기서 매우 짧은 시간 동안 일하며 용돈을 버는 중이다.

가벼운 점심으로 끼니를 때우고 연은 다시 한번 마을을 답사하러 밖으로 돌아다녔다. 어찌저찌하는 사이, 그는 또 막다른 골목에 다다랐는데 그 벽은 극우 성향의 낙서가 페인트(paint)로 칠해져 있어 이 도시가 극도로 보수적이라 생각하게 하기에 충분했다.

다음 날 아침 연은 짐을 꾸리고 체크-아웃을 한 뒤 곧장 기차역으로 향했다. 가는 중간에 미국 즉석식(卽席食) 연쇄점 서브웨이(Subway)가 있는데 거기서 그는 긴 롤빵에 냉육, 치즈(cheese), 채소(菜蔬)를 끼운 큰 샌드위치인 서브마린 샌드위치(submarine sandwich)와 샐러드(salad)로 아침 식사를 하였다. 가게 창문 밖에는 샛노란 유니폼을 입은 귀여운 유치원생(幼稚園生)들이 줄 맞추어 교사 뒤를 따라가면서 재잘대고 있다.

올라탄 버스에는 승객이 몇 되지 않았다. 그래서 연은 중간에 잠시 멈춰 서 혼자 앉으려고 주변을 둘러본다. 하지만 금세 마음이 바뀌었다. 왜냐면 그는 현재 초조(焦燥)한 상태다. 스웨덴 남부의 스코네란드(Skåneland)에 관해 전혀 알지도 못한 채 무작정 향하기 때문이다.

버스 가운데 자리에 한 순진하게 생긴 소녀가 앉아 있었고 그 옆은 물론, 앞뒤가 모두 공석이다. 그곳 스웨덴 정보를 얻을 겸해서 연이 그녀에게 동석을 요청하자 그녀는 기꺼이 받아들였다. 그는 그녀의 옆에 앉아 날씨나 주변 이야기 등 가벼운 주제로 대화하면서 그녀를 흘끗 본다. 그녀의 외모(外貌)는 꽤 청초(淸楚)하다. 이런저런 이야기를 나누면서, 연이 무의식적으로 그녀의 상반신을 쳐다보았고, 갑자기, “샅-보호대(codpiece)”를 찬 듯 그의 샅이 부풀었다. 스웨덴에 온 이후 성생활을 전혀 하지 못한 그의 남성이 시각적으로 자극(刺戟)된 생리 현상이다. ‘왜 젠장 지금? 어떻게 잘 알지도 못하는 여자에게 세울 수 있지? 음란(淫亂) 그 자체야!’ 그는 마음을 다잡기 위해 그녀의 손금을 읽어 주겠다고 했고 그녀는 고개를 끄덕였다. 그녀의 손을 잡으며 그는 그녀에게인지 자신에게인지 모르게 중얼거린다. 마치 그녀가 듣기를 바라는 듯이, "오해하지 말아요. 내 청바지가 좀 꽉 끼어서요." 연의 손이 그녀의 손에 닿는 순간, 버스가 장애물에 덜컹거렸고, 그가 그녀를 껴안는 상황이 되었다. 그의 사타구니가 굳은 의지에도 상관없이 또 뜨거워지고 있었다. 그의 품에 안긴 그녀가 이번에는 확실히 그의 불룩한 청바지를 보았다. 그녀는 수줍어서 얼굴이 홍당무가 된 채 그의 손을 꽉 잡고 있다. 당황해서 그 사실 자체를 잊은 듯하다. 그녀는 어색한 분위기를 밝게 전환하려는 듯 버스 창문 밖으로 보이는 큰 집을 가리키며 다른 이야깃거리를 찾으려 애쓴다, "당신 건 저것보다 크나요? 그리고 당신 마당도 저렇게 거대한가요?" 그는 부드럽게 웃으며 대꾸한다, "어, 내 거, 물론 크죠." 그녀는 그의 뜨거운 시선을 의식한 듯 부끄러워하며 웃는다, "그럼 음, 당신은 부자네요?" – "아뇨." 그러자 그녀는 잠시 침묵했다.

〈회색 지대〉

버스가 칼마르(Kalmar)에 도착하기까지 긴 여행은 아니었다. 역에 붙어있는 지도의 [cxvii]욀란드(Öland)가 확연히 눈에 들어온다. 연은 잠시 상상의 날개를 폈다. 내가 욀란드에 틀어박혀 산다고 해도 그리 나쁘지 않겠지? 은둔(隱遁)해 수렵 채집 생활을 하면, 누가 일부러 거기까지 와서 날 추방하려고 눈에 불을 켜고 찾겠어? 연은 즉석에서 버스표를 구매한 후 그곳으로 향했다. 그러나 참으로 분별없는 선택이었다. 욀란드는 호주의 오지가 아니다. 인구가 희박(稀薄)한 스웨덴 섬이지만 연간 상당한 수의 방문객이 그곳을 찾는다. 연은 이도 저도 아닌 상태에서 갈팡질팡했다. 다행히 그의 잘못을 스스로 깨닫기까지 오랜 시간이 걸리지 않았다. 욀란드에 도착해 주변을 답사하고 되돌아갈 버스를 정거장에서 기다리는 동안, 대형견을 산책(散策)시키는 한 시골 여자가 그의 옆을 지나간다. 연이 대략 한 시간을 버스 정류장에서 기다리는 동안 그때까지 본 유일한 사람이다. 쓸데없는 짓을 했나 싶은 그는 칼마르 중앙역 직원이 그를 미성년자로 보고 할인해 준 사실을 상기하며 자위(自慰)한다. 욀란드에서 칼마르 해협을 통과해 돌아오는 길에 무언가 골똘히 고민하느라 굳건히 닫힌 연의 입을 벌리게 한 건 환상적으로 다채로운 일몰 광경이었다. 바로 관광객이 이곳을 찾는 이유 중 하나다. 그 해가 지는 풍경은, 당시 그가 비록 여행객은 아니었지만, 그의 불안함과 울분(鬱憤)을 단방(單放)에 날려기에 충분히 인상적이었다.

〈칼마가 되다!〉

연이 칼마르에 다시 도착하였을 때는 저녁 7시경이었다. 욀란드에서 사실상 2시간 정도를 보냈지만, 버스를 타고 왔다 갔다 하다 보니 어느새 하루가 지나 버렸다. 주변 대학에서 멀리 떨어져 있지 않은 곳에 있는 'i' 마크가 붙은 작은 건물의 문은 늦은 시간이어서인지 굳게 닫혀 있었다. 상황이 곤란하게 된 듯 보이나 다행히 문 앞 잡지대(雜誌臺)에는 늦게 방문한 여행객을 배려하여 지도가 꽂혀 있었다. 그곳의 호스텔은 당시 구글(Google) 지도가 아직 [cxviii]갱신(更新)이 안 되어 온라인(online)상 표시되지 않았는데 그 칼마르 안내 지도에는 있었다.

연은 부두를 따라 걸어 한 대학 근처에 도착했다. 주변에는 학생 한 명 보이지 않는다. 그가 서 있는 빌딩 바깥쪽에 휴게실이 있는데 문이 열려 있었다. 그 안에서 커피 한 잔을 마시면서 그는 다음에 무얼 할지 고민하다가 아직 비우지 않은 종이-잔을 들고 밖으로 나왔다. 몇 분 후, 한 무리의 학생들이 대학 건물에서 우르르 몰려나왔다.

"안녕, 너희들 혹시 '청소년 여관'이 어딨는지 알고 있어?" - "아하! 응, 딱 한 곳 지금 하는 데 있어," 한 여대생이 그에게 대답했다. 연은 다행이라는 듯 안도한 표정으로 되묻는다, "한 곳이라고? 어딘데? 나 여행자 정보 센터 지도를 가지고 있는데, 어떻게 가는지 몰라. 길 좀 알려 줄래?" - "여기야," 그녀는 그의 지도 위 한 곳을 손가락으로 가리켰다. "그곳까지 가려면 몇 번 버스를 타고 가야 하지?" - "우리도 마침 그쪽으로 가고 있어. 버스정류장까지 동행해 줄까?" "좋고말고! 너희들 진짜 친절하구나!"

그들은 버스 정류장까지 그를 안내한 후 근처의 맥도날드 연쇄점으로 들어갔다. 저녁을 못 먹어 허기진 연도 따라 들어가 빅맥

(Big Mac)을 시켰지만, 아직은 어색해서 그들과 함께 동석하지 못하고 따로 먹었다. 가벼운 저녁 식사 후, 연은 여학생이 알려 준 버스를 탔다. 그가 칼마르의 유일한 "청소년 여관"에 걸어 들어갔을 땐 이미 해가 넘어가 어둑어둑했다. 숙박 절차를 밟으러 계산대로 가자, 접수원은 방이 다 꽉 차서 자리가 없다고 했다. 그래서 연은 어쩔 수 없이 버스로 다시 돌아왔다. 그렇게 그는 그날 본의 아니게 칼마르의 부랑아(浮浪兒)가 되어야 했다. 시내 번화가에는 큰 호텔이 하나 있지만 그곳에 하룻밤 묵는데 천 크로노르가 든다. 그것도 줄잡아서. 그는 한 번에 그렇게 큰돈을 쓸 여유가 되지 않았다. 그래서 연은 그냥 길거리에서 밤새는 방법이 그의 가진 돈을 고려했을 때 적절하다고 판단했다. 그러나 그는 초봄이라도 그곳이 밤에 꽁꽁 얼 정도로 춥고 바람까지 분다는 사실을 간과했다. 일단 짐이 문제다! 연은 도움을 구하기로 마음-먹었다. 칼마르의 한 대학 연구소에는 늦게까지 불이 켜져 밝은 빛이 새어 나오고 있었다. 그는 초인종을 눌렀다. 그러자 잠시 후, 어느 한 남성이 강화 유리문을 통해 나왔다. 연이 자신이 처한 상황을 그에게 설명하자, 그는 친절하게도 연의 짐을 받아 맡아 주었다. 순간 연은 진심으로 그 선한 사람에게 감사했다. 그리고 따뜻하게 머물 곳을 찾아 번화가 쪽으로 걸어갔다. 가는 길에 그는 두 명의 스웨덴 처녀와 마주쳤는데, 힘없이 불규칙적으로 걷는 꼴로 보아 많이 취한 듯했다. 그들 중 한 명이 연에게 스웨덴어로 말했고 그 역시 스웨덴어로 재치 있게 대답했다, "난

스웨덴어 못해요(Jag kan inte tala svenska).” – “하하, 지금 스웨덴어 하고 있잖아!” 그들은 농담을 주고받으며 한참을 웃었다.

그렇게 그녀들에게 작별을 고하고 연은 다시 갈 길을 갔고, 머지않아 쉴 만한 큰 카바레(cabaret)를 찾아냈다. 그곳에서 공교롭게도 연은 조금 전에 그와 농을 주고받던 바로 그 처녀들과 재회했다. 그녀들은 의자에 앉아 수다를 떠는 중이다. 어느 순간, 한 처녀가 앉아 있는 의자 다리가 ‘쾅’ 소리가 나며 부러졌다. 다행히 그녀는 넘어지지도 다치지도 않았다. 이를 본 연은 잽싸게 새 의자를 그녀에게 가져다주었다. “고마워요! 오, 또 당신이네요!” 무대(舞臺)에서는 컨트리(country) 음악가들이 [cxix]실황(實況)으로 기타(guitar)를 치며 노래하고 있다. 그때 지하로부터 흘러나오는 희미한 ‘쿵쿵’ 소리가 연의 귀에 들렸다.

나선형 계단을 통해 내려가니 놀라운 광경이 눈에 들어왔다. 그곳에서 사람들은 시끄러운 록 음악의 박자에 맞추어 머리를 세차게 흔들고 있었다. 연은 자신도 모르게 이끌려 어느새 제일 높은 자리에서 구경하면서 록을 즐겼고, 긴장이 풀렸는지 신을 벗은 채 다리를 긴 안락-의자(安樂椅子)에 걸쳤다. 그러자 어떤 사람이 연을 따라 한답시고 거드럭거리며 한술 더 떠 신발을 신은 채 발을 안락의자에 올린다. 그때 보안 요원이 다가와 그 스웨덴 남성에게 거기서 발을 내리라고 눈빛과 손짓으로 신호했고, 연처럼 괜찮을 줄 알고 의기양양(意氣揚揚)하게 따라 했던 남성은 머쓱한 표정을 지으며 발을 잽싸게 내렸다. 새벽 2시가 되니

광란의 클럽은 문을 닫는다. 연은 다소 실망했다. 그가 모국에서 다녔던 음식점이나 술집, 나이트클럽은 새벽 3시에도 문을 닫지 않는 데가 많았기 때문이다. 실제로 스웨덴 나이트클럽은 보통 밤 10시에 열고 새벽 2시 내지(乃至) 3시에 닫았다. 밖은 가뜩이나 추운데, 매서운 바람까지 분다. 4시간 넘게 줄곧 밖에서 밤을 보내야 하는 연이 지지리 운이 없다는 사실은 자명(自明)하다. 설상가상으로, 그는 배낭에서 오리털 "덧옷옷"과 겨울 외투(外套)를 가져오지 않았다.

연이 건물 밖으로 나갈 때 출구의 간판이 그가 술집 겸 레스토랑으로 들어왔을 때와는 달랐다. 두 가게가 한 건물 안에서 서로 연결되었기 때문이다. 바깥에는 많은 사람들이 줄을 이루고 서 있다. 궁금해서 다가가 보니 길거리에 어떤 아시아 남성이 파는 핫도그(hotdog)를 사기 위해 끝이 보이지 않는 줄을 형성하고 있지 않은가! 물론 거기서 빠질 호기심 많은 연이 아니다. '핫도그를 줄 서서 먹을 정도는 아닌데 가격이 싸서 그런가?' 맛을 본 그는 이내 살짝 실망한 표정을 지었다. 핫도그를 입에 물고, 연은 체온이 떨어지기 전에 기차역으로 향했지만, 그곳의 문은 역시나 닫혀 있었다. 사태는 그의 예상을 벗어나 최악의 상황이 되었다. "덧옷옷"의 접힌 옷깃을 세운 연은 살을 에는 듯한 추위에 벌벌 떨며 그곳에 계속 서 있었다. 자정이 지나가면서 바깥의 온도가 급격히 떨어지기 시작했다. "이거 원, 불알이 쪼그라들 정도로 춥네! 이렇게 부실하게 입고 [cxx]객기(客氣)를 부리기엔 시기가 좋지 않아."

재수가 없어도 너무 없다! 그의 업보인가? [cxxi]"칼마(Kalmar)"에서 [cxxii]"칼마(karma)"라…

‹칼마르 성의 유령›

역에서 멀리 떨어지지 않은 곳에 지형을 활용한 낮은 성벽으로 둘러싸인 오래된 성이 있는데, 겉보기와는 달리 방어 시설이 약하지는 않으며 기원은 12세기까지 거슬러 올라간다. 연이 그곳에 도착한 지 얼마 뒤에 한 쌍의 사람 모습이 어둠 속에 나타나더니 이내 사라졌다. 잠시 후 마법 주문같이 기괴한 소리가 [cxxiii]해자(垓字)에 흘렀다. 이에 겁이 없는 편인 연도 오싹해져 다시 역으로 돌아갈 수밖에 없었다.

연은 지금 역 근처 택시 운전사를 위한 간이 휴게소(簡易休憩所) 앞에서 추위에 떨고 있다.

그렇게 [cxxiv]한데에서 동장군과의 사투가 임박한 순간, 새벽 여신 에오스(Eos)의 드레스 끝자락이 구원의 밧줄처럼 그에게 내려왔다.

바로 새벽에 기차역 문이 열렸기 때문이다. 연은 급히 역 안으로 들어갔지만, 안에도 언 몸을 녹이기에는 여전히 냉기로 가득 찼다. 갑자기 그가 대합실(待合室)에 있는 화장실로 뛰어간다. 볼일 보면 더 추울 텐데? 헐레벌떡 화장실로 들어온 그는 영특(英特)하게도 "주철(鑄鐵) 방열기(cast iron radiator)" 근처에서 몸을 손으로 마사지하며 냉기를 날렸다.

그날 칼마르에서 녹초가 된 연은 스웨버스(Swebus)라는 장거리 여행 버스로 스웨덴 최북단 쪽으로 가고 있다. 여정 중에 연의 행선 경로는 특이하게도 'O'자가 아니라 꿀벌 비행처럼 '8'자였다. 그는 어떻게 여행해야 경제적인지 꿀벌만큼 현명하게 알고 있었다.

얼마 후 연이 탄 버스는 [cxxv]"노르셔핑(Norrköping)"에 도착하였다. 한 쌍의 여성이 버스 종점 근처의 벤치에서 담배를 피우고 있다. 연은 지도에 표시된 현재 위치에서 가장 가까운 "청소년 숙박소"를 향해 걸었다.

〈여성 기갑 부대〉

양손을 허리에 짚은 여성 기갑 부대(機甲部隊) 장교가 장갑차 위에서 근엄한 표정으로 지나간다. 이주민이 많이 사는 도시인 노르셔핑에서 왜? 어쨌든, 연에게는 꽤 신선한 충격이다.

밤 9시, 도시 중간의 강둑에서 사람들이 낚시를 하고 있다. 평화로운 분위기에서 그들은 기본적인 낚시 도구로 즐겁게 시간을 보내는 중이다, "여기 봐, 친구! 대어를 낚았어!" – "에계, 피라미 잖아. 아! 그거 보다가 내 양동이에 갓 잡은 물고기를 놓쳤네. 하하!" 그들은 물고기를 욕심내기보다는 낚시 그 자체를 즐기고 있었다. 연은 무작정 걷다가 어느 곳에 도착했는데, 사람들이 무리지어 2열로 줄을 이루어 서 있었고 그 끝이 보이지 않을 정도다!

많은 사람이 순서를 기다리며 삼삼오오(三三五五) 이런저런 잡담을 나누고 있어 마치 인기 상영 극장이나 공연장을 연상케 했다. 줄이 시작하는 지점을 바라본 연에게 다음과 같이 쓰인 간판이 눈에 들어왔다, "XXX nattklubb" 아! 그는 그제야 상황을 이해했지만, 동시에 궁금했다. 도대체 얼마나 유명한 나이트클럽이길래 이런 끝이 안 보일 정도의 열을 이루지? 호기심에 연은 줄 맨 뒤에 섰다. 이제 겨우 밤 9시 30분이다. 전처럼 대부분의 스웨덴 나이트클럽은 밤 10시에 개장(開場)한다.

누더기 외투를 걸친 치아(齒牙)가 벌어진 거지가 연석에 앉아 있는데, 사람들이 지나가면서 그에게 먹다 남은 맥주 캔을 주고 그 거지는 그걸 또 받아 마시고 있었다.

연은 그 장면을 보면서 담배를 꺼냈다. 그 순간을 거지는 놓치지 않고 그에게 담배를 달라고 했다. 이미 모국에서 담배를 몇 상자 쟁여 온 연은 선뜻 거지에게 다가가 담배 한 개비를 주고 불을 붙여 주었다. 그리고 잠시 망설임 끝에 그에게 담배 한 갑을 통째로 건넸다.

담배를 피우면서 거지는 연에게 자기 신세타령(身世打令)을 늘어놓았다. 그러다 줄을 서서 기다리는 사람들을 가리키며 험담을 퍼붓는다, "저 인간들은 하루가 멀다고 난교(亂交)하는 문란(紊亂)한 동물이야!" – "나도 교미(交尾)하는 동물인데요." "아니, 당신은 그들과 달라. 음, 뭐랄까? 당신은 저곳에서 온 분 같아," 그는 하늘을 가리켰다, "당신을 우상화함은 아니오. 보자마자 오라(aura)를 느낄 수 있었지." '아, 괴짜 늙은이다!' 그렇게 헛소리하는 미치광이를 뒤로하고 연은 대기열로 돌아갔다. 사람들은 입장하려고 오래전부터 기다린 상태다.

마침내, 입장이 시작되었다. 앞에서는 미성년자를 분별해 내는 작업을 하고 있다. 한 무리의 소녀들이 안전 요원에 의해 신분증 요청을 받고 있는데 그중 몇 명은 미성년자로 걸려서 입장을 거절당했다. "당장 이 소녀들을 밖으로 내보내!" 10대 중반 소녀들은 낙심천만(落心千萬)하여 줄 밖으로 이탈해 그 장소를 떠났다. '오늘이 여성 할인 행사하는 밤인가?' 미성년자 이외에도 고주망태나 말썽을 일으키는 사람 또한 바로 쫓겨났다. 그 와중에 연은 나이트클럽 매니저(manager)를 하는 흑인 남성과 대화하며 안면을 트고 있었다. 경호원이 연에게 무언가 요청하려 할 때도, 연은 클럽 지배인과 여전히 대화 중이어서 그들은 어쩔 수 없이 그를 통과시켰다. 앞장서던 흑인 지배인은 연에게 들어오라고 손짓했다.

그들은 문으로 들어가는 순간에도 얘기 중이다. "...그렇게 여기까지 오게 되었지. 사실, 나는 이곳에 살고 싶지만, 그냥 유람하는 사람이 되어 버렸네. 자, 이제 당신이 얘기할 차례야." 흑인 클럽 관리자는 멋쩍은 듯이 집게손가락으로 볼을 긁었다, "하하, 형제여, 내 이름은 태어난 곳에 두고 왔어. 여기서는 날 블랙 팬서(Black Panther)라고 부르지. 난 미국계 스웨덴인이야. 돌이켜보면, 그때는 외국인 유학생(留學生)이었어. 하루하루를 조잡한 비상근직으로 그날 벌어 그날 먹고 살아 버텼지만, 지금은 영주권(永住權)이 있지." – "도중에 말 끊어서 미안한데 친구, 학생 비자는 그냥 학생일 때뿐이라 이민용이 아니지. 심지어(甚至於) 취업 허가도 미국의 그린 카드(green card) 같지 않아, 그냥 잠깐 일할 수 있게 하는 임시 허가증이야." "그래서?" – "하나하나 설명하려면 너무 얘기가 길어. 짧게 줄여 말하면, 다른 방법은 다 소용없고 딱 한 가지가 답인데 그건 바로 스웨덴 동거녀를 구하거나 결혼하는 방법이야. 물론 이민하려는 자가 엄청난 부자라거나 무언가 내세울 만한 작품을 낸 저명(著名)한 예술가 또는 정치적 망명자라면 굳이 그런 방법이 필요 없긴 해. 유명한 예술인이나 난민임을 공식적으로 입증하기가 쉽지는 않지만. 말이야 바른대로 말이지, 그들은 거지인 라자루스(Lazarus)에겐 엄격한 법률을, 부자인 다이비즈(Dives)에겐 물렁한 법률을 정했지. 그들이 유명해지기 전에는 도대체 어디서 후원자(後援者)를 찾지? 인터넷? 인터넷도 유명해지기 전에는 마찬가지잖아." "네 말에 일리 있어."

입구에는 거대한 휴대품 보관소가 있는데 몇몇 여직원과 손님이 분주하게 옷을 주고받는 광경이 마치 세탁소 같다. 스웨덴은 북유럽이기 때문에 다른 유럽 지역보다 대체로 추운 편이다. 그래서인지 그들의 외투는 예사롭지 않고 품질이 매우 뛰어났다. 연이 옷 보관소 접수대의 "70크로노르"라고 쓰인 표지를 보고 있는 사이, 한 단정한 금발 미녀가 웃으며 그의 외투를 받는다,

"여기 당신 옷 보관증 번호표요."

이제 막 개장한 너무 이른 시간이라 그런지 위층에는 잔잔한 음악과 함께 사람 몇 명이 보일 뿐이다. 블랙 팬서는 자정이 절정이라고 옆에서 귀띔해 준다. 푼돈을 걸고 하는 포커와 춤도 추지 않고 술만 홀짝이는 사람들을 보며 지루해진 연은 오래지 않아 다시 아래층으로 내려왔다. 나선형으로 된 계단인 계단통 옆에는 반짝거리는 드레스를 입은 여성 둘이 서 있었다. 매력적이지만 호색적인 외모를 한 헤픈 그녀들은 서로 부둥켜안은 채, 혀를 맞대고 깊숙이 키스하는 데 열중하고 있다. 야(冶)하게 차려입은 저속하지만, 예쁜 방탕녀(放蕩女) 레즈비언이라니. 미국인들이 흔히 말하듯 그녀들 중 누가 남성 역이고 누가 여성 역이지? 내 눈엔 둘 다 여자로 보이는데? 실은, 이는 스웨덴 특유의 문화가 아닌 인류의 공통된 문제다. 엄밀히 따지면, 그들은 레즈비언도 색정광(色情狂)도 아니다. 그는 그들이 다소 사포(Sappho)같이 갈구하는 여인에 가깝다고 느꼈다.

1층에서 연이 아담하지만 육감적인 여성 딜러(dealer)에게 천 크로노르짜리 지폐를 주며 100크로노르 지폐 10장으로 바꾸어 달라고 요청하니, 그녀는 당혹한 표정으로 응대했다, "이제 막 열어서 우리는 여기 지금 당장 거스름돈이 없어요. 하지만 걱정하지 마세요. 내가 지배인에게 말해 볼게요." 그녀는 아래층으로 내려가더니 오래지 않아 돌아와 잔돈을 거슬러 줬다.

그때까지 경험상 그가 기억하기로는, 스웨덴인들은 기본적으로

1,000크로노르 지폐를 잘 사용하지 않았다.

마침내 밤 11시가 되었고, 사람들이 하나둘 무대 위로 올랐다. 점점 무르익은 분위기 속에서 연은 몸을 데울 겸 술 한잔을 한다, "럼(rum) 곱빼기로 얼음 띄워서 부탁해요."

평상시대로라면 럼 한 잔 정도는 단숨에 들이켰을 연이지만 이번에는 속도를 정하고 마시는 중이다. 블랙 팬서가 손에 든 술잔을 홀짝거리며 그에게 다가온다.

<술의 욕정>

흔들리는 엉덩이가 황홀하게 하듯
흔들리는 채찍이 그를 압도하네
휘돌리고 휘저어 섞어라
휘하고 훅 들이켜라
한달콤하냐 훅 꺾인 만자여
한숨이 다 무엇이냐

블랙 팬서는, 시선을 어디에 둬야 할지 난감할 정도로 가슴이 큰 아프리카계 스웨덴 처녀 둘을 가리키며 그에게 추천했다, "이봐 아우, 여기 와서 좀 봐. 저 '깜둥녀(nigger)' 어때? 저기 터질 듯한 가슴과 방둥이를 한 여자애 둘 보이지? 대주려는 눈빛으로 널 쳐다보는 거 봐. 방둥이까지 너를 향해 흔들어대네," 블랙 팬서는 능글맞게 웃었다. "인마! 안 해! 쥐꼬리만큼도 전혀." – "당신 꽤 완고(頑固)하군. 난 야바위 쳐서 아우를 엿 먹이진 않아. 물론 저 여자들이랑 같이 공모(共謀)하지도 않았지. 이건 내부에서 들은 확실한 정보라서 말해 주는 거야. 난 아무 대가 없이 아우에게 저 계집들을 따먹게 해 주려는 건데. 왜냐면 연이 너무 불쌍해. 옛날의 날 연상케 하거든. 진짜 쟤들이랑 농탕(弄蕩)치기 싫어?" "이번은 아니야. 옥상에서 한 대 어때? 아직 한산한 편이잖아." – "좋고말고." "근데 옥상 말인데, 어디 피우지?" – "내가 안내하지. 아! 우리 [cxxvi]위스키 사워(whiskey sour) 잊지 말고!" 그는 위층으로 올라가기 시작한다. 옥상으로 올라가는 중간 [cxxvii]층계참(層階站)에 놓인 플라스틱(plastic) 바구니에는 녹색 담요(毯-)가 수북이 쌓여 있었다. "이봐, 동생, 이걸 어깨에 걸쳐 봐. 이렇게 두르라고."

올라가자마자, 활짝 열린 문에서 신선하지만 차가운 공기가 얼굴을 강타한다. 그들은 옥상 가운데 탁자에 자리했다. 연은 담배 한 대를 꺼내더니 습관적(習慣的)으로 입에 문다. 블랙 팬서는 그걸 신기한 눈으로 쳐다보았다. 일반 담배보다 가늘어서 마리화나(marihuana)라고 여겼는지 그는 눈을 반짝이며 묻는다, "그게 뭐야?" – "이거 그냥 담배야. 한 모금 해 볼래?" "바라던 바야." 연은 그에게 가는 담배 한 개비를 건넸다. 블랙 팬서는 그 맛을 기대하며 매료된 표정으로 담배를 깊이 빨았다. 그는 그것이 대마(大痲)라고 생각하며 김칫국부터 마시고 있었다. 하지만 그건 연의 조국에서 가져 온 그냥 평범한 담배였다. 블랙 팬서의 얼굴에 다소 실망한 표정이 스쳐 지나갔을 때는 찰나였지만 연은 그걸 놓치지 않았다. "왜 흡연을 즉각 중지하지?" – "중지하지 않았는데?" 아, 마리화나 담배 한 모금 못 해서 낙담했구나? 이게 대마인 줄 알았나 봐? 그는 그렇게 묻고 싶었지만 웃음으로 대신했다.

블랙 팬서가 진지하게 그에게 묻는다, "확인하고 싶은 사실이 있어. 연 너 진짜로 영국 출신 아니야?" – "전혀!" "그런데 어떻게 영어를 그렇게 자유자재(自由自在)로 구사할 수 있지? 난 네가 아까 영국 남자랑 영국식 영어로 담소(談笑)를 나누는 광경을 지켜보았거든." – "아, 그거! 사실, 난 철저한 [cxxviii]세계주의자(世界主義城)로서 사람들과 제약 없이 소통하기 위해 전 세계의 영어 듣기 훈련을 계속 해 왔어. 원어민이 아닌 이가 듣기를 완벽히 함은 말 그대로 거의 불가능해. 그건 천부적 재능 이외에도 어마어마한 시간의 바다를 건너는 끊임없는 노력이 필요하거든." "말도 안 돼!" 블랙 팬서는 믿지 못하겠다는 표정으로 외쳤다. "나는 꺼지는 편이 좋겠군. 잘 놀아, 연."

옥상은 담배 피우는 사람들로 벌써 붐볐다. 그들은 모두 연처럼 분위기가 한창일 때를 기다리며 그곳에서 술로 몸을 달구고 있었다. 그렇게 흡연 시간이 끝나고, 연은 옥상에서 내려와 무대로부터 가장 떨어진 계단 근처의 후미진 공간에 자리 잡았다. 그는 탁자 위의 초에 불을 붙이고 있다.

적도 근처에 사는 인간은 북유럽인이 왜 밝은 태양을 그리워하는지 절대 공감 못한다. 형광등(螢光燈)이 있는데도 그들은 밤에 양초를 킨다. 왜냐면 추운 나라에서 초는 자연스러운 온기를 가져다주기에.

슬슬 취기가 올라오기 시작한 연이 천천히 손을 촛불 위로 흔든다. 몇 초 후 참기 어려울 정도로 고통이 느껴지자 그는 그제야 손을 뗀다. 그리고 되풀이한다. 계속...

아예 대놓고 외롭다고 그의 얼굴에 쓰여 있다. "지금 내가 촛불 가지고 뭔 광고(廣告)를 하고 있지? '벽의 수-꽃([cxxix] wall-flower)'이군. 이 뭐..."

안전 요원조차 그의 행동에 등을 돌렸다. 바로 그때, 십 대 후반인 두 명의 소년과 한 명의 소녀로 구성된 일행이 그에게 다가온다. "저, 음, 동석할래요? 내 이름은 라르스(Lars). 한잔 사죠," 갈색 머리 소년이 연에게 같이 어울리자고 제안했다.

"..." 잠깐 고민한 연은 고개를 끄덕였다. 그들이 무대 근처의 탁자로 자리를 옮긴 후 소년은 연에게 일행을 인사시켰다. 연분홍색 치마를 입은 까무잡잡한 소녀가 먼저 자신을 소개했다. "아탈리(Atalie)라고 해. 난 숫처녀고 진짜 사랑하는 사람을 만날 달콤한 그날까지 정조(貞操)를 지킬 거야."

- "저, 난 처음 봤을 때부터 네가 숫처녀임을 알아챘어. 옅은 [cxxx]버찌색 드레스가 잘 어울리더라. 근데 그거 알아? 버찌는 자연스러우면서도 인위적인 야누스(Janus)의 측면이 있어." 갑자기 뜻 모를 말을 하는 연을 모두 어리둥절해하며 쳐다보았다.

자신이 18살이라고 밝힌 라르스는 연에게 과일과 술로 가득 찬 푸짐한 성찬(盛饌)을 대접했다. 클럽의 분위기가 고조되자 사람들이 너 나 할 것 없이 나와서 춤을 추기 시작하는데 그중에서 유독 빛나는 이가 있었다. 그 금발 미녀는 그날 무도회(舞蹈會)의 꽃으로, 춤을 추며 모든 남성을 매혹했다.

"굉장한데! 당신, 춤추는 데 재능이 있어요!"

그녀는 그에게 살짝 상기된 미소를 던졌다, "고마워요!"

냉정히 말하면 그녀는 사교계에 처음 나서는 아가씨 그 이상도 아니었지만, 단순히 나이트클럽에 다니는 여자라기엔 너무 빛났다.

자리로 돌아온 연이 홀로 거듭 독주를 들이켜고 있는데, 여러 갈래로 땋은 까만 머리의 노르웨이 처녀가 일행과 헤어진 후 연에게 다가와 그의 정면에 앉는다. 연은 자기 얼굴을 빤히 바라보는 그녀의 강렬한 눈빛에 자신도 모르게 얼굴이 붉어졌다.

하지만 이런 어색한 분위기 속에 농(弄)을 걸지 않을 그가 아니다, "안녕? 나는 연이라고 해요. 제가 마음에 드세요?" 그녀는 고개를 끄덕였다, "내 이름은 라일라(Lajla)에요." 농담이 진지하게 받아들여지자, 연은 당혹스러운 상황에 잠시 말문이 막혔다. 그녀는 타는 듯한 눈빛을 그에게서 거두지 않는다. 그는 그녀가 새롱거린다고 여기고 골탕 먹이기 위해, 얼굴에 철판을 깔고 도발하는 농담을 한다, "좋아, 라일라, 잘 들어요. 난 한 떨기 꽃인 당신의 몸을 풍성하게 해 주고 싶어요." – "연, 당신은 그럼 '비료'기-과 의사예요, 아니면 주술사?"[cxxxi] "'비료기-과(肥料器科)'가 아니라 '비뇨기-과(泌尿器科)'입니다. 그나저나 라일라, 당신 정말 내가 지금 무슨 말 하는지 알고 있나요?" - "당연하죠, 연. 당신도 찔러-보면서 나랑 데이트하고 싶은 거잖아요?" 그녀는 살짝 고개를 끄덕거리며 미소를 짓는다. 그녀가 그의 말을 액면(額面) 그대로 받아들였는지 혹은 은유(隱喩)로 받아들였는지는 몰라도, 라일라의 거리낌 없는 행동은 연조차 쩔쩔매게 했다.

그의 유머가 엉뚱한 방향으로 가 버렸다. 오히려 역으로, 연의 얼굴이 벌게졌고, 두서(頭緖)없이 중얼거리는데 도저히 이야기를 계속할 수 없었다. 잠시 후 라일라는 그에게 데이트를 청했다, "다음 춤을 출 때 내 파트너(partner)가 되어 줄래요?"

"저, 어, 언짢게 생각하지 마세요. 전 지금 숨 좀 고르고 있어서 다음 춤에서 빠져야 할 듯하네요. 그리고 데이트란 단어가 나온 김에 말하는데 당신은 '초크-데이트(Chocdate)' 같아요. 달콤하고 짙은 갈색에 풍미(風味) 있는..." 라일라는 킬킬거린다, "'초크데이트'... 초콜릿(chocolate)?"[cxxxii] 그런 그녀를 보며 연은 싱긋 웃었다, "핫 초콜릿(hot chocolate)이 더 나으려나요?" - "당신의 유머 센스(sense)에 홀딱 반했어요." 오히려 라일라는 진심으로 그의 농을 즐기고 있다. 글쎄, 그의 유머가 적으나마 여타(餘他)의 결점을 보충할 정도였나?

연의 조국에 저렇게까지 적극적인 여성은 없다. 아무도. 그에게 열렬히 구애한 여성은 더더욱 그렇다. 근본적으로 서양은 뭐가 달라도 다른 모양이다. 처음과 달리 그는 자신도 모르게 그녀의 감정에 충실한 태도에 빠져들었고 무언가 형언(形言)할 수 없는 느낌에 휩쓸렸다. 라일라는 연이 말하는 영어의 미묘한 뉘앙스, 즉 언외(言外)의 뜻까지 이해하고 있었다. 그렇지만 연은 진정한 사랑 엠마를 떠올리고는, 그 호감을 애써 부정하며 그녀에게 작별을 고(告)했다. 라일라는 마지막까지 연을 포기하지 않고 유혹의 눈길로 쳐다보았지만, 그는 그런 그녀에게 미소만 지을 뿐이었다.

나이트클럽이 문을 닫자 연이 그에게 한턱낸 라르스와 함께 그의 집으로 가려고 하는데, 입구 밖에서 잠복해 있던 날카로운 눈빛을 한 남성이 그의 앞에 모습을 드러냈다. 사복-형사같이 보이는 그는 연을 마약 판매하는 사람으로 의심하는 듯했다. 그 남성은 연의 담뱃갑을 가리키며 그게 담배냐고 물었다. 굳이 상대할 이유는 없지만 연은 망설임 없이 그의 담뱃갑을 형사로 보이는 남성에게 건넸다. 그는 그걸 유심히 바라보며 킁킁 냄새를 맡더니 곧 다시 돌려주었다.

〈따스한 북쪽 나라〉

라르스는 연과 함께 택시를 타고 그의 집으로 갔다. 그곳은 다른 일반 소년의 집이랑 크게 다르지 않았다. 비디오 게임 잡지가 컴퓨터 책상 위에 아무렇게나 펼쳐져 있고, 그의 옷은 바닥에 어수선히 흩어져 있었다. 취기가 가시지 않은 연이 긴 소파에 누워 스웨덴 억양을 흉내 내며 뭐가 뭔지 종잡을 수 없는 말을 지껄인다, "블라-블라(Blah-blah, blah-blah), 블~나불~나불…"[cxxxiii] - "뭐라고?! 하하! 하하하하하하!" 정작 스웨덴인인 라르스는 재밌다며 정신없이 자지러지게 웃는다. 그 와중에 연은 자신도 모르게 잠이 들었다.

꼭두새벽부터 폭설이 계속 내린다. 그 호의적인 청소년의 집 거실 [cxxxiv]카우치(couch)에서 연은 아침 일찍 일어났다. 소년은 자신의 방문을 닫은 채 아직 곤히 자는 중이다. 라르스의 수면을 방해하지 않으려고 연은 조심스레 짐을 챙겨 집 밖으로 나간 뒤, 주변을 둘러보더니 곧장 보도(步道)를 따라 걸었다. 휴대 전화기의 전 지구 위치 파악 시스템인 [cxxxv]GPS 기능이 별 소용없을 정도로 주위가 새하얗다. 잠시 후 폭설에 방향 감각을 잃은 그가 도움을 청하려 주변을 둘러보았다.

연의 여정의 지름길은 바로 기차역이다. 그걸 기준으로 그는 방향을 기억하고, 거리를 계산하며 헤매지 않고 낯선 곳을 돌아다닐 수 있었다. 모든 이정표(里程標)는 항상 그곳에 연결되어 있다.

폭설로 인한 임시 휴일이라 그런지 거리에 사람이 단 한 명도 보이지 않는다. 한참 만에야 그는 처음으로 중년 여성 보행자와 길거리에서 마주쳤다. 연이 그녀에게 기차역으로 가는 방향을 묻자, 그녀는 걷는 쪽을 손가락으로 가리키며 약 5 km 정도 더 가야 한다고 대답했다. 연은 그녀에게 고개 숙여 감사를 표했고,

그녀는 웃는 낯으로 그를 맞이하여 같이 가게 되었다.

얼마나 걸었을까. 공동 주택을 지나치는데 갑자기 구급차(救急車)의 [cxxxvi]호적(號笛)이 시끄럽게 울리며 소동이 일어났다. 연과 그녀가 그쪽을 바라보니 구경꾼들이 떼로 몰려와 소리 지르고 있었다. 연과 동행하던 중년 여성은 그에게 암울(暗鬱)한 표정을 지으며 입을 뗀다, "사람들이 어떤 이가 새벽에 자살했다고 말하네요. 이런 평화로운 나라에서 어떻게..." 그녀는 어정쩡하게 말끝을 흐렸고, 연까지 그 분위기에 우울해졌다. 평화로움이 평정(平定)됨을 의미하는가?

눈이 내리는 와중에 그곳까지 동행한 그녀에게 감사하며 연이 떠나려고 하는데, 그녀가 검붉은 액체가 가득 찬 뜨거운 병을 가방에서 꺼내더니 [cxxxvii]활수(滑手)하게 그에게 건넨다. "이게 도대체 뭐죠?" – "그건 글뢰그(glögg)라고 불리는 술인데, 뜨거울 때 마셔야 제맛이 난답니다. 이 눈보라 치는 날과 딱 어울리죠." "정말 신세를 졌네요. 어떻게 보답해야 할지 모르겠어요." – "걱정하지 마요. 만드는 데 그렇게 대단한 [cxxxviii]품이 드는 일도 아니거든요. 난 청년에게 스웨덴식으로 데운 와인(wine)을 소개해 주어 기쁩니다." "다시 한번 감사합니다. 당신의 마음은 따뜻한 글뢰그 그 자체네요," 연이 밝은 표정으로 고마움을 표시했다. 그렇게 친절한 행인과 작별 후 그는 곧바로 여관으로 돌아갔다.

늦은 아침, 연은 80대 여관 여주인을 만났다. 스웨덴 전역을 돌아다니면서 보이지 않는 [cxxxix]차꼬의 속박(束縛)을 느낀 연이 처음 보는 그 낯선 늙은이에게 조언을 간청했다.

"지금 금융(金融) 위기로 인한 경제 침체기(沈滯期)라, 우리 스웨덴 청년도 일자리를 구하기가 지독히 어려워요. 그래서 그들은 노르웨이에 가서 돈을 벌고 정기적으로 집에 돌아오는 일을 반복한답니다."

– "그러나 그들은 참정권(參政權)만 없지 북유럽 여권 조합(Nordic Passport Union)에 의해 지역 주민처럼 취급받아 허가 안 받고 자유롭게 일할 수 있잖아요. 난 지금 그냥 이방인이에요. 더군다나 유럽 연합(EU) 출신도 아닙니다. 다시 말해, 내가 허가 없이 그곳에서 합법적으로 일할 수 없음을 의미하죠."

노부인은 잠시 후 연에게 천천히 말한다, "어려 보이는데, 젊은이는 생각이 너무 많은 듯해요. 지금 불법 이민자를 추방하라고 하는 늙은이들 역시 한때 불법 이민자였어요. 그런 그들이 지금 고상한 체하죠. 흥! 나도 역시 늙었지만, 그들은 위선자예요." – "그래서 할머니는 제가 노르웨이에 가는 편이 낫겠다고 생각하십니까?" "그건 젊은이의 선택이죠."

연은 [cxl]고루(孤陋)한 낙천가다. 세상물정 모르는 소년에 가까운. 그러나 과거에 그는 고국 사람들의 눈에는 분명 염세가(厭世家)로 비쳤다. 세상은 제각각이니까.

간단히 말하면, 그는 급진적이라기보다는 피 끓는 청년이랄까. 당연히 불의의 사태에 대비한 사전 대책이 없었고 그 노부인이 말한 대로 노르웨이로 가기로 했다.

역에서 그는 [cxli]소피(所避)가 급했다. 유료 화장실 안에서 한 남성이 볼일을 보고 나오는 순간 밖에 있던 다른 남성이 문고리를 잡고 들어가 공짜로 이용한다. 게다가 그 남자는 화장실에서 나온 사람에게 손짓으로 감사 표시까지 하여, 연이 화장실 문이 닫히기 전에 손에 잡기만 하면 무료로 이용할 수 있다고 잘못 알게 했다. 하지만 기본적으로 그들은 안면이 있거나 친구, 또는 가족 사이다.

누군가 화장실 칸에서 나오자마자, 연이 전 사람을 따라해 화장실 문이 닫히기 전에 [cxlii]임의로(任意-) 문을 붙잡았다. 그러자 옆에 있던 [cxliii]활석(滑石) 가루로 얼굴을 칠한 노부인이 그에게 버럭 화를 냈다, "젊은이, 당신은 규정을 존중할 줄 알아야 해요!" 그의 무지한 행위가 졸지에 꾀바른 짓이 되어 버렸다.

이런 웃지 못할 돌발 사건 후, 연은 노르셔핑에서 외레브로(Örebro)로 가는 기차를 탔다.

짐칸에 짐을 놓고 편히 앉아 있는데, 20대 초반으로 보이는 머리를 검게 염색한 소녀가 연의 옆자리에 털썩 앉는다. 그러나 몇 분 지나지 않아, 그녀는 얼굴을 찌푸리며 신경질적으로 그녀의 외투와 가방을 집어 들고 앞 좌석으로 옮겼다. '뭐 이런! 내가 그녀에게 말이라도 거는 날엔... 하필 그녀가 기분 안 좋을 때 만나냐. 그래도 먼저 저렇게 표시라도 내 그나마 다행이다.' 동시에 코뚜레 소녀 등 여태 마주쳤던 여성들이 머리에 새록새록 떠올랐다.

외레브로에서 내릴 때까지도 연은 그동안 스웨덴 소녀가 보여 왔던 반응에 대한 궁금증을 못 참아 기어이 역 앞 계단 근처에서 마주친 젊은 여성에게 물어보았다, "으흠! 실례합니다. 뭐 좀 물어봐도 괜찮을까요?" – "네."

"이런 질문 한다고 이상하게 생각하지 마세요. 내가 스웨덴어로 '사랑합니다.'라고 기차에서 책을 읽고 있던 소녀에게 말했더니 그녀의 얼굴이 장밋빛으로 붉어졌는데요. 그녀가 순수한 건가요?"

그의 질문에 그녀조차 부끄러운지 얼굴이 진홍색으로 변했다, "왜냐면, 우리 안색(顔色)은 당신보다 맑고 흰 편이고, 특히 피부가 더 얇아서 그래요." 그리고 그녀는 재빨리 가 버렸다. "그냥 내 낯짝이 더 두껍다는 얘기네? 아니면 염치(廉恥)를 모른다는 말인가?" 그가 대담무쌍(大膽無雙)한지 무례한지 모르겠지만, 의외로 경험 없는 풋내기 청년임은 확실하다.

연은, 여테보리에 도착하자마자 산 전화 카드를 여태까지 사용하지 못했다. 국가 번호 다음에 지역 번호를 누를 때, 불필요한 '0' 단추를 누르지 말았어야 하는 사실을 깜박 잊어서다. 그걸 깨달은 후, 연은 고국(故國)을 떠난 지 처음으로 그의 유일한 지원군(支援軍)인 부모와 통화할 수 있었다. 연의 부친이 먼저 받아 간단히 안부를 묻고 연의 모친이 그를 걱정해 밤에 잠도 못 자고 눈물을 훔친다고 말하며 그녀를 바꿔 주었다.

"지금까지 어떻게 된 거야? 얘야 괜찮니?"

연의 모친은 울음 섞인 떨리는 목소리로 아들의 안부를 물었다. 갑자기 주체할 수 없이 몰려온 감정이 눈물이 되어 눈 밖으로 새어 나왔다. 하지만 연은 애써 허세를 부린다. 그가 울면 그녀를 더 괴롭게 함이 자명하기에. "걱정하지 마요, 엄마. 나 잘 지내요." – "만약 무슨 일 있으면 바로 전화해야 한다?!"

〈물의 탑〉

외레브로에는 물의 탑이 있다. 버섯같이 생겨 스웨덴어로 스밤펜(Svampen)이라고 부르며, 급수탑(water tower)으로서 거대한 물통(–桶)이다.

스밤펜 꼭대기에 있는 'Svampen Café & Konferens' 카페에서 초콜릿 맛이 나는 [cxliv]"우유(牛乳) 커피"를 마시며, 그는 아찔한 높이에서 아래를 내려다본다. 꼭대기에서의 풍경은, 고소공포증이 있는 연이지만, 정말 전율 그 자체였다. 당시 울타리가 있었다면 전망을 방해했을 터이다. 언젠가 안전을 위해서 설치할 게 뻔하기에 연은 운이 좋았다. '무서운 동시에 장대하다!'

그는 그곳에서 멀지 않은 곳에 외레브로 성을 발견했는데 그곳에는 그림이 전시되어 있었다. 작은 성인데 계단통까지 아담했다. 그러나 꼭대기 층의 입구가 막혀서 마지막 층에서 발길을 돌려야 했다.

〈일광 절약 시간〉

다음 날 연이 전날 사둔 표를 가지고 스웨버스 정류장까지 걷는 중이다. "지금 몇 시지?" 길거리 시계(時計)의 시간은 연의 손목시계 시간보다 약 한 시간 앞서 있었다. 아! 예상치 못한 이른 [cxlv]"일광 절약 시간제(daylight saving)"가 갑자기 시작되었다. 연은 허둥지둥 버스 정거장으로 가서 그곳 직원에게 그의 차표를 바꿔 달라고 요청했다. 매표소 박스 안에 있는 여직원은 그를 쓱 보더니 무표정한 얼굴로 단칼에 거절했다. 그러자 연이 격분하여 곧 소동을 벌였다, "난 차표 [cxlvi]매주(買主)인데 내가 시간을 놓친 게 아니란 말이에요. 분명 내 잘못이 아니라고요!" 그러자 소녀는 당황해 흐느껴 운다.

냉담(冷淡)해 보이는 그녀는 사실 여리고 소심하였다. 차갑게 보이던 소녀가 눈물을 펑펑 쏟으니, 그는 당황해 무슨 말을 해야할지 쩔쩔맸다. 연은 사태를 진정시키기 위해 그녀의 상관과 지금 당장 통화하게 해 달라고 요청했다. 그녀가 유선상으로 윗사람에게 그의 상황을 설명하자, 여성 관리자는 선뜻 연에게 새 버스표를 내주게 하였다. 떠나면서 연은 소녀 직원에게 사과했다, "어찌 되었든, 소리 질러 놀라게 해서 미안합니다!"

***

제3장 꿈의 나라

〈전환점〉

오슬로피오르(Oslofjord)를 끼고 쉬지 않고 달리던 버스가 마침내 노르웨이 오슬로에 진입했다. 연은 백화점으로 연결된 계단을 올라가 주변을 둘러보며 밖으로 나왔다.

인근에 있는 큰 호스텔을 숙소로 정하고, 연은 허리끈을 꽉 조인 운동복 차림으로 홀가분하게 슈퍼마켓(supermarket)으로 향했다. 도중에 한 무리의 소녀들이 그를 보고 꺅꺅거린다, "저기 저 남자 좀 봐! 굉장해! 완전 브루스 리(Bruce Lee)잖아!" 그녀들은 흥분한 채 계속 새된 목소리로 재잘댔다. 졸지에 의도하지 않게 브루스 리가 되어 버린 그는 그녀들에게 어색한 웃음을 지어 보였다.

연은 20대 후반 갈색 머리의 캐나다(Canada) 청년, 그리고 고텐버그에서 온 한쪽으로 가르마를 탄 적갈색 머리의 미소년과 함께 그날 저녁 한방을 쓰게 되었다. 그는 캐나다인과 편하게 북미 영어로 얘기하는 한편, 런던(London)에 있는 정보통신 회사에서 일하는 스웨덴 청년과는 서툰 스웨덴어로 대화하려고 무척 애를 썼다. 그 결과 그들은 순식간에 서로 농을 주고받을 정도로 친해졌다, "어쩌고저쩌고 [cxlvii]욀(öl), [cxlviii]래콜(räkor), [cxlix]뢱(rök)! 웰(well), 렉커즈 렉(wreckers wreck)!"[cl] 그러자 스웨덴 청년 요나탄(Jonatan)이 크게 웃었다, "하하! 넌 스웨덴어로 네가 꼭 필요한 부분만 배웠구나?" – "음, 언어는 인간이 사회 조직에서 살아 나가게 해 주지." 그리고 연은 캐나다인 리엄(Liam)에게 아까 한 말을 계속한다, "좀 전에 새우 얘기가 나왔으니 하는 말인데, 난 너희 나라의 '새우 & 스테이크(surf and turf)'가 먹고 싶어, [cli]'가나다(Canuck).'" – "하하, 명백히 저 스웨덴 친구가 옳구먼." "엄밀히 따지면, 새우 & 스테이크는 미국에서 시작되었지만, 난 캐나다식이 좋아. 왜냐면 왕새우 스테이크가 좋지, '좀-새우' 스테이크는 싫거든."

그러더니 연이 다시 요나탄을 보고 묻는다, "컴퓨터에 관해 질문이 있어. USA 빼고 어떤 나라가 중앙 처리 장치(CPU)를 만들 수 있지?" – "내가 그걸 알게 생겼냐! 그냥 찍어 볼게! 아마 러시아(Russia)가 할 수 있지 않을까?" "틀렸어. 유일하게 미국만 일반적인 CPU를 만들 수 있어. 일단, 미국에는 인텔(Intel)과 에

이엠디(AMD) 같은 회사가 있는데, 대만 등 동남아시아 국가의 CPU는 기본적으로 미국에 의해 외부 위탁 또는 통합돼 만들어진 제품이야. 그 기술은 미합중국(美合衆國) 소유지." 그들의 대화 중에 리엄이 한마디 한다, "정말 놀라운데! 미국을 제외한 전 세계 나라 전부 [clii] 목하(目下) 단 하나의 마이크로프로세서(microprocessor)도 못 만든다고? 그러면 러시아 우주 정거장 안에 있는 것도 근본적으로는 미국에서 만들었겠네?" – "아니! 그건 최신 기술이 결집한 CPU 없이도 동작해. 다른 반도체도 흉내 낼 수 있거든." 이번에는 리엄이 연에게 묻는다, "왜 러시아가 미국보다 더 빨리 개발해 내지 못했지? 우리가 지금까지 지켜봐 온 역사는 뭐야? 러시아가 한낱 CPU도 만들지 못하는 사실을 알면서 왜 그들은 서로에 대해 첩보 활동을 했어?"

잠시 묵묵히 듣고 있던 요나탄이 연을 대신해 대답한다, "이 요나탄 안더숀(Jonatan Andersson) 님께서 그 질문에 적절히 [cliii] 응구첩대(應口輒對)해 주지. CPU는 과학이지만, 첩보(諜報) 활동은 정치거든. 미합중국은 과학에서 앞장설지 몰라도 과학이 정치를 이끌 수는 없어."

이를 잠자코 듣고 있던 연이 마무리 짓는다, "역사나 기록상으로는 미국도 러시아가 CPU를 만들었다는 사실을 인정해. 그러나 그건 정치적인 쇼(show)로서 거짓말이야. 서로 힘이 비슷해야 정치에서 양국 지배층의 구조를 유지할 수 있으니까, 미국도 모르는 척 러시아를 호적수로 치켜세워 주며 눈–감아 준 거지. 최근에는 중국이나 동남아 쪽에 맡기면 되니까, 누구나 휴대 전화용 저성능 프로세서에 주로 쓰이는 ARM 기술 등을 이용해 쉽게 CPU를 생산할 수 있게 되었어. 하지만 그 ARM 설계(設計) 자체를 영국이 했기 때문에, 결국 러시아는 독자적인 기술로 CPU 하나 만들지 못했다는 내 주장의 옳음이 입증돼. 즉, 대놓고 미국 기술은 못 쓰겠고, 기껏 만들었다고 해서 보니 그 뒤에 나온 영국 기술을 쓰면서 자체 개발했다고 한 거야."

가벼운 식사를 함께 하면서 연이 둘에게 묻는다, "이거 하나만 마지막으로 묻고 싶은데. 너희들은 이 세계에 왕, 속물, 부랑자, 이렇게 단 세 가지 길만 있다고 생각해?" 요나탄이 진지하게 그를 바라본다, "넌 내가 정치적 관점에서 답변하길 원해? 난 네가 모국을 떠난 이유가 단순히 격심(激甚)하고 무의미한 [cliv]과당(過當) 경쟁에서 나온 파멸을 모면하기 위해서가 아니라고 느껴. 뭐랄까, 너의 소중한 삶을 도박해서 날려 버린 듯 보이지만, 사실 그렇지 않아. 난 너의 현재 삶이 단연 최고의 수라고 생각해. 예전의 네가 자아가 없는 체스(chess)의 졸(卒)이었다면, 지금은 그 산 제물의 졸이 기사(騎士)로 승격됐다고 봐. 네 운은 바뀌고 있어. 아마도 [clv]미구에(未久-) 넌 왕이 될 운명 같아." – "난 왕위를 노리지는 않아." "넌 그렇게 될 거야."

그들의 대화가 끝나갈 무렵, 리엄이 연에게 한 가지 제안했다, "이거 내 부모님 주소와 전화 번호야. 필요하면 전화해. 그들은 기꺼이 너에게 안식처를 제공해 줄 거야." 그는 아시아 청년 연에게 그의 부모 주소와 연락처가 적힌 쪽지를 건넸다. 리엄은 이 똑똑한 동양인을 정치적 분쟁에 말려들어 도피한 망명자로 여기는 듯했다. 상식에 비추어 보면, 연에게 당장 후원이 필요한 시기는 맞다.

그는 의미 없이 꼬리를 무는 잡생각을 떨치러 그날 저녁 한 허름한 선술집에 들어갔는데 그곳에는 오래된 [clvi]'자동 전축'이 서 있었다. "안녕하세요! 산뜻하진 않지만, 꽤 아늑하군요. 그래서 맘에 들어요." – "어서 오세요! 매우 감사합니다, 선생님." "아쿠아비트(aquavit) 한 잔 부탁해요." – "외람된 말이지만 선생님, 향이 강한 스칸디나비아(Scandinavia)–반도 전통 증류주 아크바비트(akvavit)을 의미하나요?" "네, 그게 뭐 잘못되기라도 했나요?" – "전혀요, 선생님. 당신께서 술에 대한 섬세한 미각을 가지고 계시다는 사실을 알겠네요. 단지..." "단지 뭐요?" – "단지 스칸디나비아 술이 모두에게 익숙해진 맛이 아니라는 말이죠. 머리를 띵하게 할 정도로 강한 독주예요." 연이 그걸 들이켜는 순간, 약초 향과 함께 독특하게 싸한 맛이 그의 "맛봉오리"를 간질였다. 완전히 풍미(風味)가 있다. "실례지만, 이거 네덜란드 진(gin)인가요? 내 말뜻은, 곡물로 만든 건가요?" – "아니요, 선생님. 이 술을 만드는 데는 두 가지 방법이 있어요. 스웨덴과 덴마크는 곡물을 증류하여 만들어요. 하지만 노르웨이에서는 감자로부터 만들죠," 술집 지배인이 대답하며 술잔을 그에게 던지듯 미끄러뜨린다, "슈납스(schnapps)도 비슷한데 전문적으로 따지면,

독일 주류입니다. 그들은 그걸 곡물로부터 증류해요." – "완성된 술을 물로 희석하면 어떻나요?" "가능하지만, 추천하지는 않습니다! 보시다시피, 아크바비트는 라틴어로 '생명의 물'을 뜻해요. 있는 그대로 즐겨야 좋습니다, 하하!"

노래는 대개(大概) 오래됐지만 연에게 친숙(親熟)하다. 이 별난 청년은 1950년대 노래까지 두루 섭렵하고 있다. 그는 자동 전축 구멍에 동전을 넣고 원하는 음반을 재생했다, "바로 이거지!" [clvii]디스크–자키(disc jockey)가 된 느낌하고는 다른 자연스럽게 공기 속에 흐르는 선율(旋律)...

연은 주크박스(jukebox)에 빠져 넋을 잃고 그 골동품(骨董品)을 멍하니 바라보며, 마치 자신이 과거로 시간 여행을 온 듯한 착각이 들었다. 한 번, 두 번, 세 번...

4곡 연주하는 데 24크로네르(kroner)가 들었지만, 그는 희색(喜色)이 만면(滿面)했다. 좋아하는 음악이 나오니 그 낡은 선술집에서 가족같이 아늑하고 정겨운 분위기가 느껴졌다.

마지막으로 아바(Abba)의 노래 중 하나를 틀고 자리로 돌아오다가 연은 취기가 도는 아라비아 사람과 조우했다, "어서 오시게, 나의 형제여, 무탈(無頉)하신가?" 그는 환하게 웃으며 연에게 인사를 건넨다. "누구시죠?" – "아?! 내 소개를 깜빡했군. 나는 함자(Hamza)라고 하오." "전 연, 라틴어식 영어로 로투스입니다." 그러면서 한편으로는 딴생각을 한다, '나 이제부터 뭘 해야 하나?' 연은 형식적으로 그에게 응대하면서 고뇌했다. 현재 처한 상황이 극도로 미래가 암울해서 쉴 겸 머리를 비우러 왔는데, 그와의 만남으로 머릿속이 또 복잡해졌다.

"연 동생은 여기에 어떤 일로 오셨는가?" - "그냥 구직 중이에요," 연이 솔직하게 대답했다. "그건 하기 나름이지. 동포들에게 연락은 해 봤소?" 연이 답변하길 머뭇거리자, 함자는 그를 정면으로 응시(凝視)한다, "이런, 이런, 이런! 이봐, 형제여, 당신은 하필 구직하기 힘들 때 여기 왔소. 그런 문제는 당신 국민에게 물어봄이 최선이오." - "애석하게도, 해 봤는데 소용없게 되었습니다. 그런데도 내가 그들에게 몇 번이고 다시 요청해야 하나요?" "물론이오. 당신이 정 안 하겠다면 몰라도." '그렇게 그들은 날 우롱(愚弄)했지.'

인생 경험은 짧지만, 연의 인성(人性)에 대한 통찰력은 모든 장점 중에서 단연코 가장 큰 축복이다. 그래서 이제껏 그가 역경에서 살아남았다.

대화에 시간 가는 줄 모르고, [clviii]주연(酒筵)은 막바지에 이르렀다, "[clix]여(汝), 현명한 동생 연, 나중에 다시 돌아와 거나하게 축배를 들자." - "그러길 바라. 그렇게 되게 해야지." 그들은 술잔을 높이 쳐든다, "건배(乾杯)! 쭉 들이켜!"

둘이 술을 마시는데 주크박스에서 누군가가 공교롭게 연이 아까 튼 아바 노래를 또 재생했다. 흐르는 음악과 함께 술잔을 기울이던 함자가 무언가 생각난 듯 연을 보며 손뼉 친다, "그거 알아? 동생의 선곡은 굉장해! 아바는 스웨덴의 전설이지." 잠시 뜸을 들인 그는 희미하게 웃으며 덧붙인다, "그러니 하는 말인데, 여긴 스웨덴이 아닌 노르웨이잖아? 유감이네." 잠시 둘의 사이에 정적이 흐르자, 선술집 주인이 그들에게 유쾌하게 제안한다, "이번 [clx]순배(巡杯)는 우리 술집이 책임지지." 그러자 함자가 한술 더 떠 맞장구친다, "이거 원, 이러면 깎아달라고 할 수 없잖아!"

연이 거리로 나왔을 때는 술집이 문을 닫을 무렵이었다.

오슬로는 노르웨이 수도인데도 여느 유럽 국가들처럼 고풍(古風)스럽게 보이지 않고, 그의 고국같이 조잡함과 화려함이 뒤섞여 있었다.

스톡홀름이 연에게 "자유 진보적(liberal)"인 인상을 주었지만 실제로 그렇지 않듯이 오슬로도 마찬가지였다. 현실을 자각하니 이 모든 일이 환상처럼 느껴졌다.

지푸라기라도 잡는 심정으로 그는 오슬로를 떠나기 바로 직전에 고국 대사관의 번호로 정확히 전화를 걸었으나 엉뚱한 곳으로 연결되었는데 하필 그의 모국과 정치적으로 복잡하게 얽혀 있는 나라였다. 근처에는 기차역 바닥을 걸레질하고 있는 수상쩍은 아시아인이 연을 힐끗힐끗 곁눈질하며 쳐다보고 있다.

갈 곳이 없어진 연은 초조해져 필사적으로 스웨덴에서 살 방법을 찾았다. 그러던 와중에 스웨덴 헤슬레홀름(Hässleholm)에 전문 직업 교육(Advanced Vocational Education) 기관이 있다는 정보를 듣고 무작정 그곳으로 가 비자에 관한 정보를 얻기로 한다.

〈다시 스웨덴으로〉

돌아가는 장거리 여행 버스 안에서, 연이 절망적인 미래에 관해 고민하느라 인상을 쓰고 있는데 마침 검정 가죽 "덧옷옷"을 입은 금발의 소녀와 눈이 마주쳤다.

그의 [clxi]도끼눈에 그녀는 화들짝 놀라 겁을 먹고 움찔하며 시선을 창문 밖으로 돌린다. 그런 그녀가 그의 눈에는 순수해 보였다.

헬싱보리(Helsingborg) 전 어느 마을 정거장에서 잠시 하차한 연은 젊은 여성과 함께 산책하며 꼬리를 미친 듯이 휘두르는 하얀 불-테리어(bull terrier)와 조우한다. 그런데 그 모습이 연의 조국에서 그에게 해를 끼쳤던, 악덕 대기업에 꼬리 치는 사악(邪惡)한 대통령(大統領)을 쏙 빼닮았다.

"귀여운 잡종개! 이리 오렴. 근데 너무 버릇없이 기어올라 짖거나 물면 안 돼," 스웨덴에서 처음으로 내뱉은 그의 모국어였다. 그들과 손이 닿을 정도로 가까워졌지만, 연은 그 개를 가볍게 다독거리진 않았다, '한번 물리면, 그다음은 꺼리게 되지.'

재미 삼아 극성 우파 또는 사회주의 정치에 발을 잠깐 담가 보는 일 자체가 위험하지는 않다. 그러나 연에게는 예외였다. 비록 그가 스웨덴에 있을지라도. 다만 그는 굳이 보이지 않는 위협을 피하려 하지 않았다.

그녀가 산책시키는 나머지 한 마리 개는 암컷 [clxii]샤페이(Shar

Pei)인데 의외로 그의 다리에 얼굴을 비빈다. 연은 개의 주인을 보며 싱긋 웃었다. "개가 매우 귀엽네요." – "고마워요." "그런데 그녀는 주름 때문에 잘 못 보는 듯해요. 주름 펴는 성형 수술(手術)이 필요할지도…" 개와 산책하던 여성은 연의 익살에 '풋' 하고 손으로 입을 가리고 웃었다.

〈이방인〉

연이 헬싱보리에 발을 디뎠을 때는 늦은 오후였다. 그는 스웨버스 역의 여행자 정보 센터 근처에서 동남아시아 소년들과 우연히 마주쳤다. "안녕? 우리는 게이야. 너만 괜찮다면 우리가 잠자리를 제공할 수 있어."

그로부터 조금 떨어져 있는 곳에는 야릇한 눈빛을 한 검은 머리의 소년이 서 있었다. 예쁘장하게 생긴 그는 연을 보며 수줍은 듯이 웃고 있다. "너희들의 제의는 정말 고마워. 그나저나 네 옆에 있는 쑥스러워하는 소년은 누구야? 재도 네 일행이니?" – "나도 몰라! 호호, 어쨌든 그는 이방인이야." 그들이 대화하는 동안, 그 곱상한 소년은 연을 쳐다보면서 계속 부끄러운 듯 몸을 비비 꼬고 있다. 연에게 머물 곳을 제안한 소년이 자신을 소개했다. "내 이름은 나오(Nao), 잘 부탁해!" – "나는 연이라고 해."

황혼(黃昏)에 물들어 가고 있는 하늘 아래, 그들이 인근에 있는 피자 전문점을 지나는데 나오가 그곳을 손가락으로 가리켰다. "저기, 숙소를 우리가 제공하니까 저녁은 간단히 연, 네가 살래?"

-“그 정도야 까짓거! 3판이면 충분하지?” “아니, 우리는 조금 먹어. 한 판이면 배불러.” 그들은 피자 가게 밖 옥외 식탁이 있는 테라스(terrace)에서 페퍼로니(pepperoni) 피자 한 판을 주문해 나누어 먹었다. “콜라는?” 연이 물었다. “여긴 펩시(Pepsi)만 있잖아. 우린 코카-콜라(Coca-Cola) 먹어,” 나오의 대답에 모두 고개를 끄덕였다.

간단히 저녁 식사를 끝낸 후, 게이 소년들은 연에게 코카콜라를 사달라고 요청하고 대형 마트로 향했다. 그곳에서 이것저것 집다가 결국 1.8L 코카콜라 한 병만 골랐다. ‘콜라 한 병 사는 데 여기까지 와?’ 집으로 가는 길에, 아시아계 스웨덴 소년인 나오가 연을 보며 선심 쓰는 표정을 짓는다, “넌 운이 좋았어. 네가 다른 나쁜 사람들을 만났더라면, 탈탈 털렸을걸? 하지만 걱정하지 마. 우리는 좋은 사람이야.” 연은 나오가 말하는 태도로 판단하건대, 그를 이용하려는 더러운 술수는 아니라 보고 일단 그들을 믿기로 했다.

연과 게이 일행은 집까지 걸으며 꽤 사적인 이야기까지 주고받을 정도로 친밀해졌다. “그래서 그가 널 [clxiii]비역했니, 나오?” - “응, 열나게. 동성애자는 서로 비역해. 우리 항문은 질과 같은 역할을 하지.” “윽, 역겨워! 나오, 기분 나쁘게 생각하지 마. 하지만 그건 추잡하다기보다 타락한 거잖아. 말이 나온 김에, 네가 [clxiv] 퀸(queen)이면, 넌 그걸 할 때마다 항상 네 엉덩이에 애도(哀悼)를 표해야 할 거야.” - “신경 안 써도 돼. 그건 이성애자(異性愛

者)의 자연스러운 조건 반사 같은 거라 이해해."

연은 의외로 솔직한 그들의 묘한 [clxv]겸사(謙辭)에 다소 놀라면서 그들이 성적인 문제 이외에는 다른 사람과 별 다를 바 없다고 생각했다. 그들의 집에서 동성애자들은 자신들이 소녀라도 되는 양 모니터(monitor)에 나오는 아시아 소녀 밴드의 노래를 가성(假聲)으로 따라 부르며 연의 긴장을 풀어 주었다. 그러나 그건 잠시뿐이었다.

자정이 되자, 어둠 속에서 나오가 연의 살을 더듬기 시작하더니 갑자기 빨기 시작한다. 연이 화들짝 놀라 신체 접촉을 거부했지만, 게이 소년은 집요(執拗)했다. 엎친 데 덮친 격으로 옆에서 땅딸막한 동남아계 아시아인도 합세했다. 그런데 다행히 더 진도를 나가지 않고 그게 끝이었다.

연이 새벽에 깨자, 땅딸막한 소년이 정색(正色)하며 그를 바라보았다, "넌 나오를 깨우지 않는 편이 좋아. 자, 이제 조용히 떠나가 줘." 갑자기 차갑게 변한 그는 얼떨떨한 연에게 문을 가리키며 나가라고 했다. '젠장, 그새 남녀 역할이 또 바뀌었어?'

〈표백〉

"자, 도착했네, 헤슬레홀름!"

기이할 정도로 배가 튀어나온 여성 직원이 여행자 정보 센터 데스크에서 연을 맞이한다. 도시 지도를 우선 집어 챙긴 연이 그녀에게 물었다, "당신 임신(姙娠)했나요? 배가 [clxvi]'태아-혹'이네요." – "네." "축배를 들 만큼 굉장한 일이죠. 임신을 축하합니다!" 그러자 그녀는 밝게 웃으며 응대했다, "당신은 매우 상냥하군요."

그 구역에서 유일한 "청소년 여관"은 도회지 중심 부근에 있었고 80대 노부인이 운영했다. 그곳은 유스호스텔 협회에 가입되어 있는데 젊은이들은 보이지 않고 모순되게 노인들이 자주 숙소를 들락거리며 머물렀다. 연이 숙박 절차를 밟으려 하자, 심술(心術)–궂게 생긴 노파는 그에게 버럭 소리쳤다, "우리는 중국인 안 받아! 그들은 거칠고 시끄럽기만 한 데다 내 여인숙에서 난잡하게 섹스(sex)하며 어지럽히거든!" – "노부인, 우선 무엇보다도, 난 중국인이 아니에요. 못 믿으시면 내 여권을 보세요. 둘째로, 여기, 혼자예요. 셋째, 난 똑바른 사람입니다." 노파 주인은 여전히 의심스러운 눈초리를 거두지 않았지만, 여권까지 보여 주는 그에게 딱히 트집 잡을 수는 없었다.

숙박 계산을 끝내고, 연은 세탁실의 세탁기에 빨래를 돌린 후 시내로 나갔다. 가장 중요한 일을 먼저 처리하기 위해 그는 스웨덴의 직업 교육 기관으로 알려진 곳으로 곧장 향했다.

전문 양성소(養成所)로 가는 길에 연이 [clxvii]시시 케밥(shish kebab)을 팔고 있는 터키(Turkey) 가게를 지나는데 그곳에서 튀르키예(Türkiye) 아이들이 그에게 인사한다. 거의 반–시골이다. 역 근처에는 장터가 있어 목가적(牧歌的)이며 사람들은 순박(淳朴)해 보였다. 그곳까지 쉬지 않고 걸어온 연은 울타리 없는 학교 잔디에 잠깐 누웠는데 신기하게도 벌레가 하나도 없었다.

"허!" 그는 이내 감탄사를 내뱉었다. 연둣빛 잔디가 끈적끈적하지도 않고 부드럽고 기분 좋은 느낌이 들었다. 연은 아예 반듯이 누워 휴식을 취하고 있다. 그러나 불과 몇 분 지나지 않아 그는 얼굴을 "덧웃옷"으로 덮어야 했다.

정오의 눈 부신 북유럽 햇빛은 매우 강렬해 때로 무언가 신체를 가릴 물건이 필요할 정도다. 북유럽은 제멋대로 변하는 날씨로 유명하지만 일단 태양이 구름 밖으로 나올 때는 말 그대로 "일탈(日脫)"이 해탈(解脫)이 되어 약에 취한 듯 기분이 날아갈 듯하다, 저 높이([clxviii]high)!

잠시 쉬다 일어난 연의 눈에 앞뜰 탁자 앞에 앉아 있는 늘씬한 금발 미녀들이 들어왔다. 한 명은 십 대 후반이고 다른 한 명은 이십 대 초반이다. 그는 카페에서, 초콜릿 등이 뿌려져 얹힌 거품 크림에 [clxix]마라스키노 체리(maraschino cherry)를 꽂은 밀크-셰이크를 주문해 가지고 밖으로 나왔다. 지나가면서 연은 그녀들의 발랄한 아름다움에 찬사를 보내면서도 그답지 않게 이내 물러갔다. 비자 문제로 할 일이 많았기 때문이다.

목적지의 위치 확인 후 일단 여권 등 서류를 챙기러 돌아온 연은 세탁실에서 그의 세탁물을 보고 놀라 몸이 뻣뻣하게 굳었다. 옷이 표백제(漂白劑)에 의해 엉망진창이 되어 옷 색깔은 얼루룩덜루룩하게 고르지 못한 잡색으로 변했다. 여관에 있는 세탁용 세제는 흰옷을 위한 강한 알칼리(alkali)성이었다. 복장을 이유로 스웨덴 여자에게 무시당함이 싫어서 연은 그동안 옷차림새에 꽤 신경을 써 왔다. 물론, 우스꽝스럽게 통속적으로 나대고 여자 꽁무니를 따라다닐 때도 있었지만. 사실 그는 어느 정도 품격을 유지하게 단정하면서도 고급스러운 옷 몇 벌 준비했을 뿐이다. 스웨덴에서 돈, 권력이 아닌 차림새나 외모를 꾸미는 일은 그도 해볼 만했다. 다모클레스(Damocles)의 칼이 권력에 떨어지지, 패션의 삶에 종지부(終止符)를 찍진 않기 때문이다.

연은 세탁소에서 옷가지를 원상 복구하려고 시도했지만 거절당했다. 세탁소 주인이 다시 세탁해도 소용없다고 말하는 이유는 당연했다. 한번 이염(移染)이 되면 그걸 회복하기는 불가능하다. 성난 연에게 세탁소 주인은 소송을 제기하라고 넌지시 귀띔하며 여인숙 주인에게 그의 옷을 망가뜨린 데 대한 손해 배상 청구를 하라고 조언했다. "난 그렇게 소송하기 좋아하는 사람은 아니에요," 연이 무뚝뚝하게 대답했다. '이런 시골 지역에서 소송함이 무슨 소용이 있는가? 그나저나, 앞으로는 빨래방을 이용하는 편이 낫겠다.'

결국 자신의 천방지축(天方地軸) 부주의한 행동 때문임을 알고는 있지만 연은 분을 삭이지 못했다. 이번 사건은 전적으로 그의 잘못까지는 아니었다.

〈계속되는 똥개 훈련〉

예측 불가의 스웨덴 날씨에도 찬란(燦爛)한 태양이 비치는 날의 연속이었다. 실제로, 연이 가는 곳은 하늘의 태양이 그를 축복이나 하듯 거의 항상 그의 머리 위에서 내리쬐고 있었다. 대자연 어머니 덕분에 그는 여정 중에 방수용 고무 덧신이 전혀 필요 없었다.

그가 직업 관련 기관에 도착한 날은 바로 장날이다. 그곳에서 사무원은 담당자가 그날까지 휴가 중이라 다음 날 와야 한다고 말했다.

숙소로 돌아온 연이 하루 더 숙박을 연장하려고 하자, 늙은 여주인이 거절했다, "예약이 밀려서 더 이상 숙박은 안 받네." – "그게 무슨 말입니까? 당신 입으로 어제 숙박을 연장할 수 있다고 말했잖아요." "네가 예약을 안 했잖아." 연은 그녀의 옳은 말에 반박할(反駁–) 수 없어 밖으로 나와 길거리에서 혼자 중얼거렸다, "쳇! 성수기(盛需期)가 하루 만에 온다는 점이 이상하잖아, 쭈그렁 할망구."

⟨Q 바⟩

연은 자신도 모르게 술집 주변을 배회하고 있다. 왠지 편안하게 사람을 만나고 싶었고 아무 생각 없이 같이 취하고 싶어서이다. 한잔 걸칠 곳을 향해 그의 발이 마치 자동 항해 장치인 양 걷는다. 가는 길에 연은 한 스웨덴 소년을 만나 스웨덴어로 물었다, "Kan du tala engelska(Can you speak English)?" – "Nej(No)!" 스웨덴어랑 영어랑 비슷한데 거짓말하네. 연이 손짓으로 술을 벌컥벌컥 들이켜는 흉내를 내며 소년한테 대폿집이 어됬냐 문자, 그는 쉽게 이해한 듯 연에게 길을 알려 준다. “Tack så mycket.” – “Inga problem(No problem).” 이게 뭐--! 남자아이는 이미 영어를 알고 있다. 나이에 비해 너무 조심스러운 친구로군!

주유소를 지나 터키 케밥 가게 전에, ‘큐 바(Q Bar)’란 간판이 어렴풋이 보인다. 점점 삶이 곤궁(困窮)해진 연은 다음 날이 그의 스웨덴에서 마지막 날이라고 직감한다. 상식적으로 생각해 볼 때, 연이 그의 비자 문제를 해결하러 직업 학교 임원(任員)을 만나러 가는 행동 자체가 얼토당토않다. 그래도 그 상황에서 최선을 다해야 한다는 생각임에는 분명했다. 큐 바의 입구 안 한쪽에서 한 중년 남성이 카드를 [clxx]도르는 딜러와 카드놀이를 하고 있다. 그가 당혹하여 머리를 긁고 있을 때, 연이 끼어들어 달갑지 않은 훈수를 둔다, “아저씨, 여기에 거는 편이 나아요.”

달러가 그의 카드를 뒤집자, 연이 훈수를 둔 남자가 패배했다. 그런데 그 스웨덴 남성은 호탕(豪宕)하게 웃어넘긴다, “내가 뭐에 빠졌지? 에이! 난 성질 급한 자식이라 못 이겼어.” – “당신이 날 전적으로 믿지 않았기 때문에 마지막 카드를 숨기고 있었잖아요. 뭐, 어쨌든 내가 자랑스럽게 떠벌인 데에 대해 옳음을 증명하죠.”

연은 그 남자를 패배시킨 딜러와 카드놀이를 했다. 난데없는 이방인의 등장에 한 치 앞을 예상할 수 없는 치열한 카드 게임이 시작되었다. 연이 처음부터 과감하게 나간다, “ [clxxi] 태우는 돈

(ante)의 액수를 올려요." 딜러가 상대방의 패를 보이라고 [clxxii] 콜(call)한다. 시종일관 포커페이스였던 연이 마지막 카드를 탁자에 던지며 자신감에 찬 얼굴로 외쳤다. "로열 스트레이트 플러시(Royal straight flush)!" 옆에서 구경하던 중년 남자는 탄성을 터뜨렸다가 이내 아쉬운 표정을 지었다. "정식 카지노(casino)였다면..." 그곳은 합법적인 소액 내기만 허용하며 일정 액수 이상의 베팅(betting)은 불법이었다.

연은 자신 때문에 진 구경꾼에게 잃은 돈을 돌려주었고 나머지 돈으로 자정이 지날 때까지 술을 마셨다.

〈지옥의 천사들〉

바로 그날, 연은 전문 직업 교육 기관에 재방문했지만, 그들은 또 담당관이 다음 날 있을 예정이라고 말했다. 계속되는 무책임한 말에 허탕 치고, 타는 듯한 아스팔트(asphalt) 도로 위에서 지쳐 버린 연은 기차역 위층 [clxxiii]"관형(管形) 다리" 중간 벤치에서 잠시 쉬었다. 그 뒤 [clxxiv]"이동 계단(moving staircase)"으로 내려오는데 약 4미터 거리에서, 아무리 많이 봐도 15세는 안 되어 보이는 두 명의 어린 소녀들이, 연을 쳐다보고 난 후 가슴을 가리며 새된 비명을 지른다. '내 근처에 변태가 있나?' 그의 눈이 주변을 두리번거렸지만, 그곳에는 그 말고 아무도 없었다. 어리둥절한 연은 지나치는 그녀들의 얼굴을 천천히 쳐다보았다. 장난기가 있는 웃음을 입가에 머금은 그녀들은 그를 야릇한 눈으로 보더니 이내 멀어져 갔다. "하하!" 연은 헛웃음이 나왔다.

그날 저녁, 연이 지나가는 남성에게 기차역 부근에 여관이 어디 있냐고 묻자, 행인은 근처에는 여관이 없고 대신 호텔에 숙박하라고 추천했다. 그러나 그는 호화로운 호텔에 머물 경제적 여유가 없었다.

연이 맑은 밤하늘의 무수한 별을 감상하며 홀로 음악을 듣고 있는데, 아까 그에게 장난친 어린 소녀들이 그가 서 있는 광장으로 다가왔다. 그 순간, '타투(t.A.T.u.)'의 노래가 흘러나오고 있었다.

"우리가 이거 들어도 돼?" – "너희도 타투 듣니?" "그럼, 자기(自己)도 듣는데. 이 음악 딱 우리 취향(趣向)이야." – "하하!"

짧은 침묵 동안 그녀들이 서로 눈으로 신호를 주고받았지만, 연은 눈치채지 못했다. "당신, 우리에게 20크로노르 줄 수 있어? 주기 싫으면 안 줘도 되고."

이에 연은 함박웃음을 지었다, "문제없지!" 그는 그녀들에게 20크로노르를 주었다.

"우린 당신을 사랑해!" 사랑스러울 정도로 귀여운 작은 숙녀들이 동시에 그를 껴안더니 양쪽에서 그의 볼에 뽀뽀를 했다. 순간 그의 피는 혈관을 통해 얼굴까지 솟구쳐 올랐다. 연이 한참을 정신 못 차리고 있는 와중에 그녀들은 그에게 작별의 인사로 손을 흔들어 보이고는 어둠 속으로 사라졌다.

〈두 번째 밤샘〉

연은 자정까지 기차역 안에서 자지 않고 깨어 있기로 마음먹었다. 그는 남는 시간을 승객들을 넋없이 바라보며 때우는데, [clxxv] 런웨이(runway)에 가는 패션-모델(fashion model)같이 보이는 젊은 남자가 세탁업자나 배달할 법한 양의 많은 의상을 들고 그의 옆을 걸어 지나간다. 단순히 옷을 갈아입는 용도라기엔 너무 많은데? 최신 유행복을 입는 것도 모자라 가지고 다니는 이 남자는 전위파(前衛派) 예술가나 뭐 그런 건가? 지루해진 연에게 그 광경은 흥미로웠지만 다른 한편으로는 불필요하게 많은 옷이 거치적거린다고 느꼈다, '적어도 나는 [clxxvi]"허영 가방"은 안 들고 다니니까.'

자정이 가까워지자, 한 마음씨 고운 남성 직원이 그에게 여기서 밤을 새우겠냐고 물었고, 연은 고개를 끄덕였다. 그러자 그 스웨덴인은 어떤 금언(金言)보다 빛나는 말을 했다, "당신이 기다린다면 우리 기차역도 당신을 위해 함께 기다리겠습니다." 연은 그의 배려에 감사했지만, 그 제안에 따를 수는 없었다. 그것은 받아들이기엔 너무나 큰 혜택(惠澤), 아니 그에게는 갚아야 할 빚이다.

"그럴 수는 없습니다! 말씀만으로도 매우 감사합니다."

더는 그들에게 방해가 되지 않으려고 연은 밖으로 나가려 했다. 역의 출구 근처에는 얼마 전 그가 입에 발린 말을 한 여성이 그런 그를 보고 스스럼을 타며 앉아 있다. 연은 죄책감을 느끼고

급히 도망치듯 역을 빠져나와 주변을 둘러보았다.

그 도시에 유일하게 고급 호텔이 하나 있지만 그는 사치스럽게 쉬기보다 그냥 푹 자기를 원했다. 그러나 그가 묵었던 멀리 떨어진 여관을 빼고 마을에 여인숙은 하나도 없다. 난감한 연의 눈에 인터넷 카페 같은 곳이 눈에 들어왔다. 들어가 보니 사람들이 아시아처럼 자신의 랩톱이 아닌 탁자에 설치된 [clxxvii] 데스크톱(desktop)을 이용하고 있었다. 그는 그곳에 앉아 고개를 꾸벅거리며 졸다가 나중에는 아예 책상에 엎드려 잤다.

드디어 새벽이다. 역이 문을 열고 연이 그곳에 들어가려는 순간, 며칠 면도(面刀)를 안 한 듯 수염(鬚髯)이 덥수룩한 남성이 입구 앞에서 그에게 담배 한 개비를 줄 수 있냐고 물었다. 이에 연은 기꺼이 그 스웨덴인에게 자국산(自國産) 담배를 건넸다. '선진국에 사는 그가 내 고국의 싸구려 저질 담배에 만족할까? 뭐, 내 알 바 아니지!' 그러나 그 스웨덴 남성은 딱히 연의 담배가 맛없는 듯 보이지는 않았다. 그래! 담배는 중독이니까.

날이 밝고 연이 원하던 대로, 결국 전문 직업 교육 기관 책임자를 만났지만 그게 스웨덴에서 비자 문제의 해결책이 되지는 못했다. 투자할 수 있는 사업가나 부자가 돼야 하는 방법 말고 해결책은 물론 의지할 만한 것도 없었다.

〈강패 천사〉

고심 끝에, 연은 덴마크를 통해 독일로 가기로 할 작정이다. 그런데 무슨 바람이 불었는지 갑자기 옆길로 새서 되는-대로 시골을 [clxxviii]소요(逍遙)하고 있다.

버스 운전사는 60대에 가까운 나이 든 남성이었다. 짙은 빨강 "덧옷옷"을 입었는데 나이 때문에 거부감이 들기는커녕 오히려 "[clxxix]유행쟁이"처럼 멋져 보인다. 그는 운전하는 와중에 때때로 송수신기를 이용해 누군가와 교신하고 있었다. 버스 안에서 연은 또 다른 흥미로운 광경을 보게 된다. 바로 유일한 승객인 못생긴 10대 소녀인데 얼굴은 물론 체형까지 남성적인 냄새가 물씬 풍겼다. 지금까지 스웨덴에서 미녀만 만나왔던 연에겐 신선한 충격이었다. 얼마 후 그녀는 한 작은 마을에 정차한 버스에서 내려 옷에 달린 두건을 쓰고 집으로 터벅터벅 걸어갔다.

그로부터 머지않아, 연은 버스에서 잘못 하차해 엥엘홀름(Ängelholm)이라 불리는 마을에 홀로 남겨졌다. 그리 인구가 많지 않은 지역으로 버스가 대략 한 시간마다 지나가는 곳이었다. "아, 전형적인 밀가루 파는 옛날 가게로군. 서양에서 밀은 동양에서 쌀이니까 쌀가게네! 맞아, 똑같아! 전 세계 시골은 대부분 비슷하구나!" 연은 갑자기 친밀감이 들었다.

촌(村)이라 그런지 반 시간 넘게 돌아다녔지만 단 한 사람도 보지 못했다. "이런, 쥐새끼 한 마리 안 보이는군!" 버스 정류장 근처 한쪽 모퉁이에는 주간 돌봄 시설이 개방되어 있는데 안은 텅텅 비었고 탁자 몇 개와 의자만 덩그러니 있을 뿐이다. 벽에는 그림 몇 점이 걸려 있는 게 전부였다.

이때 마을 전체를 감싸는 기이할 정도의 [clxxx]괴괴함을 깨뜨리는 이가 있었으니 바로 두 아이였다. 대여섯 살 정도인 아이들은 근처 집에서 자전거를 타고 나와 갑자기 거리로 질주했다.

남자아이가 조그만 여자아이를 뒤쫓고 있다. 잠깐 그러더니 이내 되돌아와 집으로 들어갔다. 연은 그들을 따라 집 근처까지 갔는데 깜짝 놀랄 만한 광경에 몸이 굳었다. 바로 너무나 예쁘게 생긴, 아기 천사 그 자체의 외모를 가진 여자아이가 넘어진 남자아이 위에 올라타 주먹을 얼굴에 내리꽂고 있었다. 그는 자신이 본 광경을 믿을 수 없었다. 이게 무슨 코미디(comedy)인가. 어떻게 저렇게 사랑스러운 작은 아기 천사가 저 소년을 무지막지하게 두들겨 팰 수 있지? 사실상, 그건 그의 마음속에 불가해하면서 미묘한 느낌으로 다가왔다. 버스가 오는 소리를 들으며 연은 정류장으로 발걸음을 옮겼다.

이민 문제 때문에 마지막으로 한 번 더 연은 마지못해 스웨덴에 사는 동포에게 일일이 전화를 걸었지만 그들은 전부 그에게 등을 돌렸다, "난 스톡홀름에서 미용실을 하는데 우리도 요즘 들어 감시당해요! 몹쓸 우리 나라 관광객들 때문에 우리까지 이미지가 나빠졌어요." 그럭저럭하는 동안에 운 좋게 지역 동포회의 수장이라고 하는 노인과 전화가 연결되어 통화하였지만, 곧 그의 꿈이 와해(*瓦解*)됨을 자각하는 결과만 가져왔다, "전 스웨덴에 합법적으로 살려고 머리를 쥐어짜 봤는데 답을 찾는 데 실패했습니다. 그러는 동안 뭔가 이상한 점을 계속 느꼈어요. 마치 누군가 따라다니듯 보이지 않는 눈이 날 감시하고 있다는걸요. 부디 제가 여기서 살 수 있게 도움을 주시면 감사하겠습니다. 난 스웨덴을 떠나고 싶지 않습니다." - "제대로 보셨네요. 설사 당신이 돈을 엄청나게 많이 갖고 있어도, 당신은 여기서 살 수 없어요. 우리 조국을 떠나 살고 싶으면 그 돈 가지고 중앙아메리카(Central America)나 남아메리카(South America)로 가요." 그의 짜증나는 헛소리에 연은 할 말을 잃었다. 전화를 끊고 멍하니 있던 그는 끝내 참았던 분노를 홀로 터뜨린다, "영주권이 돈으로 안 되는 게 어디 있냐? 주둥이만 살아서!" 그와 통화했을 때 참고 억눌렀던 말이 모국어로 튀어나왔다, "뭐? 돈이 있으면 중남미로 가? 돈이 있으면 못 갈 곳이 어디 있겠냐? 내 절박(切迫)한 처지를 고소해하며 엿 먹이려 드네. 차라리 남미 가서 마약왕이나 되라고 말하지 그러냐? 얼간이! 난 돈이 없다고!"

연답지 않게 혼잣말이 많다, "정말 우리 동포라는 사람이 하나같이 정떨어지는 소리만 하는군. 보면 면상(面上)에 주먹을 한 방 날리고 싶네!" 처음부터 연이 그들에게 물어본 행동 자체가 현명하지 못했다. 더 이상 왈가왈부(曰可曰否)하지 않고, 그 자리에서 바로 전화를 끊었어야 했다. 그나마 마지막에 연결된 동포는 제정신이다. 스톡홀름에서 한의원을 운영한다는 남성 한의사가 연에게 조언했다, "독일로 가 보세요. 독일에는 우리 교포(僑胞)가 많을뿐더러 촘촘히 다 연결되어 있어요. 특히 프랑크푸르트(Frankfurt)는 광부(鑛夫), 간호사 파견(派遣) 시절부터 인

맥을 다져 역사가 깊고 교포의 입지가 단단해요.” ‘휴, 안 좋은 결과는 결국 내 생각대로 되는군.’

말뫼와 코펜하겐 사이를 가로지르는 괴물 다리를 통해 독일로 가기로 이미 계획을 정했던 연은 섭섭함과 동시에 홀가분한 느낌이 들었다. 마음을 확실히 굳혔기 때문이다. 이제 저 코펜하겐으로 향하는 다리를 건너면 그에게 바짝 붙어 다니며 감시하던 100개의 눈을 가진 거인 아르고스(Argus)와도 작별이다.

〈말뫼의 비밀 무도회〉

하늘처럼 끝도 없이 펼쳐진 장대한 말뫼 바다의 향기가 바닷바람에 풍겨 온다. 해변(海邊) 근처 조개껍데기가 부서져 섞인 하얀 모래가 있는 곳에서 연은 조가비로 목걸이를 만들기 시작한다.

저 멀리 낚시하는 아이들이 보이는데 그들의 부모는 그들과 떨어진 곳에서 또 다른 낚시 여행을 준비하고 있었다. 연은 어린 소년에게 다가갔다, “Hur gammal är du(너 몇 살이니)?” – “12 år gammal(12살요).” 연은 고개를 끄덕이며 밝게 미소를 짓고 그들이 낚시하는 모습을 한동안 바라보았다. 그날은 그의 왕복 항공권에 적힌 고국으로 돌아가기로 한 날이다. 그러나 보다시피 연은 공항에 가지 않고 여기서 이러고 있다. 고국으로 돌아가는 왕복 항공권을 찢어 버리고 그는 자기만족의 박수(拍手)를 보내며 마음을 다잡았다. 공교롭게 그날은 스웨덴에서도 사실상 마지막 날이었다.

저녁이 되자, 연이 맥줏집의 야외 천막 아래서 술을 마시고 있다. 그날따라 유달리 사람들이 인산인해(人山人海)를 이루는 가운데 그는 한 대머리 동성애자를 조우했다. 차드(Chad)라고 자신을 소개한 그는 연에게 동석을 요청하고 연은 흔쾌히(欣快—) 응했다. 그들은 늦은 밤까지 함께 술을 마시고 밖으로 나와 보도를 정처 없이 걷기 시작했다. 차드는 걸어가며 연에게 선물(膳物)로 받은 담배 한 갑을 뜯어 담배를 입에 물고 불을 붙였다. 담배 연기 한 모금을 폐부(肺腑) 깊숙이 빨아들인 그는 이내 얼굴을 찌푸리고 연에게 툭 까놓고 거침없이 얘기한다, "이딴 물맛 나는 맛대가리 없는 담배는 던져 버려!" 연과 차드가 피우던 담배를 동시에 길바닥에 던졌다. "좋아! 목을 구부려. 그리고 경로가 포물선을 그리게 공중에 힘차게 내뱉어!" 둘은 씹어 뭉친 [clxxxi]"종이 총알"로 착각할 만큼 커다란 침 덩어리를 길바닥에 뱉었다. "좋아! 바로 그거야, 연!" 연과 차드는 밤이 깊어져 가는 줄 모른 채 거리를 흥청거리고 돌아다니며 [clxxxii]'술집 순례(pub crawl)'를 했는데, 얼마나 많은 바와 나이트클럽을 돌아다녔는지 모를 정도였다. 그렇게 [clxxxiii]"독두남(禿頭男)" 차드는 말뫼의 구석구석을 돌며 클럽마다 그들의 손목에 작은 출입 도장을 찍었다.

얼마 후 한 나이트클럽 안에서 차드가 연에게 한잔 사며 꼬시고 있다, "연 네가 갈 곳이 없으면 나에게 말만 하라고! 내 남동생이 아파트먼트(apartment) 한 채가 있는데 거기 방이 하나 비거든. 그곳에서 생활하는 동안 아무 부족함이 없을 거야. 내가 너의 안전을 보장하고, 필요하다면 널 위해 일자리도 제공해 줄 수 있어.” 차드는 연에게 그가 도울 준비가 되어 있다고 확신시켜 안심하게 하려고 노력 중이다. “어떻게 그걸 보증해?” – “누가 알겠어? 좌우간 내가 아니면 아무도 널 위해서 이런 일을 할 수 없다고!” 연은 그의 말에서 뭔가 안 좋은 예감이 들었다, ‘이 남색(男色)꾼은 clxxxiv 계간(鷄姦)하려고 아주 갖가지 수를 쓰네.’ 대머리 차드를 신뢰할 수 없었던 연은 한참 굳게 다물고 있던 입을 열었다, “글쎄, 하룻밤 자면서 생각해 볼게.”

긴 클럽 돌기 끝에, 연과 차드는 마지막 클럽에서 승인 도장을 받은 후 큰 건물로 걸어 들어갔다. 그건 바로 비밀 클럽 출입을 승인한다는 표시로서 투명(透明)한 도장이었다. 최종 승인 도장은 맨눈으로 보이지 않으나 확실히 손목에 남아 있었다. 보안 경비원이 자외선 스캐너(scanner)로 그들의 손목을 쓱 훑자, ‘삑’ 소리와 함께 바로 그 자리에서 입장이 허가되었다. 이에 놀라는 연을 보며 대머리 게이 차드는 거만한 미소를 짓더니 연에게 따라오라고 고갯짓했다.

지상 1층은 한갓 경비원만 있었다. 그들은 위층으로 올라갔고 곧 놀라운 일이 벌어지게 되었다.

이 무슨 장관인가! 마치 왕궁에서의 호화판 파티 같다! 3층으로 올라가자, 연못 근처에서 사회 각계각층의 인사(人士)가 잔잔하게 흘러나오는 고전 음악을 배경으로 술잔을 들며 clxxxv 한담(閑談)을 나누고 있었다. 3층에 있는 클럽 회원의 상당수가 노신

사인데, 그 사실 자체가 일반 클럽과 크게 다름을 말해 준다. 즉, 사교적 모임이었다.

눈이 확 뜨이는 장관에 정신이 팔린 나머지 연은 그때까지 차드가 사라져 버린 상황조차 깨닫지 못하고 있었다. "차드는?" 차드를 찾던 연은 흑단(黑檀)처럼 까만 머리의 처녀에게 그의 행방을 물었다. 그러자 그녀는 그에게 이를 드러내며 싱긋 웃었다. "난 당신이 영어로 물으면 대답해 줄 수 없어요. 그러니 스웨덴어로 얘기하세요. 아무리 얼굴을 내미는 정도로 참석하더라도 말이죠." 이런, 차드를 무작정 따라왔더니 어느새 그의 사교계 데뷔(debut)가 되어 버렸다.

'이 사람은 내가 스웨덴어 할 줄 아는 사실을 어떻게 알지? 아!' 연은 그날 스웨덴 아이들과의 만남이 문득 뇌리(腦裡)를 스쳤다. '알겠다! 그래서 이 사람들은 내가 스웨덴어 하는 줄 아는구나. 이런 거물들과 친밀하게 교제하려면 적어도 내가 되는 데까지 스웨덴어로 소통하도록 최선을 다하라고 말하는 건가?!'

차드는 그 시각 성같이 웅장한 건물 안 연못을 지나 다른 곳으로 향하고 있었고, 그를 놓치지 않기 위해 연은 군중을 헤집고 따라갔다. 그리고 차드가 아래층으로 내려오는 동안 마침내 그를 따라잡았다.

건너편 건물 아래에서 연은 또 한 번 놀랐다. 그곳에는 또 다른 큰 무도회장이 있는데, 차드는 거길 지나 다리를 건너 한 넓은 입구로 들어갔다. 그곳은 전혀 다른 분위기의 장소였다. 군중들은 열광적인 리듬에 맞춰 미친 듯이 춤을 추고 있는데 계단통 가운데까지 빽빽하게 들어차 있다. 한쪽 끝에서 차드가 늘어진 붉은 목살의 중년 금발 여성에게 다가가 정겹게 잡담하고 있어서 그는 그들을 잠시 지켜보았다. 대화하다가 돌연 차드가 화장실로 향한다. 연은 다가가 그녀의 근처에서 차드를 기다렸다.

그 중년 여성은 연에게 다가오더니 다소 실망한 표정을 지었다, "저 대머리 남자는 너무 귀여운데 그냥 가 버렸어."

그 순간, 그녀에게서 생선 통조림 공장에서 나는 듯한 비린내가 역하게 나 연은 욕지기가 느껴질 정도였다. 그 해로운 탁한 기운은 그녀가 섭취(攝取)한 물질이 아니라 그녀의 몸에서 새어 나오고 있었다, '뭐 이런 고약한 악취가 다 있지?'

연은 억지 미소로 대답을 대신하며 대머리 게이가 소변을 보는 화장실로 들어갔다. 차드가 연을 보더니 손짓해 따라오라고 하고 밖으로 나간다. 연은 알았다는 듯 고개를 끄덕이며 그를 따라갔다. 차드는 위층으로 다시 올라가더니 다리로 향했는데 연은 그만 다리가 병목 구간이 되어 가장 붐비는 한가운데서 그를 놓치고 말았다.

택시를 타고 숙소로 돌아오면서, 그리고 연이 침대에 몸을 뉘었을 때도 이상한 느낌이 계속 엄습(掩襲)하였다. 그는 차드가 불순한 목적으로 거짓말하고 있다는 직감이 들었다, "그 대머리 호모(homo)가 믿을 수 있을 정도의 사람인가? 내가 그를 신용할 수 있을까? 풋! 그건 안 되지. 동성애자가 생각하는 뻔한 수

법이야."

그렇게 연은 차드의 돕겠다는 제안에 등을 돌렸다. 여러 가지 복잡한 생각에 늦은 밤까지 잠을 설친 그는 새벽에야 곯아떨어졌다.

<상바보>

연이 늦은 아침을 들고 개수대에서 식기 세척을 하고 있을 때, 한 귀여운 소녀가 옆에서 가만히 다가들며 말을 건넨다, "당신 오늘 독일로 떠나나요?" – "어떻게 당신이 그걸 알았죠?" "올로프손 씨가 저한테 얘기해 줬어요." 그녀는 잠시 망설이더니 하던 얘기를 계속했다, "독일은 극단적으로 남성적인 나라에요. 거기 가지 말아요." – "왜 당신이 그런 말을 나한테 하죠?" 순간 그녀의 얼굴이 장밋빛 홍조(紅潮)로 물들었다, "어쨌든 간에 독일에서는 스웨덴에 비해서 안 좋을 거예요. 그래서 난 당신이 이 나라에 계속 머물렀으면 하고 바라요." – "뭐라고요? 당신은 이곳 사람인가요?" "절대 아니죠. 내 집은 여테보리에 있습니다. 임시직으로 잠시 여기서 일해요." – "고작 임시직인데 당신은 왜 집에서 멀리 떨어진 곳까지 와서 일하죠? 그리고 난 이전에 당신을 여기서 본 적이 없어요." 그녀의 얼굴은 또 홍당무가 되었고 그의 눈을 피했다. 짐을 모두 꾸린 연이 밖으로 나오자, 마침 그녀도 출입문 옆 자전거를 양손으로 잡는 중이었다. 이번에는 연이 적극적으로 나왔다, "지금 일 끝날 때죠? 내가 당신을 숙소까지 태워다 주고 싶은데 어때요? 나도 막 그 방향으로 가려고 하거든요." – "아뇨, 고마워요." 그녀는 모직(毛織) 상의를 후딱 걸쳐 입고, 모자를 푹 눌러썼다.

앞마당에서 그녀가 처음이자 마지막으로 그의 모습 하나도 놓치지 않으려는 듯 뚫어지게 쳐다보는데 그 눈망울이 슬퍼 보였다. 연이 떠나자마자 그 소녀는 세워 둔 자전거를 타고 그녀의 하숙(下宿)집으로 향했다. 모험을 찾아 [clxxxvi]편력(遍歷)하는데 정신이 팔린 바보가 그에게 스웨덴을 떠나지 말라고 한 이유를 알 리가 없지.

<입술 자극>

여성의 입술이 세상에 길게 길자국을 내니
톡 쏘면서도 부드러운 여인의 향기가 새삼스럽네
화산 분화구처럼 얽힌 세계는 되돌릴 수 없으니
섬뜩한 세상을 어찌 이성적으로 살 수 있으리오

***

제4장 결심

〈안녕! 사랑이여!〉

가방을 멘 채 바퀴 달린 커다란 “이민 가방”을 질질 끌던 연은 버스로 말뫼 중앙역에 갔다. 그곳 한쪽 구석에 있는 버거킹[clxxxvii]할당 구획(court)에서 제일 큰 햄버거를 주문해 우적우적 먹으며, 연은 다음 여정을 그려 보았으나 연셔핑의 그녀는 그에게 이미 세상의 전부나 마찬가지였다. 연이 어디를 가든 엠마가 그의 마음속에 자리 잡았다.

연이 기차표 자동판매기에서 표를 구매한 후에도 출발하려면 약 한 시간가량 남았다. 앞으로 스웨덴에서 돈 쓸 일이 없다고 판단한 그는 스웨덴 돈을 환전해 처분하기 위해 낮은 계단을 통해 약 1/4층 정도 높이에 있는 환전소(Bureau de Change)로 향했다.

“무얼 도와드릴까요?” – “전부 유로로 바꿔 주세요.” 그러자 직원이 간단하게 설명한다, “총 5유로 미만은 환전이 안 돼요.” – “동전으로 총 5유로가 되면 어때요?” “네, 되죠.” – “알겠어요. 가장 큰 유로 화폐가 뭐죠?” “500유로입니다.” 연은 잠시 숙고했다, ‘가만 보자, 500유로라면, 1유로가 얼추 1.4 USD니까, 미화(美貨)로 약 900달러네. 엄청난 [clxxxviii]은행권(銀行券)이군! 그럼에도 지갑을 가볍게 해 주기에 딱 좋다. 게다가 내가 언제 이렇게 큰 은행권을 만져보겠어?’ 골똘히 생각한 뒤에, 그는 점원에게 그렇게 해 달라고 했다, “그 돈 전부 500유로짜리로 바꿔 주세요.”

환전한 후에 연이 곧바로 환전소로부터 걸어 내려와 기차를 기다리고 있는데 오른쪽 출입구에서 아랍 소년과 꼬마 여자아이가 서로 손을 잡고 그에게 접근한다. 그 남자애는 무언가에 공황을 일으킬 정도로 당황한 사실을 감추려고, 묘한 표정을 짓다가도 강하게 보이려고 인상을 썼다. 그러면서 빨리 지껄이는데 미국식 영어가 아닌 영국식 발음이었다, “실례합니다, 선생님. 제가 기차표를 잃어버려서 저와 제 여동생은 이제 오도 가도 못하게 되었어요. 여유가 되면, 제발 우리를 도와주세요.” 소년은 그에게 도움을 요청했다.

연은 속으로 중얼거렸다, ‘만약 내가 이런 몹시 서두르게 되는 상황에 있다면, 저렇게 인상을 험악하게 찌푸릴까? 아마 그렇지도… 저래 보여도 그 나름대로 여동생이 불안하지 않게 표정 관리하려고 노력 중이겠지.' 그런데 다시 생각해 보니 무언가 잘못되었다. 그 소년은 스웨덴 사람도 영국 사람도 아닌데, 빠르면서도 정확하게 영어로 발음하고 있었다. 마치 사전에 대본 연습이라도 한 듯이. 왜냐면 모든 인간은 모국어로부터 영향을 받아 그들만의 영어 억양이 있다. 아마도 그는 영국이나 아일랜드에서 살아온 듯하다. 진위(眞僞)가 어쨌든, 그들이 곤경에 처해 있음을 알면서 못 본 척할 수는 없었다. 그래서 연은 그들을 돕기로 결정했다. 지갑을 보니 '오, 맙소사!' 그는 이미 잔돈 빼고 모두 환전해 버린 상태였다.

연은 그 남매에게 기념물로 남긴 잔돈을 모두 주었다. "난 쩨쩨하게 굴고 싶진 않지만 미안해. 이게 내가 가진 전부야." 그러자 아랍 남매가 감사의 표시로 고개를 숙이고 사라졌다.

시계를 보니 출발 20분 전이다. 그는 서둘러 지정된 승강장으로 갔다. 멀리서 기적(汽笛) 소리가 울리며 몸통에 "야간열차(City Night Train)"라고 쓴 대륙 횡단 기차가 정각에 들어오고 있었다. 기차표를 몇 번이고 확인하는 것도 모자라 옆 사람에게 물어보기까지 하고 나서야 그는 열차에 올랐다.

〈덴마크의 밤〉

연이 탑승한 기차는 외레순[Ø(Ö)resund] 다리라 불리는 이중노선(路線)으로 된 거대한 clxxxix 교량(橋梁)을 통과해 드디어 코펜하겐 중앙역에 도착하였다. 이미 코펜하겐에 사전 답사를 다녀온 연에게는 이 모든 광경이 친숙하다.

비둘기가 역 안에 돌아다니고 있다. 당시 스코틀랜드 씨족 특유의 격자(格子)무늬 상의를 입고 있던 연은 아래층에 있는 유료 화장실로 내려갔는데 그곳에는 어떤 나이 많은 남성이 화장실 이용료를 받고 있었다. 그 남자는 연을 보더니 갑자기 고개 숙여 인사하며 아무 대가(代價)도 요구하지 않고 안으로 안내했다.

그만 그곳에서 특혜 대우를 받은 유일한 사람이었다. 연은 영문을 몰라 얼떨떨하였으나 곧 기차 오는 소리가 들려 승강장으로 가야 했다. 열차에 오르는데, 그의 마음은 스칸디나비아 지방, 아니 엠마를 못 본다는 생각에 슬픔으로 가득 찼다, "난 cxc 요툰(Jotun)이 아니오, 오딘(Odin)."

연은 일단 짐을 풀러 기차 뒷부분으로 향했다. 화물칸인 기차의 꼬리 부분에는 입석 승객인지, 무임-승차자인지 모를 사람들이 승객의 화물과 섞여 주저앉아 있었고 그 장면이 왠지 모르게 비참해 보였다.

스웨덴을 떠나는 열차 안에서 연이 창문을 바라보며 그제야 무모했던 계획의 완전한 실패를 인정하는 듯 공허한 미소를 던진다. 그의 첫 스웨덴 방문은 충격적이었고 스웨덴인은 믿지 못할 정도로 아름다웠다.

창문 밖으로 보이는 나무 아래의 분홍색 진달래가 봄의 핑크(pink)빛 희망을 전(傳)하려 하지만, 나무 그늘에 자리를 잘못

잡았는지 햇빛을 못 받아 시든 잎이 떨어지기 직전이다. 살아남는다면 그야말로 사막의 꽃이다.

<투쟁>

펭귄킹이 혈혈단신 물속에 화려하게 뛰어드니
마네킹이 신이 나서 팬케이크 볼기를 두드리고
할리퀸이 주걱으로 펭귄킹과 마네킹을 튀겨 내니
오리퀸이 주걱입으로 오라며 무리를 불러들이네

그날 밤 동석한 덴마크 농부가 도시락통에서 수제비 같은 음식을 꺼냈다. 그리고 그에게 [cxci]경단(瓊團)을 건네주는데 그 모양이 라비올리(ravioli)랑 흡사(恰似)하지만 동그랬다. 밤이라 생김새를 정확히 식별하기 어려웠지만 냄새는 훌륭했다. 연은 그 농부에게 고맙다고 하며 한입 베어 물었는데 매우 보드랍고 촉촉해 살살 녹는 느낌이었다.

얼마 뒤 농부가 내리고 연은 다시 혼자 기차간을 쓰게 되었다. 그는 갑자기 옛날 어른들이 열차에서 담배 피우던 시절이 떠올라 주변을 살핀다. 그러더니 창문을 살짝 열고 담배에 불을 붙였다. 그렇게 영화(映畫) 주인공(主人公)처럼 폼 잡으며 담배를 태운 후 그는 꽁초를 창문 밖으로 튀겼다.

자정이 가까워지자, 연이 무언가 볼일이 있는 듯 여성 승무원에게 다가갔다, "저, 부탁 좀 들어 주세요. 우리가 프랑크푸르트에 도착하기 10분 전에 날 깨워 줄 수 있나요?" 그녀는 상냥한 미소를 지으며 그렇게 하겠다고 공손하게 승낙했다.

한밤중에 2층 침대의 위층(層)에서 깨어난 그는 어디서인지도 모르게 나타난 사람들이 침대 두 곳을 점령하고 있는 광경에 놀랐다. 바로 아래 침대에는 한 어여쁜 처녀가 자는 중이다. 귀신이 곡할 노릇이다. '여기 자고 있는 인간들은 도대체 뭐야?!'

승무원이 그를 깨웠을 땐 동이 틀 무렵이었다. 곧이어 기차가 프랑크푸르트 중앙역[Frankfurt (Main) Hauptbahnhof] 한 정거장 전에서 멈췄다. 역 아래 지하도에 있는 맥도날드 연쇄점에서 허기를 달래며, 빅맥 지수(Big Mac Index)를 계산해 보니 물가가 대체로 스웨덴보다 높았다. 추가로 연이 스웨덴에서 쓴 여행 비용을 분석한 결과, 전체 지출에서 3분의 1을 술로 마셔 버렸다. "아! 난 내가 돈을 별로 안 썼다고 생각 안 했는데 많이 썼네. 그것도 술에." 자신의 분석 결과에 충격을 받은 듯 그는 잠시 초점 없이 앞을 응시했다. 하지만 말 그대로 잠깐이었다. "뭐! 어때, 음식 대신 술로 대체했다고 생각하면 되지." 그는 술을 먹을 것으로 자기 합리화했다. 그리고 자리에서 벌떡 일어나 밖으로 나갔다. "아, 그러고 보니 여기는 중앙역이 아니잖아! 가만있자, 그 곳까지 그다지 멀지 않긴 하지만, 짐을 끌고 걸어갈 수는 없지."

연은 트램을 타고 중앙역 쪽으로 이동했다.

돌아온 탕아(蕩兒) 연은 또 다른 집으로 가려는가? 아니! 탕아라기보다는 탕진아(蕩盡兒)로다.

***

제5장 유럽의 모국

〈완전한 지루〉

독일에 도착하면서, 삶의 모든 국면(局面)이 이상해졌다. 프랑크푸르트는 [cxcii]"안락-구역(安樂區域)"이라기보다는 지루함 그 자체였다. 그곳에 오래 머무는 일은 진저리를 칠 정도였지만, 그 외엔 뾰족한 방법이 없었다. 하나 그의 민족과 같이 어울려 지내는 선택은 파멸의 원인이 되었다. 단지 그가 동포들과 함께 있다는 상황이 주 문제가 아니라 수많은 요인 중 하나일 뿐이지만.

연에게 그곳의 삶은 단조롭다 못해 지루하다는 측면에서 모국에서의 삶과 비슷했고, 산송장처럼 빈둥거리며 시간 보내기가 그의 주된 일이었다. 연은 그들이 그곳에서 합법적으로 정당하게 살 수 있는 방법을 찾게 도와주기를 기대했었다. 의존적 우울증

(anaclitic depression)은 아니었지만 적어도 그때, 그곳에서만큼은 표면적으로 그래 보였다.

그래, 꿈 같은 계획이었지. 그들로부터 도움을 기대함은 헛된 일이다. 그의 생색(生色)내는 [cxciii]"동국인(同國人)"들은 타인의 괴로움에 관여하며 그들 자신의 동정심(同情心)에 뿌듯해했다. 그런데 그건 쉽사리 확신의 병폐로 변할 수 있고, 그들은 그걸 유사하지도 않은 '희생(犧牲)'으로 오인했다. 또한 그들은 비겁하게 자신이 유리한 영역이나 지역에서 사람들을 교묘하게 다루는 기술을 가지고 있었고 다른 사람의 대수롭지 않은 사생활이나 약점에 관해 험담을 퍼뜨리길 좋아했다.

그들의 진부(陳腐)한 삶 속에서 부질없이 시간을 보낸 지 어느덧 반달이 지났고 연은 그들 뒤를 졸졸 따라다니며 시키는 대로 하게 되었다. 주로 하는 일은 육체노동으로, 일손을 돕는 잡일이다. 숲속으로 가서 주변 잡초를 뽑거나 자르며 식용 풀을 채집하고, 때때로 식료품 가게에 따라가 식재료 꾸러미를 바퀴 달린 가방에 넣고 끌고 오는 일이 그의 임무다.

어느 화창한 날, 여느 때와 다름없이 여관 주인과 함께 장을 본 연이 2층 여관으로 올라가는데, 바퀴 달린 배낭이 짐의 무게로 인해 축 늘어져 있는 상태에서 그가 휙 끌어 올리자, 쭉 소리와 함께 찢겨 안의 내용물이 우수수 떨어졌다. 그러자 여관 주인은 순간 인상을 쓰면서도, 언성을 높이지 않으려고 일부러 낮은 목소리로 말했다, "주의하면서 끌어야지. 그냥 막 잡아당기면 어떻게 해?"

그가 머무른 지 일주일이 넘어가자, 그의 처지를 아는 여관 주인이 숙박비를 30퍼센트 깎아 주었다. 또한 아껴 쓰며 근근이(僅僅-) 버티는 연의 사정(事情)을 듣고 그가 간절히 원했던 일거리를 임시로 마련해 주며 그 일은 법적으로나 도의적으로나 문제-없으니 안심하라고 했다.

아무도 없는 공동 침실 안, 그의 생각이 무심결에 입 밖으로 나와 버린다, "한 주일짜리 일거리라도 그들이 연줄(緣-)을 통해 힘써 주면 좋긴 하지. 아, 불법 취업은 아니지만 내 지갑을 두둑히 보충하기엔 적은 액수일 텐데." 그의 예상대로 그곳은 [cxciv]'착취 공장(搾取工場)'이었고, 그가 땀 흘려 일주일에 번 돈은 겨우 200유로였다. 이는 주급이라기보다 그냥 용돈에 가까웠다.

〈회색 갈기를 한 독일 교포 하이에나〉

어느 금요일 저녁에 덥수룩하게 갈기처럼 회색 수염을 기른 노인이, 여관을 운영하는 부부를 보러 잠깐 들렀다. 그가 곁눈으로 연을 위아래로 훽 훑어보고 여관 주인 부부의 방으로 들어갔을 때, 연은 첫눈에 그 늙은이가 왠지 모르게 그를 싫어함을 느꼈다. 문은 활짝 열려 있고, 그들은 평범한 일상 얘기를 하는 중이다. 회색 갈기 노인은 술에 일가견이 있는 듯 떠들어댔다, "독일의 [cxcv]맥아(麥芽)는 각 고장 특유의 맛이 있지. 양조장(釀造場)의 큰 통에 있는 거품으로 효모(酵母)는 어쩌고저쩌고..."

대화가 무르익은 가운데, 여관 주인은 연을 갈기 노인에게 소개하였고 그는 자신의 어려운 근황(近況)을 그들에게 모두 토로(吐露)했다. 회색 갈기 노인은 그를 흘끗 보더니 등을 돌렸다, "자네가 무릎을 꿇고 사정했다면 내가 아마 재고(再考)했을 수도 있었겠네. 단지 자네의 태도가 내가 돕고 싶은 기분을 망친단 말이지." 침울해진 연을 보며 오만(傲慢)한 늙은이는 점잔 빼는 웃음을 짓는다, "저기 마인-강(Main River)에 가서 독일 소녀나 꼬시면 어떻겠나? 그대가 독일 처자를 얻는 데 성공하면, 결혼 증명서와 함께 자네가 그토록 갈망(渴望)하는 영구 비자를 얻을 수 있을 게야." 연은 마치 무언가를 말하려는 듯 입술을 달싹거리다 뗐으나 곧 다시 굳게 다물었다. 속은 부글부글 끓고 욕이 입 안에서 맴돌았다, '이름 모를 노인네, 생색내는 척은 더럽게 하네. 아니면 재미 삼아 날 그냥 불끈하게 만드는 건가? 그것도 아니면 아첨(阿諂)이라도 하기를 바라는 거야, 뭐야?! 내가 당신에게 충성을 맹세(盟誓)해야 하나? 허, 하나도 안 고맙다, 고리타분한 늙은 선배여. 참 걱정 많이 해 주네! 저 괴짜 늙은이는 이죽거리며 고소한 듯이 나를 바라보고 교묘하게 능욕(凌辱)하고 있잖아!'

연은 문밖으로 걸어 나오면서 중얼거린다, "칫! 노인네, 정보를 쥐고 넘겨주지 않는 척하지만 사실 모르고 있어. 동포의 머리를 빌리느니 차라리 원숭이에게 묻는 편이 낫겠다."

연에게 도움이 되기는커녕, 그 이기죽거리는 늙은 하이에나

(hyena)는 방해만 될 뿐이었다.

〈첫 벌이〉

연은 주인 부부가 가르쳐 준 대로 일주일에 낮시간 동안 일터로 나갔다. 그곳은 배송용 식품 창고다. 일은 등골이 빠질 정도로 힘들지는 않았지만 지루했다. 연의 임시 직장 동료(同僚) 중에는 음악 대학에 다니는 학생도 있었고 그가 묵고 있는 여관의 식모 겸 청소부처럼 다른 나라에서 온 동포 여성도 있었다. 여관 식모는 아들이 의과 대학에 다니고 있어서 그에게 학비를 보태 주려고 일하고 있다고 했다. 그래서인지 자신의 아이를 보살피는 부모처럼 연을 따뜻하게 대해 주었다. 그녀의 모성애는 [cxcvi]육아낭(育兒囊)처럼 포근하였지만, 속세의 현실 문제 해결에 도움이 되지는 않았다.

일터 동료 대부분은 여성인데, 동시에 여러 가지 일을 훌륭히 해내면서도 꾀병을 부리지 않고 성실(誠實)했다. 이따금 그들이 연에게 말을 걸 때마다, 그는 일을 멈추고 그들의 말을 경청(傾聽)했는데, 그게 그들을 웃게 했다, "일을 계속하면서 대화해도 괜찮아. 좋아 모두들! 속도 좀 슬슬 내 보자!" 그 말이 떨어지기가 무섭게 그들은 저녁까지 신속하게 일했다.

"오늘 일과(日課) 끝!" 일을 끝낸 뒤 모두 집합해 서로 간단히 인사하고 각자의 집으로 돌아가는데 한 남성 관리자가 연을 그날만 특별히 여관까지 태워 주었다.

[cxcvii]"교포남"은 고속 도로를 달리며 버성긴 분위기를 해소하려는 듯 먼저 입을 열었다. "우리 조국이 참 살기 좋아요. 운전-면허증 따기도 쉽고. 여기는 운전면허증 취득하기가 몇 배는 더 까다롭고 어려워요." - "정말요?" "네. 그래서 우리 나라에서 따고 여기로 오는 편이 낫죠. 우리 조국의 운전면허증은 국제 운전면허증으로 인정해 주니까 웬만한 나라에서는 다 운전할 수 있어요." - "..." 얘기가 끝나자 다시 침묵이 흐른다. 무언가 골똘히 생각하던 연은 운전하는 교포에게 물었다. "여기 영주권 따기가 어렵나요?" - "영주권 따기가 쉽지는 않죠. 따도 선거권(選擧權)이 제약되어 있어서 그게 아쉬워요. 독일어를 능숙하게 해도 참정권이 없으니 아쉬울 때가 많더라고요." "독일도 은근히 보수적이네요." - "뭐, 그런 편이죠."

〈거울 속의 오바마〉

헨션(Hähnchen)이 전국적으로 잘 알려진 독일 장터의 음식 중 하나라고 연에게 자랑하며 동포 투숙객과 학생들은 다 같이 거리로 나갔다. '헨션'은 독일어로 '닭'을 의미한다. 정확히 표현하면, 통닭구이는 '브라트헨션(Brathähnchen)'이다. 하지만 연은 시큰둥했다. "'헨션'은 그냥 '치킨(chicken)'이잖아. 우리 나라에도 똑같이 '옛날 통닭 한 마리'라고 있어. 식상(食傷)해." 그러자 심기가 상한 한 학생이 한마디 툭 내뱉었다. "네게는 모든 음식이 다 똑같겠지."

대형 천막을 지나 그들은 시내 중심지로 향했다. 그리고 그는 "화판-걸이" 위에 있는 그림을 지나치는데, 오바마가 거울 속 부시를 바라보고 있는 작품이었다. 이는 신랄한(辛辣-) 풍자로, 오바마는 거울 속 자신을 보는데 부시와 똑같다는 식으로 비꼬아 표현했다. "꽤 풍자적이지만, 일반적인 '풍자만화(諷刺漫畫)'는 아니네."

그가 그렇게 [cxcviii]화가(畫架) 위 그림을 감상하고 있을 때, 인파로 북적대는 대형 천막 옆에서 한 늙은 남성이 [cxcix]동맥류(動脈瘤) 파열로 인한 뇌졸중(腦卒中)으로 실신했다. "선생님!" "구급차 불러!"

그 소동으로 인해 연은 특별한 소득도 없는 시내 구경을 일찍 끝내고 숙소로 돌아왔다.

며칠 후 웬일로 여관 주인-아저씨가 싱글벙글 웃으며 숙박하고 있는 사람 모두에게 같이 나가자고 했다, "오늘은 벼룩시장이 열리는 날이다. 우리가 운이 좋다면, 싼 가격에 진귀한 물건을 구할 수 있겠지. 거기 한 번 둘러보자. 어때?" - "좋아요!" 그의 제안이 끝나기가 무섭게 연 일행은 이미 나갈 준비를 마치고 있었다.

근처 마인강에 도착하니 강둑 옆에는 잡다한 물품을 파는 벼룩시장이 끝이 보이지 않는 긴 줄을 형성하고 있다. 사람들은 골동품 중에 자신이 원하는 물건을 고르느라 정신이 없었다.

〈동포 친구들〉

여관 바닥은 가끔 지진이라도 난 듯 흔들리곤 했다. 바로 인근에 철도가 지나가기 때문이다. 여관 주인은 가톨릭 신자였고 매일 저녁 풍성한 돼지 바비큐(barbecue)에 독일 에일이 기본으로 제공되어서 매우 만족스러웠다. 곁들여 먹는 '신 양배추'란 뜻을 지닌 음식인 자우어크라우트(Sauerkraut) 역시 그랬다. 만드는 법은 간단하다. 양배추를 잘게 썰고 소금을 쳐서 담근 후 시큼해질 때까지 발효시키면 끝이다. 이 집에 숙박 중인 한 여행객이 식모에게 궁금한 점을 질문했다, "케일(kale)로도 만들 수 있어요?" – "케일도 양배추의 일종이지만 우리는 그걸로 자우어크라우트를 담그지는 않아요." 그녀는 간단명료(簡單明瞭)하게 대답했다.

연이 처음 독일에 왔을 때는 부활절 전 종려 주일(棕櫚主日) 전야(前夜)였고 그의 여정에서 처음으로 배가 터질 때까지 먹었다. 그는 모처럼의 포만감(飽滿感)에 흡족(洽足)해하며 치실을 써서 이 사이의 이똥을 깨끗이 제거하였다, "도대체 내가 어디서 자우어브라텐(Sauerbraten)과 얇게 저민 송아지 고기 [cc]커틀릿(cutlet)인 슈니첼(Schnitzel)을 먹을 수 있겠어?"

여행객들은 저녁 식사 자리에서 자신들이 겪은 흥미진진한 이야기를 들려주었다. 연도 예외는 아니었다. 낮에 그는 프랑크푸르트가 마치 자기 고향인 양 편한 옷차림으로 거리를 어슬렁어슬렁 돌아다녔고, 밤에는 여행 안내원의 역할을 자처하며 그의 동족과 동행했다. 장기 숙박객인 연과는 다르게 그곳에 묵는 사람들은 대부분 단기 숙박객이기에 연은 그들을 구경시키려 부랴부랴 끌고 다녔다. 주 일과 중 하나가 유로타워(Eurotower) 앞에 있는 유럽 중앙은행(European Central Bank)의 로고(logo)를 보여 주고 마인강까지 소개하는 일이다. 마인-강변(江邊)은 독일인이 가볍게 달리기를 하거나 자전거를 타며 운동하는 주 장소다. 독일인 대부분은 키가 크지만 다소 호리호리하고 코가 높다. 그들에게서 종종 제2차 세계 불황에 대한 불안을 느낄 수 있었지만, 그것조차 그들은 기분 전환을 위한 운동으로 승화(昇華)시켰다. 도시를 둘러보면서 그는 순찰하는 경찰을 보고 주변 환경에 대해 알게 되었다. 근방에는 주로 유곽(遊廓)이 즐비(櫛比)했고, 꾀죄죄한 마약 중독자와 [cci] 조야(粗野)한 사람들이 배회하고 있었다.

연은 프랑크푸르트에서 장기 체재(滯在)하는 기회를 이용해 많은 유학생과 여행객을 만났다. 그들 중에는 이목을 끄는 사람들이 몇몇 있었는데 그중 한 일행이 군인 부부와 어린 딸이었다. 특히 15살이라기엔 믿을 수 없을 정도로 조숙(早熟)한 딸은 이스라엘(Israel)의 월워스 바버 영어 학교(Walworth Barbour American International School)에 다니는 학생이다. 고국에서 공군 장교인 그는 휴가 중에 아내와 딸을 데리고 이곳에 왔으며 이스라엘을 방문해 딸이 다니는 학교도 둘러볼 계획이라고 얘기했다.

또 다른 기억나는 일행은 잘생긴 남녀였는데 둘은 남매지간이다. 그들 남매는 유학과 여행을 병행(竝行)했고 특히 여동생은 영어에 관심이 많았다. 그녀의 오빠와 함께 뒤에서 따라가던 연은 그녀의 어깨에 보풀이 보이자, “You’ve got some lint on your shoulder(어깨에 보푸라기가 좀 묻었네요).”라고 쓸데없이 영어로 말하며 자상하게 떼어 주었다. 그녀는 연예인 뺨치게 예쁘고 키도 커서, 연은 그녀의 환심(歡心)을 사려고, 지나가는 독일인이 아닌 외국인에게 일부러 어려운 영어로 유창하게 대화하는 등 평상시 그답지 않은 행동을 보였다. 게다가 짠돌이 연은 그들을 데리고 돌아다니다가, 마인강에 정박(碇泊)한 배를 임시로 선술집으로 개조한 곳에서 맥주까지 한턱 냈다. “건강을 위하여(Gesundheit)!” 짧은 건배와 함께 연은 자랑스럽게 그의 모험담을 얘기하기 시작했다. 그의 환심 사기가 무색(無色)하게 얼마 후 그들은 뉴질랜드(New Zealand)에 있는 크라이스트처치(Christchurch)로 떠났는데, 그날이 그들을 처음이자 마지막으로 보았을 때였다. 몇 년 뒤 끔찍한 불운이 그들에게 닥쳐 그들이 어학연수를 갔던 도시가 지진으로 산산이(散散-) 부서져 버렸고, 많은 사람이 그로 인해 죽었다. 연은 지진이 발생한 후 구조자들이 잔해 아래서 생존자를 찾고 있는 장면을 생중계로 보았다. 의심할 바 없이, [ccii]진앙지(震央地) 근처에 있는 사람들에게는 목숨을 건질 만한 시간이 주어지지 않았다. 사망자 명단이 실시간으로 공개되었고 연은 그들의 죽음을 애도했다. 눈 깜짝할 사이에 수라장(修羅場)으로 변한 그곳에서 남매의 여행은 참화(慘禍)로 끝나게 되었다.

어느 날 저녁, 연과 같은 여관에 머무는 한 교환 학생이 아펠바인(Apfelwein)이 그곳에서 잘 알려졌다고 자랑스럽게 떠들어댔다. 아펠바인은 글자 그대로 '사과 와인'이며 영어권에서는 '사이더(cider)'라고도 하는데 톡 쏘는 듯한 신 사과주 맛이 난다. 연은 새로 온, 동양 나이로 18세인 소년과 함께 그걸 파는 역까지 갔다. 그 소년은, 행인에게 물으며 아펠바인 파는 곳을 찾는 연을 졸졸 따라다니며 신이 난 듯하다, "이봐요, 이거 모험 같지 않아요?" – "아무렴!" 연은 소년을 위해 흥분한 척했다. 바로 그 순간, 진짜 '가슴이 두근거리는' 스칸디나비아 모험이 문득 떠올랐다. 그는 아펠바인을 산 뒤, 돌아와 그들의 동포에게 한 잔씩 나눠 주었다. 한 모금 들이켠 후 연은 다소 실망스러운 표정을 지었다, "적어도 나한테는 그렇게 도취(陶醉)시킬 정도로 맛과 향이 풍부하다는 느낌이 들지 않아."

〈문화 축제〉

프랑크푸르트는 당시 어떤 축제를 하고 있었다.

프랑크푸르트-암-마인(Frankfurt am Main) 중심가에는 로마네스크(Romanesque)를 잇는 고딕(Gothic) 양식 아치 기둥-열주 [cciii] 아케이드(arcade)로 이루어진 오래된 건물들과 뢰머(Römer)가 있다.

'뢰머'는 독일어로 로마인(Roman)을 의미하나 이곳에서는 뢰머 건물을 말한다. 예술적 기교로 가득 차 있고 종교적인 흔적으로 성스러워 보이기까지 하는 그 중세 건물의 대표적인 방은 사람들에게 가장 잘 알려진 황제 홀(hall)인 카이저살(Kaisersaal)이다.

그곳에 가기 전에 연은 여관 근처에 줄지어 있는 터키 가게 중 한 곳에서 싸구려 옷과 선글라스(sunglasses)를 구매했다.

유럽 어디를 가든 곳곳에 튀르키예인이 있는데, 그들은 주로 케밥 음식점이나 옷 가게, 이발소 등 작은 상점을 운영하며 생계를 꾸려 나갔다.

도심 한복판에는 [cciv]"세바퀴 자동 인력거"를 타는 사람을 종종 볼 수 있었는데, 그들 중에 목다리 짚은 아시아 학생이 바로 연의 코 앞에서 내리더니 그곳까지 태워다 준 인부에게 [ccv]행하(行下)로 동전을 슬쩍 건넸다.

밤이 되자, 연은 낮에 산 터키 옷을 걸치고 그의 "동국인"들과 함께 바깥 구경을 하러 나갔다. 인파가 몰리는 시내 한복판으로 가는 중간 길가에 멍석을 깐 피부가 거무스레한 집시(Gypsy)들이 베두인(Bedouin)처럼 갖춰 놓고 음식을 요리하며 야영하고 있었다. 그들을 지나쳐 연 일행이 가극장(歌劇場)인 오페라 하우스(opera house) 쪽으로 걸어가는데, 길 건너편에서 스케이트보드(skateboard)를 타는 청년들이 마치 연이 유명인이나 되는 양 이미 알고 있다는 듯이 그에게 손을 흔들어 인사했다, "프랑크푸르트 방문을 환영해, 바람둥이!" 이에 연은 무의식적으로 그들에게 손을 흔들어 보이며 주변을 둘러보았다. 잠시 후, 거리는 사방으로부터 온 사람들로 들끓었다. 지나가던 독일 남성이 낮에 프랑크푸르트에서 산 옷으로 갈아입은 연을 보며 그의 일행을 쳐다봤다, "이게 바로 프랑크푸르트 패션이라고!"

서커스(circus)가 열리는 곳에서는 불을 먹는 요술 등 곡예(曲藝)가 펼쳐지고 있다. 그 묘기를 즐기며 구경하던 중에 연은 신사처럼 검은색 정장을 말쑥하게 차려입은 나이 든 독일 남성과 조우했다. 그는 연을 음탕(淫蕩)한 눈으로 쳐다보더니 집게손가락으로 연과 동행하는 예쁜 아시아 처녀를 가리켰다. 그는 자기 오른쪽 가운뎃손가락을 왼쪽 엄지와 검지로 만든 원 모양의 공간으로 집어넣다 뺐다 반복하는데 마치 음담패설(淫談悖說)을 하는 듯했다, "꼬셔서 팬티(panties) 날리고 그냥 해 버려!"

순간 그 초로의 난봉꾼 때문에 한바탕 웃음이 터져 나올 뻔했다.

〈옆집 괴테〉

그가 묵는 여관으로부터 그리 멀지 않은 곳에 괴테(Goethe)의[ccvi] 생가(生家)가 있다. 괴테는 세계적으로 유명한 대문호(大文豪)다. 하지만 연은 그동안 그곳을 방문할 기회가 없었다. 왜냐면 그의 "동국인"들은 당시 프랑크푸르트 미술품 전시에 열광했기 때문이다. 굳이 그런 그들을 설득해 그곳에 가 볼 필요는 없었다.

더구나 여관에는 유학생도 많이 숙박하기에 기회는 오기 마련이다. 어느 흐린 날 아침, 새로 온 젊은 투숙객들이 괴테의 집을 견학하고 싶어 해 연은 그들과 동반(同伴)하여 그곳으로 향했다. 그는 태연해 보였지만 내심 흥분해 있었다. 그날은 비까지 부슬부슬 내려 을씨년스러운 날이었다. 연 일행은 그들 호스텔로부터 걸어 15분 거리에 있는 괴테 하우스(Goethe House) 근처의 커피숍으로 들어갔다. 신기하게도 우연인지 그들은 제각기 다른 커피를 주문했다. 제일 늦게 들어온 연은 큰 검정 우산을 접어 우산 거치대에 꽂아 넣고 카페 내부를 둘러보았다. 그곳은 손님이 절반 정도 찬 상태였고 다들 커피와 함께 한담을 즐기고 있었다. 괴테의 집이 열 시간이 임박(臨迫)해 한 사람이 밖으로 걸어 나가자, 너도나도 밖으로 나가는데 마치 아프리카 초식 동물의 대이동을 연상케 했다. 그곳을 보러 온 그들 역시 예외는 아니었다.

괴테의 생가는 저택(邸宅)인데 같이 붙어 있는 빌딩은 별관 같은 기능을 한다. 진입로부터 진열된 그림과 조각 작품이 마치 화랑(畫廊)을 연상시켰다. 입구에서 점원은 연에게 괴테에 관한 역사를 들으며 관람하길 추천했지만, 그는 고개를 저었다. 연 일행 중 한 명은 음성 안내 서비스(service) 비용을 치르고 해당 기기를 집어 들고 귀에 착용했다. 위층은 주로 괴테와 관련된 미술작품과 수집품으로 전시되어 있었다, "이런! 괴테 하우스야 미술전시관이야?" 최신식으로 지어진 화려한 건물의 복도를 통과하던 연은 이내 실망한다. 그러나 사실 진짜 괴테의 주거지는 그와 관련한 온갖 미술품이 전시된 빌딩의 반대편에 있다, '아, 이건 그의 진짜 집이 아니구나!' 연은 그제야 깨달은 듯 긍정적인 마음을 가지고 다시 기대에 부풀기 시작했다. 안뜰을 통과해 건너편 건물로 들어가자, 괴테의 실질적인 생활 공간이 그 모습을 드러낸다. 계단을 오르는 동안 끼익끼익 하는 탄력 있는 나무 마룻널은 그의 발에 쿠션(cushion) 역할을 하였는데, 그는 다소 걱정스러운 마음이 들었다, '만약 이 나무 계단이 부서져 버린다면 어떻게 하지? 설마 그럴 수 있을까? 그냥 불안에 대한 집착이 잠시 생겼을 뿐이야. 지금까지 이곳을 방문한 뚱보가 얼마나 많았겠어? 생각해 봐, 연.' 그렇게 스스로를 안심시키면서도 그는 생각과는 다르게 계단을 조심해서 올라가고 있었다. 마침내 괴테의 서재와 작업실이 눈에 들어왔다. 난생처음 보는 [ccvii]입식 책상(立式冊床)이 있는데, 말 그대로 서서 읽고 쓰는 용도다. 연은 괴테가 아마 그만의 작은 책상인 대븐포트(davenport)를 어딘가에서 사용하지 않았을까 생각했지만, 그의 집 어디에도 그것을 찾아볼 수 없었다. 그의 글씨는 흘림체였는데 신기하게도 곧바른 느낌이 든다. 또한 그의 글 줄 간격이 일정함은 물론 매우 정확히 평행을 이루어서 연은 순간 그걸 인쇄체로 착각했다. 손으로 직접 쓴 글임을 상기하니, 필적(筆跡)이 어찌 저렇게 정연(整然)하며 정확할 수 있을까 하고 감탄이 절로 나왔다.

나가는 길에 연은 잘 왔다는 흥분을 누그러뜨리지 못하고 입구에 있는 기념 그림엽서 여러 장을 즉흥적으로 구매했다. 저녁 시간에 그가 일행에게 괴테의 집이 어땠냐고 물으니, 그들은 자신의 취향이 아니라며 관심 없는 듯 대답했다. 연이 괴테의 글씨에 대해 이러니저러니 감상평을 하자, 그들은 냉담하게 듣더니 그처럼 괴테의 집에서 뭔가 특별함을 못 느꼈다고 대꾸한 후 화제(話題)를 바꾸어 버렸다. 그러자 그는 어색해진 분위기에 곧바로 자리를 떴다.

〈사슬에 옭아매진 좀비〉

연이 독일에서 동포들 생활에 빨려 들어간 뒤 그의 삶은, 정신적인 점을 제외하면 물질적으로는 풍족해졌다. 하지만 오히려 그게 상당한 시간 동안 그를 옭아맸다. 그의 여정은 끝이 아니라 이제 막 시작인데.

매일매일, 살과 지방의 층이 줄무늬를 이룬 돼지 뱃살과 독일 맥주가 제공되었고, 저녁 시간은 그들의 경험담으로 인해 언제 지나갔는지 모를 정도였다. 연의 이야기 차례가 되자, 그는 신이 나서 모험 이야기-보따리를 풀어 놓았다, "고텐버그에서 남녀가 키스하는데 한 편의 동화 속 왕자님과 공주님처럼 생겼어. 남자는 타는 듯한 붉은 머리였고, 여성은 금발의 백옥 같은 피부를 가진 미녀였는데 흐르는 강물 옆에서 키스를 나누는 장면이 한 폭의 그림이었지." 그의 이야기는 말 그대로 실타래가 풀리듯 끊이질 않았다, "있잖아, 스웨덴에서는 개도 똥을 안 싸!" 그의 이야기를 듣던 [ccviii]"동포녀" 중 한 명이 웃으며 대꾸한다, "개 주인이 똥 치우는 현장을 네가 못 봤겠지." – "저기, 나도 사실 굉장한 한때를 보냈지. 맞춰봐!" 잠시 뜸을 들인 후 연은 하던 말을 이어갔다, "바로 내가 아름다운 18살 소녀들과 키스했다는 사실! 그리고 마지막에 한 여성으로 말하면, 난 우리가 운명적인 공명(共鳴)이랄까, 찌릿한 전기가 통하는 정신적 전파를 공유함을 느꼈어. 알잖아, 그거. 강렬한 동물적 끌림 있잖아." 그러자 처자들은 다 같이 외쳤다, "네 꿈에서 그랬겠지!" 그들은 그의 있을 법하지 않은 이야기를 독백하는 코미디 정도로 간주해 버렸다. 이에 연은 발끈하기는커녕 공감하는 듯한 표정을 짓는다, "그래, 직접 겪지 않았다면 나 자신조차 그 비현실적인 경험이 모두 술에 전 폐인(廢人)의 망상(妄想)이라고 치부(置簿)해 버렸겠지." 그가 헬싱보리의 아시아인과 말뫼의 대머리 동성애자 이야기를 할 때는 아까 그를 비웃었던 여성들이 그의 이야기가 진실임을 믿는 듯 몰입해 듣고 있었다. 심지어 한 여성은 연이 그 대머리 스웨덴 동성애자를 따라가지 않았음이 마땅하다고 끼어들며 그가 올바른 행동을 했다고 두둔까지 했다. 연은 스웨덴 모험담을 이야기하면서 동포의 도움을 구하기가 하늘의 별 따기였던 스웨덴 생활에서의 즉석식을 떠올리고는 현재 영양분(營養分) 많은 건강음식에, 특히 그의 민족 전통 음식에 새삼스럽게 그 가치를 느끼며 감사하였다. 그러나 시간이 지나면서 연은 무언가 잘못되었음을 직감했고 그들의 보호 속에서 오히려 무력해졌다.

그동안 수많은 여행객과 유학생이 그 여관에 묵었는데 그들 중에 한 여행객이 연에게 충고(忠告)했다. "이봐, 여기서 발버둥이치지 말고 호주로 가 봐. 거기서 관광 및 취업 비자인 워킹 홀리데이 비자(Working Holiday visa)를 얻을 수 있어." – "워킹 홀리데이라고? 흥! [ccix] 데알지 마! 너야말로 오스트레일리아(Australia)로 가면 어때? 만약 내가 거기 가면, 난 그곳에서 살아남기 위해 호주 원주민(Aborigine)이 되겠어. 교포 노예가 되어 이용당하느니 차라리 그게 확실하거든!" "그렇게 나한테 펄펄 뛰며 화내지 마. 내 말을 [ccx]에누리해서 받아들일 수는 없어?" – "쳇! 늙은이나 젊은이나..." 높아지는 언성을 듣고 들어온 여관 주인아저씨가 언쟁 중간에 중재(仲裁)했다. "그만해! 둘 다."

어느 하루, 연은 딴생각을 하다가 길을 잘못 들어 우연히 나치(Nazi) 문장이 입구에 새겨진 4층 건물을 발견했다. "설마! 이 시대에 무슨 나치야?" 연은 고개를 절레절레 흔들었다. 제2차 세계 대전 이후 독일은 세계 대전의 전쟁 주범으로 자성적 태도를 줄곧 견지했고, 나치 잔재(殘滓)를 뿌리 뽑는 데 앞장서 모범(模範)을 보였기 때문에 그가 믿지 않음은 당연했다. 문이 약간 열려 있어 들어가 보니 1층은 가게였고, 2층부터 사무실이나 개인 주거지로 쓰는 듯 보였다. 4층에 올라간 그는 다시 한번 긴장했다. 나치 [ccxi]스와스티카(swastika)가 그곳 문 중앙에도 크게 새겨져 있었기 때문이다. 숨죽여 귀를 기울여 보니 안에서 독일어로 찬양하는 투의 이상한 소리가 들렸다. 가슴이 터질 듯 두근거리는데도 그는 문고리를 한 손으로 잡았다. 하지만 아무리 호기심이 왕성한 연이라도 문을 열 용기는 없었다.

살짝 두려워진 연은 그곳이 영화 촬영장이라고 스스로 최면을 걸며 발길을 돌렸다. 무슨 연유(緣由)에서인지 모르나 그 건물은 나중에 폭탄으로 강제 철거되었다.

〈뱀파이어〉

독일의 담배는 확실히 질이 좋았고, 연은 그곳에서 한 가지 특이한 취향을 갖게 되었다. 바로 파이프(pipe) 담배를 태우는 일이다. 어느 날 연은 여느 때처럼 [ccxii]곰방대에 담배를 눌러 담아 2층에서 3층으로 올라가는 바깥 복도 계단에서 불을 붙이고 있었다. 그 순간 위층에서 짙은 갈색 피부의 남성이 그가 있는 쪽으로 내려왔다, "죄송합니다만 파이프 한 모금 해도 될까요?" – "안 될 게 뭐 있겠습니까?" 연은 선뜻 곰방대를 그에게 건넸다, "그나저나 형씨는 어디 출신이오?" – "전 헝가리(Hungary) 부다페스트(Budapest) 출생입니다. 가족을 먹여 살리려고 이곳으로 이주해 왔는데 이런 부유한 나라에서조차 그날 벌어 그날 먹고 살기 빠듯할 정도네요, 휴!" "뜬금없는 말이지만, 형씨, 아마도 그건 드라큘라(Dracula) 백작(伯爵)이 당신의 고혈(膏血)을 다 빨아먹어서 그런 듯하오. 유럽 연합은 한번 하나로서 기능하기 시작하면 훌륭해지겠지만 아직은 아니오." – "드라큘라 백작이라뇨? 지금 도대체 무슨 말을 하는지 하나도 모르겠어요." 연은 씨익 웃었다, "하하, 농담입니다." 얼빠진 표정으로 바라보는 헝가리인을 뒤로하고 그는 숙소인 아래층으로 내려갔다.

다가오는 비자 기간 만료의 압박을 느끼며 합법적 체류(滯留) 방법을 알아보던 연은 지정 교육 기관 중 한 곳에 그가 교육 과정을 등록하는 한 그의 체류를 합법적으로 해 줄 수 있다는 말을 들었다. 바꿔 말하면, 그가 학생인 한 비자가 연장된다는 얘기다. 연은 고등학교(高等學校) 때 전교에서 독일어 만점을 맞은 유일한 학생이었고, 자신감에 차서 어학당에 등록하기 위해 여직원을 만났지만, 그녀가 그의 언어 능력을 시험해 봤을 때 결과는 처참했다. "Wie heißen sie?"라고 물었는데, 답변은커녕 무슨 뜻인지조차 갑자기 기억이 안 난다. 그는 ccxiii 움라우트(umlaut) 테스트(test) 직전까지 머뭇거리며 앉아 있었다. 그러자 그녀는 바로 그를 독일어 초급자 코스(course)로 배정(配定)했다. 아무리 좋게 보아도 그의 독일어는 정말 실망스러울 정도였다. 언어에 능한 연은 자존심이 상해 자신의 조악한 독일어 실력을 스스로 책망(責望)했다. 바깥으로 나와 그는 네덜란드에 거주한다는 장년 동포에게 물었다, "저, 형! '비 하이센 지'가 무슨 뜻이죠? 까먹었어요." 그러자 그는 답답하다는 듯이 대답했다, "야, 이 돌대가리야! 그건 네 이름이 뭐냐고 묻는 말이잖아!" 연은 한숨을 쉬었다, "내 독일어 실력은 약간 녹슨 정도조차 아니었어. 그냥 썩어 문드러졌어!" 그렇다. 그의 독일어는 녹슬었다기보다는 아예 다 까먹은 수준이다. 그 사실은 그에게 매우 큰 충격으로 다가왔다. 이에 장년 동포는 연을 위로(慰勞)했다, "누가 뭐라고 하든 신경 쓰지 마. 그나저나 난 도대체 감을 잡을 수가 없어. 왜 너같이 신이 선택한 엘리트(elite)가 방랑자(放浪者)로 배회하고 있는 거야, 터무니없는 괴물아!" 하지만 연에겐 그런 말이 위로되기는커녕 귀에 들리지도 않았다. 네덜란드 교포는 낙심하다 못해 우울해 있는 연에게 한 가지 제안했다, "우리 기분 전환 겸 나룻배 탈래? 돈은 내가 내지!"

그들은 마인강으로 향했다. 강배가 강가에 정박해 있는데 운 좋게 탑승 마감 5분 전이다. 갑판(甲板) 위 의자에 앉아서 가는 짧은 [ccxiv]회유(回遊)임에도 태어나서 처음 배를 타 본 연은 자릿해졌다. 닻을 감아올리며 배가 출발한다. 상당한 시간 동안 토하거나 구역(嘔逆)이 나는 증상(症狀)이 없음으로 보아 그가 뱃멀미랑 전혀 무관하다는 사실에는 의심의 여지가 없는 듯하다.

한 시간도 채 안 되어 강배는 진로를 반대로 급선회했다. 연은 못내 아쉬워했지만, 이는 더 큰 항해를 위한 준비에 불과했다.

〈귀족 독일 유학생〉

아침에 맨 먼저 할 일로 연은 외국인청을 향해 먼 거리를 걸어가고 있었다. 그곳은 열기 전부터 기다리는 수많은 사람이 줄을 이루어 모퉁이까지 휘감고 있을 정도였다. 딱 봐도 몇 시간은 기본이다. 그는 그렇게 오래 기다리기는 싫었지만 다시 생각했다, "이봐, 이건 모두가 다 힘든 일이야!"

연은 오랜 기다림 끝에 마침내 지정된 창구(窓口)로 향했다.

담당 공무원은 그에게, 학생 비자를 원하면 한 달에 700유로 혹은 일 년에 최소한 8,000유로가 통장 잔고(通帳殘高)로 필요하다고 말했다. “한 번에 700이 아니라 매달 700유로라고요?!” 연은 당혹하였고 풀이 죽은 채 숙소로 향했다.

무거운 발걸음을 옮기며 터벅터벅 돌아오는 길에 곱씹어 보니, 학생들이 공부하며 생활할 수 있는 최저 금액과 최대 금액을 뭉뚱그려 취급한 듯했다. 명목상 학생을 노동 착취로부터 보호하고 학업에 집중하게 하기 위함이라고 하지만 사실 그렇지도 않다. 부자 학생은 당장 돈이 떨어져도 자신이 원하는 대로 갖가지 방법을 동원해 융통(融通)이 가능한 데 반하여, 가난한 학생은 유학 시절 초기부터 기준 금액보다 더 적은 돈을 가지고 생활할 권리가 없다. 따로 분류해야 하는데 같이 평균을 내 버렸기 때문이다. 이는 용돈벌이할 필요가 없을 정도로 넉넉한 독일의 유학생들이 며칠쯤 사치해도 지장(支障)이 없는 제도이다. “칫! 매달 700유로 미만으로 근근이 살아가는 보통 학생들은 필요 없다는 뜻이잖아? 제한 저축 예금(Stinted Sparkonto)? 개소리!”

갈수록 일이 복잡하게 꼬이고 그의 미래는 극히 불안정하게 흔들리기 시작했다.

숙소에 돌아온 연은 여관 주인 부부에게 그의 비자 문제에 대해 도움을 요청했으나 그들은 주저했다. 잠시 후 남편 여관 주인이 다시 생각해 보라고 조언했다, “난 네가 뭣 때문에 우리 조국을 피하는지 모르겠지만, 단지 도피(逃避)할 목적이라면, 넌 결국 직접 맞서야만 한다.”

여관방으로 돌아온 연은 대학 교수(教授) 직업을 준비하는 네덜란드 동포에게 조언을 구했다. “형, 내가 비자 문제 없이 유럽에서 살 수 있는 방법이 없을까? 난 놀려고 돌아다니는 사람이 아니야.” 그러자 그는 연에게 먹으라고 와플(waffle) 한 조각을 건네주며 살짝 귀띔해 주었다. “내가 잘 아는 친구가 아일랜드 더블린(Dublin)에서 맥줏집을 경영(經營)하고 있는데 부자가 되었지. 거기서 네가 만약 학생이 된다면, 관광객으로 왔더라도 매년 1,000유로의 통장 잔고로 비자를 무한 연장할 수 있어. 학교는 계속 바꾸면 되니까 약간의 운이라도 따라 주면, 아일랜드에 정착도 가능해. 머리 쥐어짜며 고민할 필요도 없다고.” – “한숨 자고 생각해 볼게, 형.” 그러고는 침대에 누워 곰곰이 생각한다. ‘음, 그 친구라는 사람 얘기는 모르겠지만, 나머지는 믿을 만하단 말이지.’

그날 저녁 연은 그의 조언을 참작(參酌)해, 아일랜드를 급히 다녀오기 위해 인터넷으로 더블린행(行) 항공권을 예약했다.

〈독일의 스웨덴 공주〉

간밤에 잠을 설친 연이었지만 다행히 늦잠 자지 않았고, 아침에 제일 먼저 부랴부랴 배낭부터 챙겨 비행기 출발 3시간 전에 여관을 나섰다. 기다리는 시간까지 셈에 넣으면, 교통 지연(遲延)은 별도로 쳐도, 만일에 대비해 적어도 약 2시간 전에 공항에 도착해야 함은 상식이다. 그러나 그가 처음 프랑크푸르트에 도착했을 때 멀지 않은 곳에 큰 공항이 있다는 정보를 겉핥기식으로 대충 안 게 실수로, 생각지 않은 함정이 되어 버렸다. "하하! 끽해야 반시간이네." 연은 틀린 추측을 했다. 프랑크푸르트 명칭이 붙은 공항은 총 2개 있었다. 하나는 주로 일반 항공기용으로 도시 내에 있고, 나머지 하나는 사실상 라이언에어(Ryanair)를 위한 공항으로 프랑크푸르트 외곽 근처에조차 있지 않다. 오! 맙소사! 그는 곤경에 빠졌다.

프랑크푸르트는 괴테가 출생한 도시임은 말할 필요도 없고 유럽 중앙은행이 있다. 그리고 한 가지 더 있는데 그건 바로 행정구역상 대도시라는 사실이다.

연은 프랑크푸르트 기차역에 도착해 인근에 있는 공항버스 정거장을 찾았다. 유로라인즈(Eurolines) 여행사가 역 오른쪽에 도보로 5분 거리에 있다. 아침 일찍이라 그런지 기다리는 승객이 거의 없었다. 그는 경비원에게 물어 정류장이 맞는지 확인하고 그곳으로 향했다.

가는 길에 그는 우연히, 범접(犯接)할 수 없는 고귀한 분위기를 풍기는 한 여성을 만났다. 완벽한 그녀의 우아(優雅)한 자태(姿態)는 숨쉬기를 잠시 잊어버리게 할 정도였다. 30대 초반의 그녀는 스웨덴 미녀의 본보기라고 할 수 있을 정도로 아름다웠다.

연이 그녀에게 다가가 물었다, "실례합니다, 아가씨, 라이언에어가 어디 공항으로 드나드는지 알려 주실 수 있습니까?" 그러자 그녀는 무슨 연유에서인지 다소 무뚝뚝하게 돌변했다, "저쪽 사람들에게 물어보세요." 그녀의 눈은 역 오른쪽 밖에서 대기하며 쉬고 있는 버스 운전사들을 가리키고 있었다. 연은 순간 더 이상 할 말을 잃었고 그냥 그녀에게 고맙다고 인사할 수밖에 없었다. 사실 그녀는 평범한 여성이 아니라 스웨덴 왕가의 혈통이었다. 그는 그녀를 보며 갑자기 스웨덴에 있는 엠마가 떠올라 괴로웠다. 왕녀는 수수하게 검은 가죽 "덧웃옷"에 청바지를 입고 있었다. 도저히 유행이나 패션의 결정판으로 보이지 않는 그 옷차림은 전형적인 스웨덴 스타일 중 하나였다.

〈거대한 괴물 도시〉

연은 공항 왕복 버스 안에서 안도했다, "휴, 간발(間髮)의 차였어." 모든 일이 뜻대로 순조(順調)롭게 진행되는 듯 보였다. 그러나 큰 공항을 지나쳐 한 시간이 훨씬 넘도록 버스가 멈추지 않고 외곽으로 달리지 않는가! 연은 초조해져 안절부절못했다. 이런 페이스(pace)라면, 목적지까지 반시간 전에 도착하지 못할 듯 보였다. 그의 항공기 이륙(離陸) 시간은 아침 열 시고, 지금 이미 오전 아홉 시 반이다. "망했다!" 거기까지 시간이 약간 모자라다. 연의 심장 박동은 급격히 빨라졌다.

약 2시간을 쉬지 않고 달린 후 버스가 아슬아슬하게 프랑크푸르트-한 공항(Frankfurt-Hahn Airport)에 도착했다. 시간이 촉박하다; 오전 9:40. 목적지에서 하차하자마자 그는 흡사 나는 듯 달렸다. 연이 예약한 표를 보여 주며 접수대에 있는 탑승 수속 담당 직원에게 탑승권을 달라고 요청하자, 여직원은 고개를 가로 저었다, "당신이 [ccxv]'움직이는 보도' 위에서 청소부의 '자동 수레'를 타고 간다고 해도 이미 늦었어요." 애석하다! 가까스로 이륙 10분 전에 도착했는데! 이런 식으로 비행기를 놓침은 분통(憤痛) 터지는 일이다. 특히 그의 어리석음 때문이라면 말할 필요도 없다. "허둥거리지 마!"라고 되뇌며 애써 침착하려 했지만 이미 비행기는 떠났고, 그는 어찌할 바를 모르게 되었다.

연이 여직원에게 부분 환급을 받을 수 있냐고 묻자, 그녀는 비행기 이륙 전에 취소조차 하지 않았기 때문에 안 된다고 했다. 그는 어쩔 수 없이 100유로를 내고 다음 비행기 탑승권을 발행받았다. 할인은 없었고, 같은 도착지도 아니었다.

그의 계획은 틀어져 더블린이 아닌 케리(Kerry)로 비행해야 했고 추가로 프린트하는 데 20유로까지 냈다. 순식간에 120유로가 날아가 짜증이 나는 한편 연은 이런 웃지 못할 사건을 만든 프랑크푸르트에 놀랐다.

사실 프랑크푸르트 자체가 대도시로서 그렇게 크진 않다. 그런데 [ccxvi]HHN 공항은 위치한 곳이 프랑크푸르트 외곽은 물론 근처 도시도 아니고, 심지어 같은 주(州)도 아닌 다른 주였다. 이는 프랑크푸르트-한 공항이라는 이름 때문에 빚어진 [ccxvii]해프닝(happening)이었다. 지도를 단 한 번이라도 봤다면 이런 일은 없었다. 그가 자기 모국에서처럼 별다른 숙려(熟慮) 없이 한 일이 화근이 될 줄이야!

연은 2유로짜리 레드 불(Red Bull)을 마시며 약 1시간 남짓을 헛되이 보내야 했다. 탑승구에서 독일 공항 출입국 관리 직원에게 그가 며칠 동안 순회 좀 한다고 하자 [ccxviii]관공리(官公吏)는 무사히 돌아오길 바란다고 덕담하였고 이에 그는 고개를 끄덕였다. 탑승을 기다리는 동안, 연이 낯이 익은 누군가를 발견한다, "어라? 쟤는 다름 아닌 바로 에이던이잖아?!" 그에게 가까이 다가가 자세히 보니 에이던이 아니었다. 하지만 그가 아일랜드 사람임을 믿어 의심치 않은 연은 그에게 아일랜드에서 왔냐고 직접 물어봤다. 아일랜드 청년은 그렇다고 하면서 연에게 더블린으로 가려면, [ccxix]여하(如何)한 일이 있어도 절대로 버스를 타지 말고 기차를 이용하라고 친절히 충고했다. 그러면서, 그렇지 않으면 덜컹거리는 오랜 여행으로, 도착하기도 전에 벌써 녹초가 되어 버린다고 덧붙여 말했다. 연은 그에게 엷은 미소를 지으며 고맙다고 했다.

2시간 뒤에야 결국 그는 라이언에어를 타게 되었다. 비행기 안에서 연은 가벼운 식사라고 부르기엔 너무 간소한 구운 과자(菓子)와 음료를 유료로 제공받았다. 높이 뜬 비행기 안, 창가 자리에 앉은 연이 시선을 창밖으로 던지자 드넓은 초원의 풍경이 끝없이 눈앞에 펼쳐졌다. 네모반듯한 밭, 평평한 들판과 건물이 조화롭게 배치되어 있었다.

'우리 사이비(似而非) 예술 국가는 어떻지?' 키다리 나무가 들어와 이미 자리 잡아 살고 있는 난쟁이 식물의 햇빛을 가로막는다. 그리고 난쟁이는 진압당해 사라진다. 독일 건물에 비해 고국의 건축물은 빛 좋은 개살구로, 화려하다기보다 번지르르하고 비속(卑俗)하게 느껴졌다.

<양면국(兩面國)>

나 국가 워렌 부패해 휑뎅그렁하게 불모지
나 갈까 산토끼는 집토끼 소굴에서 못 살지
빗들어진 워렌 자는 토끼 다 깨워 버리네
비뚤어진 워리언 죽이는 동물 보호구역이라네

연이 탄 라이언에어는 다소 흔들리며 덜컹거리는 비행을 했다. 프랑크푸르트로부터 아일랜드 케리까지 가는 도중에 발생한 수직 기류 때문이다. 물론 결정적인 이유는 타 항공사에 비해 비행기 자체가 매우 작고 가벼워서다. 옆에서 보조익(補助翼)이 접혀 내려가고 다른 한쪽에서는 위로 펼쳐지며, 비행기는 경사 선회(傾斜旋回)해 활주로에 착륙할 최적의 위치를 찾기 시작한다. 하강하는 동안, 급강하가 아닌데도 늘 그렇듯 기압 차로 그의 귀가 쿡쿡 쑤신다.

항공기가 케리 공항에 성공적으로 착지하니 유명한 일화가 재연되었다. 탑승객들이 무사히 라이언에어에서 내리고 한 승객이 외친다, "무사 착륙을 기념하여 만세 삼창합시다!" 그러자 나머지

승객들이 폐가 떨어져 나갈 정도로 목청껏 소리쳤다, "만, 만, 만세!"

기체가 좌우, 앞뒤, 위아래의 흔들림을 완벽히 방지하기엔 매우 작고 가벼워 타는 내내 불안했던 사람들에게, 일시적으로 시작한 그 [ccxx]축전(祝典)이 이후 대유행이 되었다. 일단 타 보면 사람들이 그걸 왜 [ccxxi]"비틀 비행기"라고 부르는지 이해할 수 있다. 그래도 사고가 안 나는 게 희한하다. 아마 [ccxxii]그렘린(gremlin)은 아일랜드 레프러콘(leprechaun)을 이기지 못하나 보다.

***

제6장 아일랜드

〈우회〉

아일랜드 캐리주, 파란포(Farranfore)에 자리 잡은 케리 공항에서 연이 질문에 답변 중이다, "난 여기 학교 때문에 왔고 내일 떠날 예정입니다." – "왜 그렇게 짧게 머물러요?" 바로 떠난다는 그의 말에 아일랜드 입국 심사대 직원이 오히려 당황해, 영어에 능통한 연조차 전부 알아듣지 못할 정도의 독특한 아일랜드 악센트(accent)로 빨리 말했다.

"제발, 천천히 그리고 정확하게 말씀해 주세요." 연의 말에 그 남성 아일랜드 관공리는 품 안에서 쪽지를 꺼내더니 무언가를 메모(memo)하여 연에게 건넨다, "거기 가 보세요, 당신에게 확실히 도움이 될 겁니다." 연은 그의 친절함에 감사하였고 미소를 지으며 심사대를 통과하였다. 그가 준 메모에는 “가르다 이민국(Garda National Immigration Bureau)”이라고 적혀 있었다. 연은 자판기(自販機)에서 2유로짜리 탄산음료를 마시며 심호흡(深呼吸)하였다.

적적(寂寂)한 공간이 눈에 확 들어온다. 공항의 측면에는 간이식당인 스낵-바(snack bar)가 있는데 점심시간임에도 사람들이 드문드문해 한산했다. 가는 경로인 코크(Cork)시 근처 블라니(Blarney)에 중세 시대 성인 블라니성(Blarney Castle)이 있어 연은 문득 한 번 들러 볼까 하는 생각이 들었으나 곧 마음을 다잡았다, “여기에 관광하러 오지 않았잖아. 굳이 지금 그곳에 갈 필요는 없어. 내가 이곳에서 살아남는다면 앞으로 갈 기회는 많아.” 더구나 연은 많은 사람들이 소변본 듯한 자리에 오줌 받아 먹는 자세로 키스하고 싶지는 않았다. 뭐, 여유가 된다면 용기 내 볼 수는 있겠지만 당시 그에게는 엉덩이에 키스하는 짓만큼 거부감이 들었다. [ccxxiii] “나불나불 돌(Blarney Stone)”이란, 그 글자 그대로 그 돌에 키스하면 그 사람은 알랑방귀를 잘 뀌게 된다. 그러나 연이 원한 능력은 정확한 듣기지, 아첨이 아니었다. 만일 이 세상에 전 세계 모든 언어를 들을 수 있게 해 주는 “바빌론 스톤(Babylon Stone)”이란 돌이 있다면 어떻게 되든 무작정 가 보았을 터이다. 그런 생각을 하며, 그는 버스 정거장으로 갔다.

공항 건물 밖에는 에어런-버스(Bus Eireann) 정류소가 있는

데 그곳 벤치에 헝클어진 머리를 한 10대 후반의 소녀가 꾀죄죄한 옷을 입은 채 앉아 있었다.

"안녕!" – "안녕!" "너 아일랜드 사람이야?" 소녀는 표정의 변화 없이 대답했다. "응."

– "사실 난 일거리를 찾아 여기에 살려고 왔어."

"몇 가지 알려 줄게. 네가 유럽에서 직업을 찾는다면 첫째로 CV를 작성해야 하고, 둘째, 구직하려면 넌 진지하게 집집마다 돌아다녀야 해." – "CV? CV가 뭔데?" "태어나서 지금까지 교육 등 이수(履修)한 과정이야." – "아! 알겠어. 이력을 말하는구나? 이력서!" 아일랜드 소녀는 손뼉을 마주쳤다. "바로 그거야!" 보통 북미에서 사람들은 그걸 'résumé'라고 부르고, 반면에 영국을 포함한 유럽에서는 'curriculum vitae', 줄여서 'C.V.'라고 한다.

그녀와 대화를 나누는 사이 버스가 공항에 진입했고 그들은 함께 탑승했다. 에어런버스의 로고는 붉은 아이리시 세터(Irish setter)인데, 아일랜드 토종 사냥개다. 버스 좌석 3분의 2가 공석임에도 연은 그녀와 대화를 좀 더 계속할 작정이다. "옆에 앉아도 되니?" 그녀는 잠시 주저했지만 이내 동의했다. "응, 맘대로!"

연은 시간이 허락하는 한 그녀에게 아일랜드에 대해 좀 더 물어보려 했다. 그러나 막상 그녀 옆에 앉으니, 그의 계획이 명확히 결정되지 않은 상태라 특별히 물어볼 거리가 마땅치 않았다. 게다가 그녀의 누추한 옷차림, 꾀죄죄한 외모와 공허한 표정에서 아일랜드 특유의 인고(忍苦)가 풍겼고, 그건 그의 아일랜드에 대한 궁금증을 [ccxxiv]일소(一掃)하기에 충분했다.

한산한 버스는 침묵 속에 더블린으로 달리고 있다. 첫 중간역에서 아일랜드 소녀가 내리더니 떠나 버렸다. 터미널(terminal) 화장실로 향하는 중에 연은 때가 묻어 더러워진 얼굴을 한 청소년들이 근처를 배회하고 있는 모습을 보았다. '참으로 단정치 못하고 초라해 보이는구나!' 연은 그들이 딱해 보였다. 그는 그들에게서 자신을 떠올렸는지도 모른다.

연이 다시 탑승했을 즈음에 그는 버스에 남은 유일한 사람이 되었다. 그때 버스 운전수(運轉手)가 뒤를 돌아보더니 부잣집 도련님처럼 차려입은 연에게 익살을 부리며 농담하기 시작했다, "여보쇼, 부자 양반! 더블린까지 버스로 가다니 미쳤소? 버스 대신 헬리콥터(helicopter)를 타고 갔어야죠, 젊은 도련님?" – "난 지금 귀족이 아니고 겸허(謙虛)해지려고 노력 중입니다. 그거 알아요? 서민들의 생활 속에 몸을 담갔을 때 어떨지 몸소 체험(體驗)하고 싶은 기분요." 그의 재치 있는 대답에 버스 운전사는 크게 웃었다.

두 시간여 뒤에 휴게소에서 연은 양아욱(marshmallow) 뿌리 과자를 얹은 뜨거운 코코아(cocoa)인 핫 초콜릿 음료 한 잔과 커피를 주문했다. 가게 주인인 폴란드(Poland) 부부는 즉석-커피를 만들 듯이 커피 가루를 종이잔에 쏟은 후 뜨거운 물을 붓고 몇 번 휘휘 젓더니 2.3유로짜리 핫 초콜릿과 함께 그에게 건넨다. 커피는 버스 운전사를 위한 것인데 1.8유로로 할인해 주었다. 연은 버스에 올라타 운전사에게 커피를 주고 자리에 앉았다. 버스 라디오에서는 영어로 이민자에 대해 토론하고 있었다. 영어에 능통한 연이 자세히 들어보니 폴란드 이민자가 다른 나라의 이민자 수를 넘어섰다는 내용이었다.

별로 생활에 쾌적해 보이지 않는 풀죽은 광야와 목초지(牧草地)를 지나니 시골 마을이 모습을 드러냈다. 잠시 멍하니 시간 가는 줄 모르는 사이, 멀리 한 도시가 지평선에 드러났고, 근접하니 사람들로 바글바글했다. 더블린이다!

연은 더블린 한복판에서 하차했는데 이리저리 홍수(洪水)처럼 왔다 갔다 하는 인파가 마치 그의 고국 수도 같았다. 다만 고국의 수도가 근대와 단절된 현대라면, 더블린은 중세의 향수(鄕愁)가 고스란히 전달되는 근대적인 느낌이다. 긴 여행으로 공복 상태인 연이 큰 거리 근처에 나란히 있는 두 요리점의 가격표를 보며 더 싼 곳으로 들어가려는데, 그 옆에 있는 맥도날드가 눈에 띄었다. 몇 번 망설이다가 연은 얼굴을 찡그리며 즉석 음식점 문을 밀어 열었다.

사람이 풍요로운 삶을 영위(營爲)할 수 있는 원인은 자본주의가 아니라 과학이며, 이는 민주주의에 중추적인 역할을 해 왔다. 그런데 중산층으로서 누구 못지않게 사는 천재들은 요즘 시대에 점점 사라져 가고 반면에 자본주의는 세계를 점령했다. 미국 맥도날드의 창립자는 창조주도 천재도 아닌 그저 노예(奴隸) 노동자를 잘 길들이는 조련사(調鍊師)다. 규모의 경제는 그들을 부유하게 하고 제로-섬 게임(zero-sum game)에서 승자가 되었는데 그건 인류의 발전, 진화와는 거리가 먼, 번거로운 사업 관리일 뿐이었다. [ccxxv]전주(錢主)인 [ccxxvi]재정가(財政家)에 의해 빛 좋은 개살구인 정크푸드 산업이 기승(氣勝)을 부릴수록 빈부격차는 진화 없이 더 벌어지기만 했다. 이를 알고 있기에 연은 기분이 나빠졌다. 그렇지만 그가 어떻게 저항할 수 있으랴? 어쨌든 그도 배가 고플 때, 때때로 제일 우선순위인 열량 높은 음식으로 일단 위장을 채워 달래야 했다. 도저히 [ccxxvii]자양물(滋養物)이라고 할 수 없는 고열량 쓰레기 음식이지만 당장 그의 배고픔을 달래주고 그를 며칠 더 버티게 해 줄 수 있다는 사실은 부정할 수 없었다.

가게에 들어서자, 입구 옆에는 경비원이 서 있는데, 판매대 앞에 줄 서 있는 사람들을 지켜보고 있다. 연의 차례가 돌아오자, 그는 6.7유로짜리 빅맥을 주문했다. 간단히 식사를 해결하고 나가는 길에 경비원의 눈빛은 그가 처음 들어왔을 때와는 사뭇 다르게 부드럽게 바뀌었고 태도는 공손해졌다. 연이 그에게 지도를 보여 주며 가장 가까운 "청소년 여관"의 위치를 묻자, 그는 친절하게 설명해 준다, "우리는 지금 여기 있어요. 스파이어(Spire) 알아요?" – "아뇨," 연이 고개를 가로저었다. "공식적으로 [ccxxviii]'빛의 기념비(Monument of Light)'라 불리는 '더블린 첨탑(尖塔)'은 더블린의 이정표예요. 알겠어요? 모든 위치의 좌표는 여기를 기준으로 시작되고 이곳이 우리 현재 위치입니다." 그는 연을 밖으로 데리고 나가, 눈에 확 띄는 약 120미터 높이의 뾰족한 첨탑을 손가락으로 가리키며 그것이 더블린의 첨탑이라고 얘기했다.

경비원이 직접 그려준 지도를 손에 들고 얼마 걷지 않아 연은 말버러(Marlborough)라는 "청소년 숙박소"에 도착했다. 그곳에서 그가 유스호스텔 협회 회원 카드를 보여줬는데도 직원은 하룻밤에 15유로를 요구했다.

⟨시험⟩

숙소를 잡고 연은 근처 맥줏집에서 1파인트(pint)에 4.8유로 하는 에일-맥주를 한잔하며 갈증을 누그러뜨리고 있다. 선술집 안은 사람이 거의 없어 조용했다. 맥주잔을 기울이며 그는 하루 더 묵어 아일랜드를 관찰하기로 작정했다. 날이 밝자마자 아침 일찍 연은 지하 식당으로 내려갔다. [ccxxix]시리얼(cereal), 빵, 우유, 오렌지 주스(orange juice)가 아침의 전부다. 조악한 식사였지만 어쨌든 주린 배를 채워 넣어야 했다.

더블린 첨탑 근처에 있는 한 가게에서 무료 샘플(sample) 지도를 가지고 나온 연은 그의 동포가 말한 대로 어학원에 등록할 준비에 착수했다.

그날은 유달리 분주했는지 시간이 총알처럼 지나가 벌써 점심때다. 버거킹-점에서 8.25유로를 주고 제일 큰 햄버거를 먹고 있는데도 그의 공복을 채우기엔 턱없이 부족했다. "뭐 이런 난쟁이 음식이 다 있담?! 망할 미국은 난쟁이 피그미족(Pygmy)이라도 대거 이주했나? 너무 조금이라서 먹은 느낌이 들지 않아 아직도 ccxxx헛헛하네.” 그 즉석-음식으로 말하면, 버거킹이 대식가를 위해 야심 차게 출시(出市)한 “대빵(Whopper)” 버거다. 창가 바로 옆에서 무료 지역 신문을 탁자에 펼친 채, 연은 창문 바깥과 신문에 번갈아 시선을 던지며 바야흐로 빠르게 점심을 해결하는 중이다. 그 신문은 제1면의 표제로 다음과 같이 대서특필했다, “XXX 독감 발병! 독감철(flu season)이 시작되었다! 주의! 범유행성 XXX 독감 전염성 매우 강함!” 신문의 나머지는 그냥 평범하고 일상적인 이야기로 구성되어 있었다. “어쨌거나 이 마구 퍼지는 질병에 대한 예방 접종인 백신(vaccine)은 있나? XXX 독감이라고? 새로운 변종 독감인가? 그런 용어는 전에 들어 본 적 없어.”

가벼운 식사를 후다닥 끝낸 연은 학원을 찾아 힘차게 나아갔다. 트리니티 대학(Trinity College)의 왼편에 즐비하게 학원가가 늘어서 있는데 이름만 같은 ‘College’이지 사실상 어학원이다. 그 학원가 가운데 그가 가려는 조그만 사설 어학원이 있다. 트리니티 대학 정문 오른편은 도로 개선을 위한 건설 공사가 한창 진행 중이었다.

연이 어학당에 도착해 등록하고 싶다고 하자 직원은 그에게 일단 시험을 봐야 하며, 그 후 그의 수준에 맞는 수업을 받을 수 있다고 대답했다. 그리고 마침내 영어 시험이 접수대 한쪽 구석에서 시작되었는데 책상용 컴퓨터가 칸막이마다 설치되어 있었다. 준비조차 없이 연은 [ccxxxi] 학도(學徒)들의 능력을 평가하는 영어 시험을 보았고, 그가 시험을 끝내자마자 컴퓨터 채점으로 결과가 바로 나왔다. 사투리나 악센트도 없는 표준 음성 듣기 평가가 그에게 식은 죽(粥) 먹기는 분명한데 결과는 과연?

그의 점수는 만족스러운 수준 이상이었다. 연은 100점 만점에 100점을 획득했고 학원 역사상 1등으로 기록되었다. 심지어 그 시험은 그의 능력을 완전히 끌어내지도 못했다. 직원이 연에게 어떤 과정을 이수할지 물었다, "당신은 현재 이 학원 통틀어 1등인데, 무슨 수업을 들으실래요? 옥스퍼드(Oxford)나 하버드(Harvard) 입학을 위한 수업?" '미국 아이비리그(Ivy league)가 뭔 가치가 있지?' 연은 그렇게 생각했다, '어떤 선택을 하더라도 장학금(奬學金)이 없잖아! 만일 있다 해도 그 돈으로 생계를 꾸릴 수는 없단 말이지.' "추천해 주는 뭐라도." 교직원은 음식점 가서 차림표 보기 귀찮아하는 듯한 그의 대답에 곤혹스러워하며 쩔쩔매다가 더듬더듬 몇 마디 내뱉었다, "다소 어이없어 말문까지 막히는군요. 당신이 진짜로 세계 최고의 대학에 관심이 없다면 우리는 몇 가지 영어 자격증에 관한 교육 과정도 있습니다." – "좋을 대로 해 주세요." 잠시 침묵이 흐르고, 그는 1,000유로가 약간 넘는 학원비를 1,000유로로 깎아서 그 학교에 등록했다.

돌아오는 길에, 연은 갑자기 그의 부모에게 전화하고 싶어졌다. 마지막으로 그들과 통화한 지 꽤 되었고 그것도 스웨덴에 있을 때 한 번, 독일에 있을 때 두 번이 전부다. 연은 오래된 공중전화에 동전을 넣었다. 하나, 둘, 셋, 2유로째다. 그런데도 발신음이 들리지 않았다. 연은 쓴웃음을 지으며 동전 나오는 부위를 그의 주먹으로 쳤다, "쾅!"

그렇게 때린다고 나올 리가 없다. "아!" 연은 독일의 인터넷 전화를 상기하고는 인터넷 카페에 들어가 분당 0.2유로를 내며 그의 부모와 오랜만에 통화했다. 그러고 나서 그는 앞으로 살 더블린 일대를 미리 답사했다.

어둑어둑한 저녁이 되어서야 숙소로 돌아온 연은 주린 배를 저녁 대신 맥주로 채워 넣었다, "4.4유로 [ccxxxii]맥주-통 두 개가 8.25유로 쓰레기 음식보다 낫지!"

근본적으로, 정크푸드가 아무리 영양분이 부족해도 술과 비교함은 설득력이 떨어진다.

〈보이지 않는 암살자〉

땅거미가 지자, 연이 묵는 방에 숙박객이 하나둘 모습을 드러내기 시작했다. 연의 [ccxxxiii]"동숙객(同宿客)"은 한 쌍의 호주 연인과 땅딸막한 크로아티아(Croatia) 처녀다.

키이라 나이틀리(Keira Knightley)를 빼쏜 호주 여성이 샤워 후에 방으로 들어왔다. 그녀는 머리 건조기로 머리를 말리고 있다. 동숙인끼리 서로를 소개하면서 서먹서먹한 어색함은 금세 녹아 버려 마치 어릴 적 단짝처럼 스스럼없게 되었다. "독일에서 난

힘없는 캥거루 새끼였지. 그 이상도 아니었고." - "그래도 연 넌 언어에 능통하잖아." "난, 말할 때 너의 그 [ccxxxiv]원순 모음(圓脣母音)이 네 남자친구가 너에게 키스하고 싶게 만드는 매력이라고 추측해, 아일라(Isla)." - "그런 말을 하다니 너 정말 다정하구나!" "하하, 변태라고 안 불러줘서 고마운걸!"

기분이 좋아진 연은 호주를 시제(詩題)로 즉석에서 운문시(韻文詩)를 읊조렸다.

<호주>

원주민이여 땅 위에서 소리쳐라 침범하지 말라고
수중에는 생명이 가득 차 아우성친다 진화하라고
석호 [ccxxxv]짠돌이가 광해로 헤엄쳐 간다
힘내라 힘을 내 육식 동물의 대이동으로
무지개 바다뱀이 정체성을 찾아가니
호주여 호주여 호주여
끊임없이 변하는구나
육지의 지성이 숨죽여 지켜보니
원주 생물이여 당신은 위대하도다

"머리 지짐기"인 인두로 머리를 펴고 있던 아일라는 그 시를 들으며 가슴 벅찬 감동의 미소를 지었다. 이를 본 연이 별거 아니란 듯, 팔은 그대로 둔 채 양 손바닥을 보이며 어깨를 으쓱한다.

잠시 후 대화가 없어지자, 다시 서먹서먹해진 분위기에서 연이 인두를 보며 화제를 돌렸다. "아일라, 너 그거 우리 나라 말로 뭐라고 부르는 줄 알아?" 그녀가 고개를 가로젓자, 연은 천천히 또박또박 발음한다. "코테[こて(鏝)]." 그러자 아일라가 연을 따라 말했다.

굉장한 무지로다! 우리의 언어 천재 연도 역사까지 만점은 아닌가 보다. 그건 한자로부터 파생된 일본어지 그의 모국어가 아니다. 차용어(借用語)로서 나라말처럼 쓰일지언정.

아일라는 진지하게 똑같이 발음했고, 그런 그녀가 아기처럼 순수해 보였다. 이제 막 들어오던 호주 청년은 매우 유순(柔順)하여, 열린 방문턱에 서서 연이 그녀에게 자신을 마음껏 뽐내는 상황을 조용히 지켜볼 뿐이다. 이를 뒤늦게 발견한 연이 그에게 악수를 청했다. "내 이름은 연, 당신은 좋은 남자요, [ccxxxvi]'호지(Aussie)'. 매우 아량(雅量) 있어 보입니다." – "내 이름은 올리버(Oliver), 걱정하지 마요, 난 당신이 유머가 풍부하다고 생각하니까. 아! 그리고 우리 나라를 위해 시까지 지어 주어 너무 감사해요, 연!" 올리버는 오히려 고마워했다. 그러다 때마침 들어온 크로아티아 여성이 호주 연인과 인사 몇 마디 나누고 안면을 텄다. 잠시 후 그들은 바깥 구경 겸 저녁을 먹으러 나갔다.

말버러 숙소 인근에 있는 에일-집에서 에일-맥주를 딱 한 잔만 하고 다시 숙소로 돌아온 연은 창밖을 바라보며 그의 거무칙칙한 회색 미래에 대해 곰곰이 고민 중이다.

숙소 안마당에서는 한 무리의 사람들이 조그만 파티를 하고 있다. "여기서 도대체 무슨 친목회(親睦會)야?" 궁금증에 못 이긴 연의 발길이 저절로 그곳으로 향했는데, 남자 셋과 처녀 셋이 간소한 간식을 안주(按酒) 삼아 음주를 즐기며 어울려 앉아 있었다. 연은 그곳에서 멀지 않은 곳의 나무로 된 긴 의자에 앉아 호기심 끄는 그들을 빤히 지켜보았다.

그들 중 한 명이 연에게 말을 걸기까지는 그리 오래 걸리지 않았다, "우리와 합석할래요?" 순간 그는 망설였다. 그들 중 또 다른 한 사람이 연에게 다시 권한다, "오, 이쪽으로 오세요. 이쪽!" 연은 본능적으로 무언가 이상함을 느꼈지만 술이라면 사족을 못 쓰기에 결국 그들 일행과 동석했다. 세르비아(Serbia)에서 왔다는 꾀죄죄한 남성이 연에게 물었다, "일본어 해요?" – "그럭저럭." "말해 봐요, 뭐라도. 다 알아들을 테니까. 난 사실 오랫동안 일본어를 배워 왔거든." 마지못해 연이 일본어로 말했다, "아리카토(ありがとう)." 그러자 그는 "에이, 너무 쉽잖아."라며 이번에는 자신이 일본어 단어를 영어로 물었다. 난데없는 일본어 시험이 시작되었고 연이 그의 질문에 모두 대답하자, 그 남성은 잠시 머뭇거리더니 곧 우호적인 태도로, 준비해 둔 컵(cup)에 맥주를 따라 주었다. 연이 그 잔을 한 모금 들이켜자 잠시 뒤 정신이 몽롱해졌다.

얼마 후 밝혀진 일이지만 연이 마신 음료에는 이상한 약이 섞여 있었다. 나중에 독일로 돌아왔을 때 그가 변비(便祕) 때문에 며칠을 고생하다 결국 배변(排便)했는데, 그때 먹었던 게 배 속 창자에서 녹색 배설물로 나왔다. 그가 피곤해서 녹초(jaded)가 된 건가? 아니면 진짜 '녹초(綠草)'가 되어 버린 건가![ccxxxvii]

어쨌든 그들이 그를 일본인으로 착각한 이유는 다른 데 있었다. 아까 연이 호주 연인과 대화할 때 그들 일행 중 일본어를 전공한 소녀가 문이 열린 그 방 앞을 지나가다 우연히 그가 말한 일본어를 알아들었기 때문이다.

약에 취한 연은 아시아의 지성을 고의로 파괴하는 일본의 엉터리 영어에 대해 한탄(恨歎)하면서, 일본과는 다른 그들만의 영어를 발명했다고 자랑스럽게 말하는 그의 조국에 대해서도 역시 신랄하게 비판했다. 그는 그 바보들의 뒤로 달리기 경쟁을 "얼뜨기 퇴보(退步) 운동"라 부르며 "덤 앤 더머(Dumb and Dumber)"의 주인공들이 그들보다는 영리하겠다고 조소(嘲笑)했다. "그들은 진정 그 사실을 모르는가? 아니면 그들의 국가를 마음대로 쉽게 조종하려고 그런 저능하고 유치한 단어에 익숙하게 하면서 일부러 둔감한 척하는 건가? 아마도 동포들은 이렇게 말할지도 몰라; 우리는 [ccxxxviii]'개굴-일본인(Japano-Frog)'을 영어로 이겼다고. 그러나 그들은 사실 [ccxxxix]'개굴인(French)' 수준조차 아냐. 아무리 발버둥 쳐도 그들의 엉터리 영어는 세계에서 받아 주질 않았어. 그건 지구 지성인들에게 받아들일 수 없는 모욕이기 때문이며 시간이 흐를수록 그들의 영어 구사 능력은 더 안 좋아졌지.

그들이 고의로 영어를 왜곡(歪曲)하려고 하면 할수록, 그들의 뇌 또한 그렇게 틀어져 꼬이게 돼. [ccxl]'바보들의 상부상조(Succour For Sucker)'인가. 재밌군."

얼마나 시간이 흘렀을까. 연이 제정신으로 돌아왔을 때 파티는 끝났고 그 혼자만 덩그러니 남아 있었다. 그는 기묘한 약기운에 취해 그의 방 쪽으로 걸었고, 도중에 욕실에 들어가 넘어져 기절했다. 연이 몇 시간 뒤에 그곳에서 반쯤 깨어, 곤드레만드레 취해 기다시피 방으로 들어오자, 땅딸막한 갈색 머리 크로아티아 소녀가 그를 걱정하는 듯 바라보며 물었다, "무슨 일이야? 괜찮아?" 연은 말할 힘도 없는 듯 고개만 끄덕이며 그대로 침대로 꼬꾸라졌다.

다음 날 아침 일찍 호주 연인들은 볼일을 보러 나갔고, 방에는 크로아티아 소녀와 연 말고는 아무도 없었다. 샤워한 뒤, 그는 취기를 날리려 선 상태로 시원한 물 몇 통을 추가로 머리에 끼얹었는데 효과가 거의 없었다. 연은 그녀에게 작별 인사를 하고 황급히 공복인 상태에서 거리로 나왔다. 비행기 출발 예정 시각 4시간 전이기 때문이다.

버스를 타고 가는 도중에도 그의 취기는 가시지 않았다, "세상에 무슨 술이 이렇게 오래 날 나가떨어지게 할 수 있지?"

747 버스로 더블린 공항까지 가는 데 6유로가 들었고 한 시간이 지나자, 그곳에 도착했다. 한 번 실수해서 그런가, 프랑크푸르트 때와는 확연히 다르다. 두 시간을 기다리는 동안 연은 2.4유

로짜리 햄버거와 1.2유로짜리 주스 한 컵으로 늦은 아침 식사를 했다.

영국과 아일랜드는 햇빛이 드는 날도 꽤 있지만, 인체를 쇠약하게 만드는 날씨로 외부인들에게 알려져 있다; 음침하고, 흐리고, 축축한. 오죽하면 그들 스스로 자국(自國) 기후의 단점을 외국인을 위해 공항 게시판에 벽보로 써 붙여 놓았겠는가. 마침 바깥의 연탄빛 하늘이 이를 대변했다.

***

제7장 관문

〈귀환〉

독일로 돌아가는 비행 중에 연은 목이 탔지만, 작은 플라스틱 물병 외엔 그의 갈증을 풀어 줄 것이 아무것도 없었다. 얼마 뒤 3유로짜리 물통을 손에 든 채 연이 통로 쪽 좌석에서 한숨을 내쉬었다.

비행기는 3시간도 안 되어 프랑크푸르트에 도착하였고, 이번에는 만세를 외치는 사람이 없었다. 그는 탑승객의 대다수인 독일인이 다른 사람들보다 더 무뎌서 그렇다고 여겼다.

갑자기 프랑크푸르트-한 공항 전체가 무슨 일인지 법석이었다. 입국장이 환호(歡呼)하는 다수의 무리에 에워싸여 있었는데 그들은 다음과 같이 쓴 팻말(牌-)을 든 채 열렬한 갈채를 보내고 있었다; "우리는 네가 비할 수 없이 자랑스럽다! 프랑크푸르트 귀환을 환영해!" 연은 그 장한(壯-) 사람이 누구인가 보고 싶었으나 궁금증을 해결하기에는 자신이 너무 피곤했다. 그는 서둘러 각각 2유로에 산 핫도그와 [ccxli]소다수(soda水)를 든 채 12유로를 내고 공항 왕복 버스를 탔다.

연은 자신조차 얼마나 자주 먹는지 몰랐다. 결과론적인 얘기지만, 그는 자주 먹기는 했어도, 돈을 아끼려 음식을 바싹 줄여 간식했으므로 평균 정규 식사 가격의 4분의 1 정도를 소비했다. 그건 적은 돈으로 오래 버티는 데 중요한 역할을 했으나, 182 cm 키의 연이 활동적으로 움직이기엔 부족한 식사량이었다. 여관으로 돌아가는 공항버스 안에서 연은 예쁘장하고 스스럼을 타는 호리호리한 체격의 프랑스(France) 소년 옆자리에 앉았는데, 그는 안절부절못하는 상태여서 연의 궁금증을 불러일으켰다. 10대 후반인 소년은 자신이 프랑크푸르트-한 공항을 프랑크푸르트 공항(Frankfurt Airport)으로 착각했다고 했다. 그건 연이랑 같은 상황인데 엄밀히 따지면 공항 순서만 바뀌었다. 연은 괴로워하는 프랑스 소년의 모습이 그때의 자기 모습과 겹쳐 보여 동정하지 않을 수 없었고 그에게 도움의 손길을 내밀었다, "이봐, [ccxlii]'프랑 소년'. 내가 어떻게 하면 네게 도움이 될 수 있지? 너, [ccxliii]포격-쇼크라도 받은 모양새야." - "프랑크푸르트 공항까지 얼마나 오래 걸려?" "글쎄, 내 기억으로는 그곳까지 가는 데 거의 한 시간 반은 걸렸어." 그 당시 HHN에서 프랑크푸르트 공항까지는 1시간 20분 정도 걸렸다. 프랑스 소년의 얼굴은 암울하고 막막(寞寞)한 절망에 휩싸인 듯 잿빛이 되었다. "미치고 팔짝 뛰겠네! 내 계산으로는 이미 10분이나 늦어 버렸어!" – "거기 대기 시간 포함해서?" "응. 제길, 이제 와 비행기 잡으려는 행동은 무모해. 버스 한 번 잘못 탄 대가로는 너무 악운이잖아!" – "자! 자! 걱정하지 마. 해낼 수 있어. 일단 침착하고 긴장 좀 풀어! 아, 참, 소다 좀 마실래?" 그러자 프랑스 소년이 내키지 않는 기색을 한다. "안 마시는 편이 낫겠어. 꿀떡꿀떡 들이켤 시간조차 없어. 어쨌든 흥분해서 소란을 일으켜 미안해!" – "언제 또 만날 수 있길 바라!" 공항 왕복 버스가 프랑크푸르트 공항에 도착하자마자, 소년은 버스에서 뛰어 내리더니 급박한 상황을 만회(挽回)하려 허둥지둥 냅다 달린다. 연은 당혹하면서도 신기하게 생각했다. "아, 우리의 데자뷔(déjà vu) 같은 공항 이야기가 영화화된다면 볼만하겠는걸?"

⟨이색 소풍⟩

어느 화창한 날 연은 그를 항상 졸졸 따라다니는 십 대 소년과 마인강으로 소풍(逍風)을 나섰다. "야외에서 한잔 어때?" – "형, 교포가 운영하는 가게에 있는 우리 나라 알코올로 하자." "안 돼, 너 미성년자잖아. 술은 내 거고 콜라는 네 거야." 그 말에 소년은 묘하게 미소 짓는다. 소년이 알려 준 교포 가게에서 0.6유로를 주고 조그만 고국의 전통주 병을 산 연은 강가 오솔길 옆 끈적끈적하고 축축한 잔디밭 위에 매트(mat)를 깔고 누웠다. 다른 한쪽 잔디밭에서는 아라비아 젊은이들이 [ccxliv]후카(hookah)로 물담배를 피우고 있다. 연이 청명(淸明)한 담청(淡靑)빛 하늘을 감상하면서 술병째 들이켜려 할 때 까불이 동포 소년이 그에게 다시 조른다, "형, 난 술 약간은 마셔도 괜찮아. 18살이거든." 그는 애원(哀願)하는 눈빛으로 연을 바라보았다. "그래? 저런, 넌 서양에서 17살이잖아?" 소년은 억울하다는 듯 소리쳤다, "연!" – "알았어, 알았어!" 연은 그에게 새끼손가락만 한 종이잔을 건네며 술을 따랐고 그 소년도 연에게 똑같이 따라 주었다. "연, 독일에서 우리 나라 술을 마시다니 재밌지 않아?" – "그래, 재밌어." "거짓말처럼 믿기지 않을 정도야!" 조그만 술병은 어느새 텅텅 비었고, 그들은 각자의 생각에 잠긴 채 잔디에 누워 말없이 하늘을 바라보았다.

아일랜드에서 합법적으로 살 수 있다는 생각에 연은 뛸 듯이 기뻤다. 그는 일단 비자 문제 없이 살 수 있다면 언제라도 비상근직을 구할 수 있으리라 믿었다. 연은 그의 최우선 목표를 성공적으로 수행했지만, 이후 계획을 실행할 돈이 부족해 경제적 도움 없이 무작정 밀어붙일 수는 없었다. 그는 고민했다. 무엇보다도 그의 부모에게 돈을 빌리기가 미안했다. 어찌 되었든, 결과적으로 연은 불가피하게 그들의 손을 빌릴 수밖에 없었고 최선을 다했다고 되뇌며 자위했다.

다음 날 연은 다듬어지지 않은 긴 머리카락을 자르러 미용실을 찾았다. 그의 숙소 근처에는 터키 이발소가 있는데 [ccxlv]"밤송이 머리"만 한다. 다행히 여관 뒤편에 큰 미용실이 있었다.

안에서 잠시 기다린 후 연의 차례가 되자 30대 스웨덴 여성 [ccxlvi]헤어스타일리스트(hairstylist)가 그를 자리로 안내했다. 그가 담배를 만지작거리는 모습을 본 미용사는 웃는다, "담배 태우실래요?" – "정말요? 정말 괜찮겠어요? 실내 흡연은 스웨덴에서처럼 불법 아닌가요?" "여긴 스웨덴이 아니잖아요," 그녀는 킥킥 웃었다. "난 상고머리는 안 좋아해요. 고소가 싫거든요." – "당신 꽤 위트(wit)가 있군요. 어떤 머리 모양을 원하세요? 다듬고 가르마 탈까요?" "바람이 앞머리를 쓸어 넘긴 듯 스웨덴 소년들이 하는 스타일로 해 주세요. 단! 가르마가 너무 한쪽으로 쏠리지 않게요." – "문제없어요!"

그들은 무료하지 않게 얘기를 계속했고 그러는 동안 그의 이발(理髮)이 끝났다. "훌륭해! 미용의 결정판 그 자체에요." – "고마워요."

바깥 거리로 나온 연은 불확실한 미래에 대비해 몸을 아껴 체력을 비축하기 위해, 온천장에서 목욕하고 안마(按摩)–받아 뭉친 근육을 풀고 싶었다. 그는 그동안 프랑크푸르트에서 임시직으로 번 돈으로 자신에게 그 정도 조그만 보상을 해 줄 여유는 있었다. 그래서 연은 목욕탕 겸 온천장을 찾아 돌아다니기 시작했는데 별 어려움 없이 금방 발견했다. 하지만 그곳은 사실 성관계가 주목적인 목욕장이었다. 그가 짧은 속바지만 입은 채 탈의실에서 복도 쪽 거실로 들어서자마자 흑갈색 피부와 머리를 한 여성이 그의 삼각 속-팬츠(underpants)를 애무(愛撫)하기 시작했다. 무뚝뚝해 보이는 50대 여주인이 연한테 그녀에게 술을 한잔 사겠냐고 물었고 그는 바로 아니라고 대답했다. 그러자 중년 여성은 더 무뚝뚝해지다 못해 싸늘하게 변했다. 연이 욕탕에 들어가서 몸을 찜질한 후 나오자, 기다리고 있던 벌거벗은 불가리아(Bulgaria) 처녀가 그의 알몸에 부드럽게 비누 거품을 칠하고 난 뒤 비눗기를 물로 헹궈냈다. 그리고 그녀는 그를 데리고 사방이 거울투성이인 방으로 들어갔다.

불가리아 소녀는 고무 주머니인 콘돔(condom)을 그의 성기에 끼웠고 그녀의 엉덩이를 그쪽으로 돌렸다. 그가 성기를 그곳에 밀어 넣고 성행위를 시작하는데, 거울에 그녀의 얼굴과 커다란 젖가슴이 비쳤다. 그녀의 유방(乳房)은 자연 그대로의 가슴인데도 처지지 않고 모양이 예술적으로 아름다웠으며 젊은 아시아 여성 평균 크기의 두 배는 가뿐히 넘어 보였다. 사방의 거울에 비치는 쾌감에 젖은 여성의 얼굴과 출렁이는 그녀의 젖가슴에 연의 성기는 흥분해 더욱 커지고 단단해졌다. 쾌락을 더욱 극대화하려고 성행위 중에 그가 콘돔을 빼려고 하자 그녀가 손바닥을 세워 제지(制止)하고 그에게 추가로 두 배의 돈을 요구했다. 그러자 그는 "맨살 성교"를 포기하고 하던 성행위를 마저 하려는데, 그녀는 시간이 다 되었다고 하며 들어온 문으로 먼저 휙 나가 버렸다.

연이 여관으로 돌아왔을 때는 몇 시간이 지난 후였다. 돌아오자마자 기다렸다는 듯이 개구쟁이 아시아 교포 소년이 낄낄댄다, "여! 형, 어디 갔다 왔어?" – "어, 그게, 사우나 가서 뭉친 목 근육 좀 풀었어." "항간(巷間)에 떠도는 소문으로는 이곳 어딘가에 뿅가게 만드는 성인 온천장이 있다고 하던데… 그건 그렇고, 내가 잘 아는 강한 ccxlvii폭한(暴漢)이 한 사람 있는데 내 생각엔 아마 형보다 강할걸? 그 형은 프랑크푸르트 교포 유학생이야." – "그래서?" "연 형이 독일 떠나기 전에 여기 와서 한번 보고 싶대." – "나를? 뭐 때문에?" "'덤벼 봐!'라고 형한테 말했어." 그는 교포 소년이 왜 그런 말을 하는지 도무지 알 수 없어 여관 주인에게 사정을 얘기했다. "난 그 애를 친자식처럼 오래 키워왔지. 아마도 이건 터무니없는 억측(臆測)일지 모르지만, 그는 자기가 아는 형 중에서 한 명이라도 자네보다 강함을 확인함으로써 자신이 속한 무리의 우월성을 확증(確證)하려는 듯하네."

소년의 말이 진담인 듯 정말로 그가 말했던 청년을 이틀이 지나 데리고 왔다. 그는 남자다워 보였지만, 소년이 말한 대로 그렇게 강해 보이지는 않았다. 짧은 인사말을 서로 나누고 그는 다른 특별한 말 없이 젠체하며 떠났다.

"건달이 아니네? 십 대 애들이란... 쯧쯧!" 이를 지켜보던 여관 주인이 혀를 차며 고개를 저었다.

〈드디어 아일랜드로!〉

연의 모든 계획은 완벽해 보였지만 가장 중요한 문제가 남아 있었는데 그건 바로 경비(經費) 부족이다. 그는 이미 가지고 있던 돈을 어학당에 다 써 버렸고 그곳에 가려면 적지 않은 돈이 지출되며 그가 잡일 같은 임시직을 구할 때까지 곤궁한 삶을 견뎌야 한다.

아일랜드로 떠나기 이틀 전에, 독일 계좌가 없던 연은 근처 인터넷 카페에서 그의 부모와 무려(無慮) 5차례나 통화를 하면서, 영사관(領事官)으로 1,700유로를 송금해야 하는 상황을 설명하고 있었다. 연은 모든 은행 업무를 전화와 인터넷으로 대신했다. 겨우 부모를 이해시켜 받은 송금을 전화로 확인한 그는 2.2유로에 내부가 낙서투성이인 유-반(U-Bahn)을 타고 영사관으로 갔다. 그곳에 도착한 연은 신원을 밝힌 후 돈을 수령하려는데, 여성 관리가 그를 철없는 유학생으로 보았는지 돈을 아껴 쓰라고 충고했다. '쳇! 환전 수수료 다 챙겨 먹으면서 이 아줌마는 도대체 뭔 귀신 씻나락 까먹는 소리를 하고 있어? 이 돈이 바로 지금 이 순간에는 큰돈이지만, 일용직조차 없이 지내려면 지독하게 아껴 써도 끽해야 석 달도 근근이 살아가기 힘들걸?' 그 여성 관리는 추측하건대 부잣집 도련님이 용돈 받는 정도로 치부해 버린 듯하다. 진실이야 어쨌든, 1분 1초가 아까운 연은 대답도 하는 둥 마는 둥 유반 정거장으로 갔는데, 인근은 건물이 거의 없고 휑했다. 그는 돌아오는 길에 이제야 임시방편으로라도 큰 걱정을 떨쳐 버릴 수 있어서 한숨 돌렸다.

그때까지도 담배를 못 끊은 연은 허리띠를 졸라매고 담뱃값이 비싸기로는 세계에서 최상위권에 드는 아일랜드에 가기 위해 마지막 조치를 취했다. 그는 담뱃가루 5통을 69.75유로에 사면서 한 묶음당 0.85유로 하는 담배 종이 몇 묶음과 중지(中指)만 한 담배 마는 기계도 추가로 구매했다. 고국에서 가져온 담배 한 상자는 이미 다 피웠다. 한 상자가 10갑, 1갑이 20개비니까 총 200개비를 태운 셈이다. 그 뒤로 파이프 담배를 피우게 되었지만 가지고 다니면서 흡연하기에는 불편했다. 다음번에 외국에 나갈 때 이런 일이 없게 연은 그의 건강을 빼앗는 이 죽음의 습관을 근절하는 데 총력을 기울이면서, 과다한 짐을 단순하면서도 질긴 방수 배낭(rucksack) 하나로 줄이기로 결심했다. 왜냐면 "돌-배낭(rock-sack)"은 차라리 없는 편이 낫기 때문이다. 이런 그의 처녀-항해 경험은 훗날 다음 여정을 수월케 하도록 길을 닦게 된다.

프랑크푸르트 마지막 만찬에서 연은 낯-깎임을 무릅쓰고 그가 시골뜨기임을 밝혔다. "내 인생에서 첫 비행은 네덜란드를 경유해서 스웨덴으로 갈 때였고, 첫 승선은 여기 독일에서 배로 유람했을 때지. 나 촌놈으로 보이지?" 숙박객들은 어이없다는 듯이 그를 쳐다보며 동시에 소리쳤다. "넌 우리 동포가 아니야!" 그리고 그들은 다 같이 웃었다.

월요일 아침 일찍 연은 교포에게 작별 인사를 고했는데, 그들에게는 귀찮은 존재였던 연을 떼쳐서 시원한 이별이었다. 이유야 어찌 되었든, 모두가 연의 앞날을 축복해 주는 가운데, 이야기를 들은 주인 부부는 그의 포부(抱負) 있는 결정을 [ccxlviii]성원(聲援)했다.

드디어 연이 제2의 조국, 독일을 떠나는 대망의 날이다. 그가 새벽에 출발할 때, 두 번째 아이를 배어 배가 남산만 한 여주인이 연에게 물에 타서 마시라고 볶은 쌀가루인 미숫가루 몇 봉지를 건넸다, "난 네가 강하기 때문에 어떤 상황에서도 위험을 극복하고 목적을 달성할 수 있으리라 여기지만 만일에 대비에 이걸 가져가도록 해." 그렇게 인정 많은 여관 주인 부부와 가정부는 눈물을 훔치며 연을 [ccxlix]전송(餞送)하기 위해 프랑크푸르트 중앙역까지 마중 나왔다.

그가 탈 유로라인즈 장거리 여행 버스는 역 앞 바로 오른편에 정차해 있다. 의외로 장거리 여행 버스비가 항공료보다 많이 들어 런던까지 68유로가 들었다. 라이언에어 항공기를 타고 가는 비용보다 훨씬 비싸지만, 버스에 탄 다른 이들처럼 짐이 많은 연에게는 선택의 여지가 없었다. 이는 자연히 굴욕적인 검문으로 귀결됨이 불 보듯 뻔했으나 이에도 아랑곳하지 않고 연은 태어난 이래 버스로 가는 제일 긴 여행에 아이처럼 흥분했다.

한참 아우토반(Autobahn)을 주행하던 버스는 어느 순간 궤도에서 벗어나 쾰른 대성당(Kölner Dom)을 지나쳤고, 얼마 안 가 쾰른(Köln)에 있는 첫 번째 휴게소에서 잠시 정차했다. 그곳에는 육감적인 10대 소녀가 그녀의 부친으로 보이는 중년 남성과 함께 튀긴 닭을 먹고 있었다. 그런 그들을 보며 그도 점심으로 튀긴 닭과 코카콜라를 11.09유로에 주문했다. '글쎄, 무식욕증인 다른 소녀보다는 낫네. 저 멋진 배와 탄탄한 엉덩이를 봐!' 점심 식사가 끝나자 날카로웠던 신경이 누그러지고 기분이 좋아진 연은 어차피 한 배, 아니 한 버스에서 적지 않은 시간을 함께할 같은 처지의 버스 승객들과 인사 정도는 쉽게 할 수 있겠다고 생각했다. 그러나 현실은 그렇지 않았다. 버스 뒷부분이 승객 3분의 1을 차지했는데, 다음 휴게소에서 그들이 잠시 휴식하러 잘 안 보이는 뒷좌석에서 내릴 때 연은 그제야 그들 전체가 흑인임을 발견했다. 그들이 쓸데없는 소란은 원하지 않아 적어도 버스에서 만큼은 스스로 격리하였기 때문이었다.

어쩌면 인종 차별이나 밀항자 때문에 그들 중에 억울하게 희생양이 있었을지도 모른다. 어쨌든 연은 흑인이든 백인이든 상관 안 했다. 단지 그의 돈을 안전하게 간수하기 위해 낯선 이를 조심하며 방심하지 않을 뿐이다. 어느덧 버스는 독일 국경을 지나 벨기에로 진입하고 있었다.

〈벨기에 초콜릿-데이트〉

늦은 오후 단조로운 바깥 풍경에 벌써 지루해진 연이 다음 정거장에 도착하기만을 기다리고 있다. 긴 주행 끝에 버스가 벨기에 시골 지역의 어느 한적한 휴게소에 정차했다. 버스가 멈추자마자, 그는 버스에서 내려 화장실에 갔다. 안에는 가지각색의 큰

돔 판매 기계가 있는데 바로 옆은 가게다. 연은 거기서 물 한 병을 사고 버스 문 쪽 정면에 있는 공터로 걸어갔다. 그런데 이게 무슨 일인가?! 슈퍼맨 티셔츠(Superman T-shirt)를 입은 아름다운 10대 후반 소녀가 어디서인지도 모르게 나타나 그곳 그네에 앉아 있었다. 연과 소녀가 눈이 마주쳤을 때 그녀의 유혹하는 미소가 얼비쳤다. 갑자기 벨기에 소녀가 일어나더니 연에게 다가온다. 그러는 동안 그는 여러 소녀가 사방에서 나타나 그를 에워싸고 있음을 알아채지 못했다. 그녀는 소녀들에게 다가가 그녀 옆으로 오라고 속삭이고 수줍게 연한테 초콜릿과 사탕 한 다발을 건넸다. '대체 왜?' 그의 머리는 의문으로 가득 찼다. 어쨌든 인사는 해야 했다, "매우 감사합니다." – "몸 조심히 가고 앞날에 축복이 있길. 우리는 당신을 좋아해요!"

마침 버스 운전사가 탑승하고 있어서 그는 궁금함을 풀지 못한 채 떠나야 했다. 소녀들은 더 할 말이 있는 듯 떠나는 그 순간까지 연과 같이 있기를 애타게 바라는 듯 보였다.

'이 소녀들은 도대체 나에게 뭘 원하는 걸까?' 그는 궁금해 죽을 지경이었다. "이봐, 소년! 우리는 지금 출발한다고!" 버스에 있는 누군가 연에게 소리쳤다.

얼마나 더 달렸을까? 마침내 대륙 여정의 끝에 도착했다. 지난밤 그들은 벨기에와 프랑스의 북쪽 끝인 도버 해협(Strait of Dover) 가까이에 도달했다. 버스는 정박 중인 [ccl]연락선(連絡船) 바로 앞 어떤 건물이 있는 곳에 끼익 소리를 내며 섰는데 불빛이 명멸(明滅)하고 있다. 그렇다, 이곳이 검문소다. 갑자기 보이지 않는 구속(拘束)이 버스를 지배하는 듯 승객들은 알아서 장거리 여행 버스에서 일제(一齊)히 하차하였고, 연도 마찬가지였다. 줄을 서기 전에 연은 이런 경험을 해 본 적이 없음에도 확실히 통과하기 위해 아일랜드 학교 등록증을 그의 봇짐에서 꺼냈다. 심각한 분위기로 판단하건대, 힘든 심문(審問)이 될 수 있겠다. 그가 버스에서 서류를 가지고 올 때도 여전히 대기하는 줄은 거의 줄어들지 않고 그대로였다. 연의 차례가 되자 출입국 관리 사무소에서 나온 매 같은 눈초리를 한 심문자가 연의 여권을 홱 가져가서 사무용 컴퓨터에 신상 정보를 입력한다. 신원 확인 절차 도중에 그는 연을 흘낏 보더니 의심스러운 눈초리로 그의 여권을 가지고 사무실로 들어갔다. 그렇게 그는 열외되어 골라낸 쭉정이 신세로 멀뚱멀뚱 서 있게 되었다. 출입국 관리가 다시 나왔을 때는 꽤 시간이 지나서였다. 그는 다른 사람을 대하는 태도와는 전혀 다르게 일변(一變)해 연에게 언제, 왜 유럽에 왔는지 물었다. 연은 그의 질문에 얼버무리지 않고 간단명료하게 답변하면서, 구질구질한 변명을 피하려 학교 입학증을 그에게 건넸다. 출입국 관리 직원은 심문을 잠시 멈추고 그 증서를 눈 쪽에 가까이 가져와 뚫어지게 쳐다보았고 얼마 후 연에게 손을 휘저어 가도 좋다고 신호했다.

"첫! 짜증나게 하는 생애 두 번째로 쓸모없는 속사포 질문이야!"

버스 승객 중 한 명 빼고 전부 무사히 고비를 넘기고 버스로 귀환했다. 끝까지 열외된 마지막 한 명의 기나긴 심문 끝에 다행히 출항 승인이 모두에게 떨어졌다. 차량 출입 차단기의 막대가 올라간 뒤 버스는 부두에 정박 중이던 큰 연락선인 페리(ferry)를 향해 나아가기 시작했다. 장거리 여행 버스가 배의 바닥 격실(隔室)로 들어오고 문이 닫히자마자 승객들은 버스에서 내려 배 안 밑바닥에서 위쪽으로 걸어 올라갔다. 그러자 안에 드넓은 공간이 펼쳐졌는데, 사람들이 드문드문 앉아 있는 바와 라운지 벽에 걸린 대형 텔레비전(television)이 시야에 들어왔다.

연은 선체 중앙에 있는 바 중 한 곳에서 2.9유로인 기네스(Guinness)를 큰 잔에 가득 따라 잔째로 들고, 런던행 연락선의 ccli 상갑판(上甲板)으로 올라가 맥주를 마시며 밤바다를 즐겼다. 검은색 흑맥주와 밤바다는 마치 깔 맞춘 듯 잘 어울렸고 바다 공기의 짭짤하게 톡 쏘는 냄새가 그의 콧구멍을 간질였다. 꽤 많은 선객(船客)이 연이 그러하듯 갑판 위에서 밤 풍경을 즐기고 있었다.

견학 여행 중인 어린아이들 속에 한 처녀가 있었는데, 한 손으로는 돌풍이 흩트려 놓는 그녀의 황갈색 머리를 부여잡고 다른 한 손으로는 아이들을 통제하느라 분주했다.

그날 저녁, 바람은 맹렬했고 이내 누그러질 모양새가 아니었다. 그의 손에 있는 맥주잔이 요동치기 시작했고 흘린 흑맥주가 공기 중에 방울로 흩어져 날아갔다. 그러나 도버 해협을 건너는 데 그렇게 불리한 기상 상태는 아니었다. 배는 조금도 기울지 않아서 그는 흔들리는 갑판 위를 끄떡없이 걷는 능력은 물론 배의 흔들림에 익숙해질 필요도 없었다.

상갑판을 거닐던 연은 무심결에 한 부부의 대화를 엿듣게 되었다. "돌풍이 이렇게 큰 배를 뒤집기는 불가능하지만 이런 날씨 때문에 산호초(珊瑚礁)에 난파(難破)나 좌초(坐礁)되면 어떡해? 배 위에 [cclii]난선자(難船者)를 위한 구명 설비가 있나? 보트를 달아 올리는 [ccliii]철주(鐵柱)는? 그리고 배에 새는 곳이 생겼을 때 괸 물을 퍼내는 펌프(pump)는 어떻지? 오, 도와주세요! 아무라~도 와주세요!" – "이봐, 여보, 자기는 잔걱정을 너무 많이 한다. 제발 진정해. 지금 바다는 배가 못 다닐 정도는 아니야. 이제 우리는 목적지로부터 겨우 몇 [ccliv]해리(海里)밖에 안 떨어져 있어."

연은 바람을 등지고 배의 조타실(操舵室) 근처 벽에 붙어 맥주를 마시는 데 방해가 되는 거센 돌풍을 최소화하였다. 그때 방랑하는 중년 남성 음악가가 연과 똑같은 생각으로 그에게 다가왔다. 기타를 등에 멘 사내의 갈색 머리는 허리까지 닿을 정도로 치렁거렸다. 연은 즉시 그가 아마추어가 아니란 사실을 꿰뚫어 보았다. 그들은 오랜 시간을 이야기하며 보냈는데, 중년 남성은 자신이 독일 출신이며 거리에서 공연을 해 왔다고 했다. 그들이 공통 관심사인 음악에 관해 이야기하며 친해지는 데는 오래 걸리지 않았다. 대화가 끝나고 그 음악가는 연주를 위해 기타 조율(調律)에 착수했다. 연은 고개를 돌려 천방지축 뛰어노는 아이들과 여전히 술래잡기 중인 여성을 흥미로운 듯 계속 주시했다. 숨이 찬 그녀는 몸을 쭈그리고 앉아 숨을 고르는 중이다. 그는 그녀에게 다가가 말을 건넸다, “안녕하세요. 당신은 영국 사람인가요?” – “아뇨, 우리는 체코슬로바키아(Czechoslovakia)에서 영국으로 견학 여행을 가는 중이에요.” “당신은 체코의 [cclv]프라그(Prague) 출신인가요?” – “프라그? 아하! 프라하(Praha) 말이군요. 맞아요.” “혼자서 이 꼬맹이들을 다 돌보려면 다소 힘든 일같이 보이네요.” – “좀 그렇죠, 보다시피. 하지만 제가 좋아서 하는 일인걸요.”

아이들은 여선생과 연이 같이 서 있는 모습을 보자마자 그들 주변으로 몰려들었다. 그중 한 아이가 연에게 장난기 가득한 웃음을 머금고 연을 빤히 쳐다본다, “참고삼아 말하는데 우리 선생님은 미혼이에요. [cclvi]‘굴리아스(gulyás)’ 요리를 잘하고 특히 과일을 곁들인 사슴고기 ‘굴리아스’가 일품이죠. 선생님에게 관심이 있어 보여서 미리 귀띔해 주어요.” 그러자 나머지 아이들이 크게 깔깔대기 시작했다. 연은 순간 난처해졌다, “하하, 어른을 놀려대면 못써요, 요 꼬마 장난꾸러기들! 나만 당할 수는 없지. 이리 와!” 아이들은 ‘꺅’ 소리를 지르며 연을 피해 도망 다녔다. 그렇게 그들과 즐거운 시간을 보낸 후 그는 체코슬로바키아 여선생에게 손을 흔들어 이별의 인사를 대신했다.

한바탕 소동이 지나가자 질풍까지 잠잠(潛潛)해지고, 연이 탄 연락선은 동틀 녘 영국 최남단의 항구에 닻을 내렸다. 배와 부두를 연결하는 다리가 내려지자, 버스가 육지로 이동하였다. 육지에 도착하자마자 그는 또 다른 심문을 맞닥뜨리게 되었고 그동안 쌓인 짜증이 물밀듯 밀려왔다. 영국 입국 심사관은 그에게 캐어물었다, "얼마나 오래 이 나라에 묵을 겁니까?" 연은 단호하게 대답했다, "하루 동안요." 그러자 출입국 관리가 오히려 실망한 표정으로 되묻는다, "겨우 하루 동안?" 연은 고개를 끄덕였다, "물론이죠! 내가 하룻밤을 여기 영국에서 보내지 않고 간다고 문제 있습니까? 당신! 지겨운 [cclvii]'잡자(copper)'요?" – "아니, 그냥–– 좋아요, 이제 가도 돼요." "그럼 안녕!"

전원 검문을 마친 버스는 잠시 후 런던을 향해 출발하였다. 꼭두새벽부터 매우 지친 연에게 창문 밖으로 아련히 보이는 영국의 새로운 풍경은 매력적이고 신선했다.

아일랜드같이 [cclviii]고적(孤寂)하지는 않으나 유사한 풀과 [cclix]둔덕이 끊임없이 굽이친다. 버스가 인적이 있는 마을로 진입하기까진 오래 걸리지 않았다. 집들은 매우 간소하고 수수해 보이는데, 거리 대부분이 꾸불꾸불 굽었으며 작은 [cclx]환상 교차로(環狀交叉路)와 좁은 도로가 많았다. 얼핏 보기엔 혼잡해서 교차점에서 사소한 사고나 끔찍한 교통 체증을 일으킬 듯하지만, 자세히 보면 지리적 측면에서 자연스럽게 잘 작동한다. 어둑어둑한 새벽이 지나 완전히 날이 밝자 거리 곳곳에서 굴러다니는 쓰레기가 보인다. 런던이 쓰레기까지 유구(悠久)했나?! 여기저기에 "대출(貸出)"이라고 쓰인 간판을 단 판자 가게가 있는데 그의 모국과 별 다를 바 없어 보였다.

그가 탄 버스가 빅토리아 장거리 여행 버스 정류장(Victoria Coach Station)에 도착하였다. "0.2파운드(pound)" 표지가 부착된 화장실을 보자 연은 스웨덴의 화장실이 떠올랐다. 생리적 요구에 저항하기 위해 괄약근(括約筋)을 팽팽하게 긴장했지만, 몸은 이미 어기적어기적 수세식 화장실로 가고 있었다, "오, 제발! 제발 생리(生理) 선생님, 숙소에서만 날 불러 주길! 안 그러면 난 곧 땡전 한 푼 없는 빈털터리 신세야!"

연이 런던에 도착한 날은 주말이었는데도 이른 아침이라 그런지 생각보다 사람이 별로 없었다.

환전상은 70.53유로에서 59.07파운드로 환전하는 데 환차익 외 별도로 2.5유로의 추가 수수료를 받았다. 그것은 참말로 얼토당토아니한 일이다. "오징어같이 흐물흐물 느물느물 오라지게 짜내네. 오라질!"

역 대합실에는 사람들로 바글바글했다. 줄을 이룬 대기열은 뱀이 똬리를 틀 듯 그곳을 꽉 채운 상태다. 오랫동안 기다려 겨우 줄의 앞부분에 도달했는데 순간 바로 앞쪽에서 소란이 일어났다. 그 줄에 서 있던 연은 소란의 진원지인 매표소 창구를 바라보았다. 한 아시아인 남성이 영어를 거의 하지 못해 장거리 여행 버스표를 사는 데 한참 꾸물거리는 중이다. 그 아시아인은 언어 번역 기능이 있는 휴대 전화기만 믿고 왔는데 하필 배터리(battery)가 그때 방전되었다. 그 줄 중간에 서 있는 남성이, 영어도 못 하면서 왜 아시아인이 혼자 왔냐고 타박하자 그의 주변에 있던 군중이 폭소(爆笑)했다. 연의 눈에조차 그는 한심(寒心)해 보였다. 몸을 움직일 수 있는 한, 영어로 말할 수 없다고 표를 구매하지 못하지는 않기 때문이다. 오히려 연은 영어로 단 한마디도 안 하고 무언극을 하듯 신체 언어(body language)로 소통할 수 있다고 여겼다. 왜냐면 그것도 또한 언어기 때문이다. 문제는 그 동양인이 혼자였고 영어로만 말해야 한다는 두려움에 사로잡혔다는 데 있다. 동양인은 통상 서양인처럼 신체 언어를 자주 사용하지 않는다. 그들은 그게 천박하다고 생각하나 보다. 사실 그렇지 않은데.

연의 차례가 돌아왔을 때 군중의 시선이 그에게 모두 쏠렸다. "쳇!" 그들의 시선을 의식한 연은 최소한 필요한 말만 해 그가 할 수 있는 한 빨리 편도(片道) 버스표를 40유로에 샀는데, 그건 거기서 가장 빠른 표 구매 기록이 되었고, 그의 유럽 특유의 느긋한 스타일 추구는 그 공연한 소란 때문에 물거품이 되었다. 구매한 버스표를 들여다보니 버스 출발 시간이 저녁에 가까운 늦은 오후였다. "런던 한 바퀴 돌아 볼 시간이군!"

요즘 사람들은, 무모한 계획으로 이리저리 다니는 연과는 다르게 인터넷으로 예약해 시간을 절약한다. 하지만 문제는, 그들이 항상 정형화된 경로로만 간다는 사실이며 그건 철저히 자기 계획을 제외한 우발적 사건이나 숙명(宿命)적인 만남까지도 배제해 버린다. 연은 빽빽하게 꽉 찬 일정대로 진행하지 않고 육감으로 행동했다. 다른 사람의 눈에 그는 때로 경홀(輕忽)히 행동하는 될 대로 되라는 식의 사람이지만 연의 목적은 여행 그 자체가 아닌 단순 인간관계를 넘어 전 세계의 통합이었다.

그의 짐과 개인 소지품을 안전하게 보관하려 9파운드를 내고 역에 맡긴 후 연은 홀가분한 마음으로 런던을 유람하러 나갔다.

〈야누스〉

역의 벽에는 다음과 같은 표지가 붙어 있었다, "길거리에 담배 꽁초를 던지지 마시오. 꽁초 무단 투기 시 우리는 당신을 기소하겠습니다." 연은 바로 그 벽 앞 꽁초투성이인 길거리에서 손으로 가느다랗게 만 담배를 피우는 여성과 말뿐인 표지를 번갈아 보며 킬킬거렸다. 그런데 연이 그녀를 지나칠 때, 어떤 향이 그를 기분 좋게 했다. 대마초가 든 [cclxi]궐련(卷煙)이다! 연은 웃음을 터뜨렸다.

환히 트인 복도에서 그가 버스표를 사기 전에 보았던 두 명의 흑인 청소부가 긴 의자에 앉아 도시락통을 꺼내 식사하고 있었다. 그러다 그들 중 한 명이 연을 훑어보았다, "꺼져! 너에게 줄 음식 없으니까!" 그는 연에게 손을 흔들어 쫓아 버리듯 소리쳤다. 그 흑인의 반응은 기분이 언짢아 내는 짜증 그 자체였다. 이유 없이 거지 취급을 당한 연은, 싸움을 좋아하진 않았지만, 일시적으로 불끈하여 이성을 잃고 광포(狂暴)해졌다, "바보 자식 같으니라고! 날 거지로 봐 웃음거리로 만들어? 너, 내 속의 원초적 카인(Cain)

을 불러내고 싶냐?[cclxii] 어? 지금 스스로 무덤 파 네 자양분으로 무덤 위에 데이지(daisy)꽃 키우게?[cclxiii] 그 말 취소해! 그렇지 않으면 진짜 확 비료로 갈아 버린다!" 그는 증오에 찬 눈으로 그 흑인을 노려보았다.

앉아서 밥을 먹던 흑인은 놀라 눈이 휘둥그레져 올려다보았는데 그와 눈이 마주치자 곧 시선을 돌리고 쥐 죽은 듯이 식사를 계속했다. 기분이 상한 연이 떠나려고 할 때 그곳 한쪽 구석에서 넝마를 걸친 걸인(乞人)을 마주하고는 그가 왜 그랬는지 조금이나마 이해했다. '하지만 지금 나의 단정한 옷차림은 어떻게 된 건데?'

연은 바로 앞 과일 가게에서 바나나(banana)와 탄제린(tangerine) 귤(橘)을 사서 자선(慈善)할 셈으로 거지에게 주었다. 굳이 돈이 아닌 식료품을 사서 준 이유는 가짜 거지에게 속아 넘어가지 않기 위해서이기도 했다.

〈왕궁〉

"때울 시간이 넘쳐나는구나! 느긋하게 발길 닿는 대로 돌아다녀야겠다."

연은 도심부에 있는 런던 빅토리아-역(London Victoria station)에 들렀다가 그곳의 1층 요리점에서 간단하게 2.89파운드에 허기를 달래고, 2층으로 올라가 예전에 최신 유행품을 파는 작은 가게에서 보았던 스카프 두 개를 5파운드에 샀다.

밖으로 나와 정처 없이 걷던 중에 그는 한 남성이 [cclxiv]개스트로펍(gastropub)에서 가지고 나온 [cclxv]'1야드([cclxvi]yard)짜리 긴 잔'으로 맥주를 마시는 광경을 목격했다. 야구 방망이 같은 맥주잔을 처음 본 그는 잠시 멈춰 구경했지만, 곧 그 광경을 뒤로하고 무작정(無酌定) 다시 걸었다. 그러던 도중 연은 거대한 왕궁을 발견했는데 바로 버킹엄 궁전(Buckingham Palace)이다. 놀랍게도 지도도 없이 그는 마치 자기 집인 양 곧바로 도달했다. 사람들은 보통 미리 교통 정보를 얻지만, 연은 그저 직감에 따라 행동해 찾아냈다. 런던이 작은 마을이 아닌 실정(實情)을 고려해 보면 놀라운 일이지만, 정작 본인은 그저 순전히 운이 좋았다고 생각했다.

궁궐 오른쪽 넓고 탁 트인 잔디에는 많은 사람이 깔개 위에서 화창한 날씨를 즐기고 아이들은 뛰어놀고 있다. 연은 빈자리를 찾아가 잔디밭 위에 대자(大字)로 누웠다. 그리고 얇은 "덧웃옷"을 그의 얼굴에 덮은 채 화창한 오후를 겉잠으로 보내고 있었다. 얼마 후 그가 눈을 떴을 때, 불과 몇 미터 떨어진 곳에서 몸매를 과시하는 두 소녀가 태양 아래 일광욕을 하는 중이다. 배를 깔고 엎드려 누운 여성은 상의는 물론 브래지어(brassiere)까지 모조리 탈의한 상태로 책을 읽고 있었다. 그는 얼떨떨했지만, 곧 침착함을 되찾고 주위를 둘러보았다. 주변에는 그녀들과 연을 제외하고는 아무도 없었고 그는 그냥 운이 좋았다고 생각하고 그 멋진 소녀들을 황홀히 쳐다보았다. '글쎄, 적어도 그들이 근본적으

로 거만하여 잘 사귀려 들지 않는 영국 소녀가 아니라는 사실은 분명해!'

돌연 거리가 떠들썩하였고, 인근은 그가 이전에 보지 못했던 인파로 둘러싸여 있었다. 연은 군중 속을 천천히 헤치고 왕궁의 정문 쪽으로 나아갔다. 버킹엄 궁전 안에는 의례(儀禮)를 행하는 검은 털가죽 모자를 쓴 근위 보병 제1연대의 병사들(Grenadier Guards)이 일제-축포(一齊祝砲)를 연달아 쏘며 집총 훈련(執銃訓鍊)을 수행 중이고, 궁전 바깥에는 기병(騎兵)으로 구성된 왕실 기마대가 빅토리아 기념비(Victoria Memorial)를 지나가고 있었다. 행진이 끝나갈 무렵 선봉(先鋒)의 거대한 말이 같은 쪽의 "앞-뒷발"을 동시에 들어 천천히 연 쪽으로 걸어 오더니 멈췄다. 처음에 연은 말의 크기에 놀라 다소 압도되었으나 곧바로 침착해졌고, 병사들이 집합해 정렬하는 틈을 타 손을 뻗어 그 커다란 흑갈색 말의 콧등을 쓰다듬었다. "나는 네가 내 말이었으면 좋겠다, 친구!" 기사(騎士)도 아닌 그의 돌발 행동은 특정 상황에서 자칫 잘못하면 말에 의해 물리기에 충분할 정도로 위험할 수 있었지만, 운 좋게도 그 말은 그에게 위해를 가할 정도로 악의는 없다고 느꼈는지 코를 연의 손에 문질렀다. 그때 말 등에 앉아 있던 [cclxvii]현장(懸章)을 두른 군인이 [cclxviii]사뜻하게 경례했다. 잘했어, 연! 괴물처럼 큰 말을 조련(調練)하다니 대단한걸!

짐도 없고 남은 시간도 여유로운 연은 가벼운 마음으로 1.5파운드짜리 코카콜라를 홀짝홀짝 마시며 빅토리아 장거리 여행 버스 역으로 돌아오다가, 도중에 26유로를 20파운드로 추가 환전했다.

버스는 아일랜드의 에어런버스처럼 간이 화장실이 없었기 때문에 출발하기 직전에 연은 한 번 더 장(腸)을 비웠다. 화장실 안에서 20페니짜리 볼일을 보던 그는 문득 런던 [cclxix] "템즈(Thames)강" 건너편에 있는 [cclxx] "탑 다리(Tower Bridge)"가 보고 싶었다. 일단 둔부 [cclxxi] 도개교(跳開橋) 양 볼기부터 여시고요, 작동 "푸(Pooh)"! 그 유명한 도개교는 확실히 연의 관심사 중 하나였지만 그는 밤까지 기다려 그 [cclxxii] "푸~쇼"를 볼 여유 없이 바로 버스로 아일랜드에 가야 했다. 그래도 출발하려면 여전히 시간이 많이 남아서 그는 도심지 바깥으로 향했다.

연이 어느 연못을 지나갈 때 몇몇 어린 소녀와 어린애가 [cclxxiii] 사다새 한 마리와 비둘기들에게 모이를 주고 있었다. 모이가 다 떨어졌을 때 느닷없이 펠리컨(pelican)이 비둘기 중 한 마리를 꿀꺽 삼켜 버렸다. 분명 한입에 삼키기엔 너무 버거워 보였고, 그 비둘기는 아직 살아서 목 주머니 안에서 몸부림치고 있었다. 얼마 후, 사다새는 완전히 비둘기를 삼켰고 그 게걸스러운 식욕을 충족시켰다. 그러자 사람들은 놀라 그 자리에서 얼어붙었다. 이곳은 도대체 뭐지? 스코틀랜드엔 피터 팬(Peter Pan), 영국엔 호빗(Hobbit)과 해리 포터(Harry Potter), 이젠 비둘기 먹는 펠리컨이야?

역으로 돌아와 버스에 막 올라타려는 때에 연은 누군가 뒤에서 말을 거는 느낌에 돌아보며 응대했다, "실례합니다." – "암, 그러시죠!" 그러고 나서 연이 별다른 행동 없이 다시 고개를 홱 돌리자 그제야 상황을 알아챈, 띠가 달린 품 넓은 긴 얼스터(ulster) 외투를 입은 아일랜드 남성은 연이 무의식중에 저지른 실수를 지적(指摘)했다, "'익스큐즈 미(Excuse me).' 말인데, 청년은 억양이 잘못되었소. '익스큐즈 미(Excuse me)?'가 옳은 표현이오." 연은 고개를 끄덕였다, "알아요. 그냥 기진맥진(氣盡脈盡)해서 그래요." 그 순간, 어떤 영국인 버스 운전사가 그의 뒤에서 소리쳤다, "좋아, 너희들 나라로 가라고, 아일랜드 촌뜨기들!" 그러자 군중 속 누군가가 응수(應酬)했다, "너부터 꺼지라고, 런던내기(Cockney)!" 연은 뒤돌아보고 버스 운전수가 자신과 그 남자에게 말했음을 알아차리고 웃었다. 왜냐면 연이 아일랜드 억양으로 얘기했기 때문이다.

잉글랜드(England), 스코틀랜드와 아일랜드의 관계는 좀 복잡하다. 지금은 영국–연합–왕국(United Kingdom)에 포함되지만, 잉글랜드와 스코틀랜드는 영국–스코틀랜드 국경(Anglo-Scottish border)과 [cclxxiv]계쟁지(係爭地) 등에서 수 세기 동안 교전해 왔고, 연합–왕국과 아일랜드는 [cclxxv]'북아일랜드 분쟁'에서 분란에 휩싸여 지금까지도 서로 불화한 듯 보인다. 이제 국가 간 충돌이 잠잠해지기 시작했으나 그들의 마음속은 여전히 전쟁 중이었다.

〈아일랜드를 향해 돛을 올리다〉

아일랜드 더블린행 버스가 드디어 출발했다. 종일 돌아다닌 그가 곯아떨어져 있는 동안 버스는 몇 시간을 계속 달려 북잉글랜드(Northern England)에 도달해 휴게소에서 정차했다. 연은 그곳에서 튀긴 닭을 저녁으로 먹은 후 2유로를 내고 작은 주스 팩(pack) 두 개와 2리터(litre) 물통을 들고 버스에 올랐다. 바깥은 빛이라곤 전혀 없는 암흑이라 그는 창밖의 사물을 분간(分揀)할 수 없었다. 한밤중에, 연 일행은 북서-잉글랜드에 있는 어느 항구에 도착했다. 종전(從前)의 유로라인즈처럼 영국 버스도 연락선에 선적(船積)하였고 연은 에일 한 잔을 홀짝거리며 시간을 보내고 있었다. 그가 페리에서 한 이상한 소녀를 만났을 때는 자정을 넘기고서였다.

배 휴게실에서 어느 핀란드 처녀가 소파에 앉아 노키아(Nokia) 휴대 전화로 테트리스(Tetris) 비디오 게임을 하고 있다. 20살이며 자기 이름을 아이노(Aino)라고 소개한 그녀는 핀란드에서 왔고, 그녀의 부모가 물심양면 지원해 준 덕택(德澤)으로 어린 나이에 몇 개월 전 맨체스터 대학을 졸업했다고 했다. 대화 중간에 연은 아이노한테 술을 가져오기 위해 그곳에서 10미터 남짓 떨어진 바에 간다고 양해(諒解)를 구하고 잠시 자리를 떴다. 그는 스텔라(Stella) 맥주 1파인트와 칵테일을 주문하는 와중에도 아이노에게서 눈을 떼지 않고 있었다. 바의 등 없는 걸상에 앉아 도수 높은 제임슨 아이리시 위스키(Jameson Irish Whiskey) 몇 잔에 취해 버린 아일랜드 중년 남성이 짓궂게 연을 보고 씩 웃었다. "이보게 자네, 저 여자랑 '쓱쓱이(jiggy-jiggy)'하고 싶어서 그러지?" 연은 그 의미가 뭔지 정확히 몰랐음에도 본능적으로 느끼고 당황해서 얼굴이 붉으락푸르락해졌다. "쓱쓱이가 뭔데요?" – "그건 자네가 그녀와 잠잘 때 내는 아일랜드 의성어지." "제가 알기론 그런 아일랜드 단어는 없을 텐데요."

연이 아이노에게 돌아온 후에 칵테일을 권하자, 그녀는 술을 마시지 않는다고 거절했다. 그러자 망설임 없이 그는 자기 목구멍에 칵테일을 털어 넣었다. 같은 공간에 계속 함께 있는 동안 그들은 친해졌고, 시간이 흐르면서 오히려 멀쩡한 소녀가 취한 연보다 더 대담해졌다. "당신은 핀란드만 빼고 스칸디나비아 전역을 돌아다녔어요. 왜?!" 아이노는 마치 자신이 그를 오랫동안 몰래 쫓아다닌 팬(fan)이라도 되는 듯 푸념했다. 화들짝 놀란 연은 아이노에게 말하지도 않은 사실을 어떻게 알고 있냐고 묻고 싶었지만, 일단 그녀의 질문에 대답했다. "내가 스웨덴, 노르웨이, 덴마크를 좋아한다는 사실 자체가 단순히 핀란드를 싫어함을 의미하지는 않아요." – "핀란드 사람이 아름답게 생기지 않아서가 아니고요? 난 금발이 아니에요. 봐요, 난 은발이라고요. 당신은 금발을 좋아하잖아요, 네?" "글쎄요. 아프로디테(Aphrodite)를 글자 그대로 말하면 '거품에서 일어난'이란 사실을 아나요? 내 방식대로 해석해 보자면, 보이면 거품이고, 수많은 방식으로 변화하죠. 반면에 들으면 진실이지만, 너무 어려워 완벽해질 수 없어요. 당신의 '백금발'은 나한테 꽤 괜찮아 보입니다." – "정말요? 나에 관해 말하자면, 난 정확히 '백금발'은 아니에요. 난 내 머리가 끔찍이 조잡해 보여 싫어. 그리고 연! 당신은 위선자야. 내 생각으론 연 당신은 시각적으로 심미적(審美的)이야!"

그녀가 뜨거운 눈물을 흘리며 펑펑 울자 반박하려던 연은 더 이상 말을 이어갈 수 없었다. '도대체 무슨 일이 우리에게 일어났나?!'

연락선이 항구에 들어오는 동안 뱃전 난간에 기대어 먼 곳을 주의 깊게 살펴보던 연은 뛰어난 시력으로 일반 사람에게는 보이지 않는 저 멀리 일렬로 늘어선, 영양실조에 걸려 앙상한 사람들의 조각상을 바라보고 있었다. 버스가 뭍에 내리기 전까지 뇌리에서 떠나지 않을 정도로 그 비참한 아일랜드인의 표정은 무척 인상적이었다.

연락선이 정박한 아일랜드의 더블린 항구 근처에서 연은 예기치 않게 핀란드 소녀 아이노와 또 마주쳤는데 그녀의 얼굴은 기묘하게 기쁨과 부루퉁함으로 뒤섞여 있었다. "어디에 주로 있을 예정이야, 아이노?" – "호텔." "좀 비싸지 않아?" – "난 너처럼 여기 오래 안 있어." "내가 숙소까지 동행해 줄까? 응?"

연의 요청이 적극적이다 못해 과감해 아이노의 얼굴에는 놀란 기색이 보였다. 그를 좋아했던 그녀는 오래 망설이더니 결국 짧게 거절했다, "아무래도 안 되겠어." – "그럼, 음, 행운을 빌어. 안녕!" 그를 몰래 따라다녔던 소녀와 바람둥이 소년의 색다른 관계가 그렇게 허무하게 끝나는 듯 보였다.

연은 무거운 검은색 캐리어 천-가방을 질질 끌면서 인근의 "청소년 여관"을 향해 터벅터벅 걷고 있다. 더블린은 육상 길잡이로서 더블린 첨탑이 있는 데다 [cclxxvi]마천루(摩天樓)가 없다시피 해 길을 찾기 매우 쉽다. 때는 늦은 봄, 연의 몸은 무거운 짐을 끌고 가느라 땀으로 뒤범벅이 되었다. 저번에 그가 잠시 묵었던 "청소년 숙박소"는 도보로 30분 거리에 있다. 그나마 다행으로 낮은 온도가 그의 불쾌감을 누그러뜨렸다. 숙박소에 도착해 투숙하려 하니 접수대에 있는 헝가리 청년 직원이 이전 가격의 1.5배나 높은 숙박비를 요구해 연은 심기가 상했다. 왜냐면 유럽연합이 기본적으로 가격 시스템을 안정적으로 유지하여, 가격이 심하게 변하는 일은 드물다는 사실을 알고 있기 때문이다. 오랜 여행으로 피곤한 그는 가격을 협상(協商)하려 입씨름하기도 힘들어, 일단 숙박 절차를 밟으면서 근방에 있는 다른 "청소년 숙박소"의 위치를 물어보았다. 짐을 끌러 필요한 물품만 우선 꺼낸 후, 그제야 한숨 돌리며 주변을 둘러보던 연은 요전에 만난 호주 연인 한 쌍을 휴게실에서 보고 소리쳤다, "안녕!" – "안녕!" "오랜만이야, '호지'. 어떻게 지내?" – "유감이지만 당신은 우리를 다른 사람이랑 착각한 모양이네요. 우리는 미국인이에요." 그가 가까이 다가가 보자, 그들은 나이가 더 들어 보인다. "어?! 무슨 일로 [cclxxvii]'치즈 가이(Yankee)'들이 이곳 아일랜드까지 온 건가요?" – "우리는 관광객이라기보다는 탐험가인데 잠깐 여기에 들렀습니다. 남반구 호주에서 미지의 동식물군을 찾으러 3주간 오지를 돌았죠. 그러고 나서 미국에서 2주 동안 다음 탐험을 준비한 후 더블린을 경유하면서 잠시 머문 겁니다. 좀 기진맥진하지만 내일 날이 밝는 대로 그린란드(Greenland)를 거쳐 북극권으로 더 깊이 들어갈 예정이에요. 우리는 반드시 해낼 겁니다!" "정말 놀랍네요! 호주에서 남극광인 남쪽 오로라를 본 적도 있나요?" – "예, 운 좋게 우연히." 그들의 성공은 실력보다 운에 가까웠다고 할 정도로 힘든 여정이었다고 한다. "우아! 이번에 북극 가면 북극곰, 북극여우 그리고 [cclxxviii]'시체고래(narwhal)'까지 볼 수 있겠네요." – "글쎄, 우리가 운이 좋다면 그럴 수 있겠죠." "와, 대담무쌍해요! 성공을 빕니다!" – "당신에게도 신의 가호가 함께하길! 그리고 실례지만, 우리는 지금 후딱 '베이컨–상추–토마토 샌드위치(BLT)' 만들 준비를 해야 해요. 자기야, 서둘러 떠나야 해. 꾸물거릴 시간이 없어!" 그렇게 그들은 떠나갔다.

다음 날 아침 연은 예전처럼 지하실 식당으로 내려갔다. 아침 식사는 시리얼, [cclxxix]오트밀(oatmeal), [cclxxx]콘–플레이크(corn flakes), 우유, 달걀, 빵, [cclxxxi]배넉(bannock), 그리고 여러 종류의 [cclxxxii]소채(蔬菜)로 예전보다 가짓수가 약간 늘긴 했다. 당연히 예상한 대로 특식이나 고기는 없었다. 구미가 당기지 않는 귀리죽을 바라보며 그는 해기스(haggis)와 핫–케이크(hot cake)의 일종인 스콘(scone)이 먹고 싶었다. 달걀을 깨뜨려 [cclxxxiii]수란짜(水卵–)에 담아 끓는 물에서 3분간 반숙해 만든 수란과 우유로 간단히 아침을 때운 뒤, 연은 아침 식사를 제공하는 [cclxxxiv]B&B 간판이 걸려 있는 민박집을 보러 밖으로 나갔고, 고가-도로(高架道路) 아래에 있는 어느 칙칙한 "청소년 여관"에 도달했다. 그곳에는 체구(體軀)가 건장한 중년 남성이 접수대에 서 있었다. 연은 숙박 조건에 관해 문의했다, "다른 곳처럼 여기도 가격이 변동합니까?" 중년 남성은 무뚝뚝하게 연을 쳐다봤다, "절대로 그렇지 않소!" 연이 숙박 절차를 마치자 곧바로 그 우락부락한 남성이 그가 묵을 방을 알려준다, "저기 건너편 뒷문으로 통과해 똑바로 나가면 당신이 묵을 방이 있소." 그의 말대로 문 밖으로 나가자 지하로 통하는 계단이 있어서, 연은 망설임 없이 그곳으로 내려갔다. 하지만 객실 번호가 틀린 4로 시작해 전혀 일치하지 않았다. 뭔가 이곳이 아닌 듯한 느낌에 찜찜했지만, 확실히 하기 위해 그는 위생 상태가 조악한 지하 복도를 따라 계속 나아갔다. 방마다 문이 조금씩 열리어 있어 그가 한 방문을 활짝 여니, 그곳에는 너덜너덜하게 해진 침대와 잡동사니가 더러운 상태로 나뒹굴고 있었고 어디선지 모르게 날아 온 고엽(枯葉)이 방 안을 맴돌아 아무도 그곳에 살지 않는 듯했다. 다른 방도 마찬가지였다. 연은 무뚝뚝한 남자에게 돌아가 시설에 대해 불평했다. 그러자 아일랜드 사내가 언성을 높였다, "내가 똑바로 가라고 말했잖소! 뒷문을 열고 뒷마당을 통과하면 다른 건조물이 있고, 거기 1층 203호가 당신이 묵을 방이오." 그리고 그 사내는 [cclxxxv]찌무룩한 표정으로 돌아섰다.

여관의 부속 건물 왼편에 아일랜드 사내가 말한 대로 203호실이 있었다. 연은 문을 조심스럽게 조금 열었다. 방 안에는 한 폴란드 소년이 나무 곤봉(棍棒)을 왼손에 들고 잠을 자고 있었다. 씁쓸한 미소를 머금고 그쪽으로 다가가는데 소년이 갑자기 벌떡 일어났다.

"안녕! 나 여기 처음이야. 내 이름은 연이라고 해." – "어, 안녕?! 난 그렉(Greg)이야. 방문을 환영해." 그렉은 긴장을 풀지 않은 채 인사했다, "응, 이건… 최근에 폭력배(暴力輩)가 떼거리로 이 구역에 출몰해서 방망이를 쥐고 자."

그는 그곳에서 아예 자기 집처럼 눌러살고 있었다. 그렉은 물건을 어디선가 절취(竊取)해 되팔아먹고 사는 멸시(蔑視)할 만한 녀석이지만 어떤 측면에서는 불쌍한 19세 소년이다.

연은 개인 소지품을 깔끔하게 치운 후 침대에 누워 그의 막연(漠然)한 미래에 대해 곰곰이 생각하고 있다.

무쇠로 된 가정용 방열기가 창유리 옆에 있는데 그렉의 잡동사니로 어수선하고 그 위를 CV 한 장이 덮고 있었다. 그렉은 피우던 담배를 탁자에 비벼 끄고 연에게 왜 아일랜드에 왔는지 물었다. "왜 내가 잘 모르는 사람에게 그걸 털어놓고 이야기해야 하지?" – "그럴까? 그러면 넌 잘 모르는 사람이랑 살게 되잖아." 그러자 연은 자신의 이야기를 들려주었고, 사정을 들은 그렉은 연에게 그의 CV 서류를 보게 해 주었다. 연은 주욱 훑어보고 그의 모국 이력서와는 달리 CV에 사진이 없다는 점을 발견했고,

인물 사진 첨부는 인종 차별과 외모 평가 등 편견을 갖게 해 유럽에서 금지되어 있음을 알게 되었다.

그렉은 담배에 다시 불을 붙이고 있었는데 연기를 뿜을 때 담배 냄새를 압도하는 강한 향냄새가 났다. 그는 지금 피우는 담배가 [cclxxxvi]살담배와 대마초를 섞은 마리화나 담배라고 말하며, 침대 시트(sheet) 밑에서 손바닥 크기만 한 플라스틱 지퍼 백(plastic zippered bag)을 꺼내 안에서 녹색 풀 가루를 손가락으로 조금 집더니 연에게 보여 주었다. 연이 코를 킁킁거리며 냄새를 맡자 독특한 향이 콧속을 맴돌며 좀체 사라지지 않는다. 그가 호기심 어린 눈으로 이를 바라보자, 그렉은 희미한 미소를 지었다, "향긋한 대마-담배지, 그렇지 않아, 연?"

저녁이 다가오자, 연은 밖으로 나갔다. 단순히 허기를 가시게 하려고 맥도날드에서 치즈버거(cheeseburger) 두 개를 산 게 외출의 이유였다. 그가 돌아왔을 땐 웬 낯선 폴란드 남성이 그렉과 함께 있었다. 사내는 탈모 증상이 있고 긴 매부리코의 길쭉한 얼굴에 키가 크고 마르긴 했지만, 호리호리한 체형은 아니었다. 그는 탁자 앞 의자에 앉아 맥주를 마시고 있는데 매우 날카로운 인상을 주었다. 연은 치즈버거 한 개를 아무 대가 없이, 대마초를 피우는 폴란드 청년 그렉에게 먹으라고 주었다, "오, 먹을거리네. 고마워, [cclxxxvii]동무. 마리화나 흡연 후라 그런지 공복감이 밀려오는군." 그렉이 치즈버거를 먹는 동안 연이 낯선 폴란드 남성에게 자신을 소개하며 손을 내밀었다. 그러자 그 젊은 남성은 벌떡 일어나더니 힘차게 악수했다. “어, 난 폴란드에서 온 트럭(truck) 운전수 파벨(Pavel)이라고 해.” 말하는 도중에 드러난 이는 서로 사이가 약간씩 벌어져 있었다. “만나서 반가워. 이런, 당신 손이 ‘더럽게 크군요(dirty great)!’” 연은 기분 좋게 그를 맞이했다. 그런 연을 보며 파벨은 맥주 한 캔을 그에게 건넸다. 맥주를 함께 마시며 그들은 마치 오래전부터 죽마고우인 듯 급속도로 친해졌다. “난 음주 운전 사고를 이유로 보따리를 쌌지. 그래서 당분간 다시 운전할 수 없게 되었어. 그나마 고용 보험으로 실업 급여를 받고 있어서 내 운전면허증이 다시 유효해져 직업을 되찾을 때까지는 버틸 수 있어.” 하지만 2주에 300유로는 자력으로 살기에 충분치 못하다.

이번에는 연이 그의 이야기를 하자 파벨은 그에게 PPSN을 받으라고 권했다. ‘PPS No’는 개인 공공 서비스 번호(Personal Public Service Number)로서, 일을 하거나 세금을 낼 때, 그리고 복지 같은 사회적 혜택을 받으려면 꼭 필요하다.

파벨은 술고래에 흡연자지만 그렉과 달리 대마초를 피우지 않았다. 그는 어떤 때는 괴짜였지만 또 어떤 때는 분별 있고 더블린을 속속들이 잘 알고 있었다. 파벨은 그렉처럼 살지 않았고 자신만의 확고한 신념을 가지고 있어서 다른 어떤 유혹도 아이러니하게 그 [cclxxxviii]모주망태를 망가뜨리지 못했다.

파벨이 담배에 불을 붙이기 전에 무엇을 하려는 듯 연을 바라보았다. “그런데 문제는 우리 방에 있는 연기 탐지기야. 하지만 내가 이렇게 쓰레기봉투로 덮어씌우면 경보가 울리지 않고 골칫거리는 사라지지." 그는 의자에 올라서서 화재 경보용 연기 감지기를 쓰레기 봉지로 덮어 감쌌다.

칸나비스 담배를 말면서 그렉은 그가 마리화나를 처음 흡연했을 때 첫 연기를 빨아들이는 순간, 그를 제외하고 시간이 쏜살같이 흘러갔다고 설명해 주었다. 그 이야기를 들은 연이 뭔가 알았다는 듯이 손뼉을 쳤다, "아! 그래서 사람들이 멍해진 경험을 [cclxxxix]'석화(石化)'된다고 표현하는구나!" 그렉은, 평상시라면 확신을 가지고 지났을 건널목을 건너지 못할 정도로 교통 신호 시간이 짧아지고, 차들이 광란의 질주를 하며, 매우 희미한 소리가 이따금 급격히 선명하게 들리듯 느껴졌다고 전했다. 마침 그때 열차가 그들이 묵는 여관 위의 선로를 지나갔다. 연은 그렉의 설명에 궁금해져서 그가 만 마리화나에 불을 붙여 한 모금 빨았다. 그러나 그는 그렉이 말한 증상을 경험하지 못하고 그냥 축 늘어져 얼빠진 바보처럼 웃기만 했다. 사실 그건 대마 흡연 초기 단계의 증상이다. 곧이어 그는 온몸의 세포 하나하나가 깨어나는 느낌을 받았다.

"마리화나 파는 짓이 그렉 너의 부정한 돈벌이 방법이냐, 응?" – "알 게 뭐야?! [ccxc]가르다(garda) 경찰조차 조금도 개의치 않는데 뭘. 오히려 한술 더 뜨던데? 어느 날 경찰 한 명이 내가 대마초 피우는 현장을 보더니 그다음에, 그가 나에게 뭐라고 말했는 줄 알아? '오, 참 향기로운 냄새네. 나도 한번 해 보자.' 그리고 나한테서 마리화나가 든 궐련을 뺏어가 빼끔빼끔 피우는 거야. 아하하!"

그렉은 강력한 마약이 아닌 대마초를 즐겨 하는 능숙한 마약상이었다. 그는 어느 날 돌연 깨달음을 얻어 직관적으로 진실 파악을 했다며 연에게 장황하게 그의 의견에 관해 열변을 토했다. 요지(要旨)는, 중독을 고려한다면 담배가 마리화나보다 오히려 마약에 더 가까우며, 이따금 피우는 마리화나 담배는 아편제(阿片劑)같이 진통제나 치료-약(治療藥)과 같다는 주장이다. 파벨이 그런 그렉에게 한소리를 한다, "오, 그만 좀 해, 그렉. 넌 그냥 자기 합리화하고 있을 뿐이야." – "난 자기 합리화 안 한다고!" 연은 어느 누구에게도 전에 그런 말을 들어 본 적이 없었지만 그렉의 주장이 궤변인지 확신할 수 없었다. 그러나 한 가지는 확실했다, "툭 터놓고 말할게. 내가 마리화나 담배를 피웠을 때, 얼뜨기같이 계속 웃게 돼서 개인적으로 매우 곤란했어."

그들과 연의 생활이 그렇게 시작되었다.

그렉은 연이 웃을 때마다 종종 그의 눈을 보며 놀리곤 했다, "야옹!" 연은 크게 개의치 않고 농담으로 받아들였다, "재밌군! 뭐, '[ccxci]편도(扁桃)-눈'보단 낫지."

그렉은 능구렁이 [ccxcii]도부꾼(到付-)이었다, "나한테 10유로만 빌려줘. 금방 돌려줄게." 왕왕 연에게 소량의 마리화나가 든 담배를 한 개비씩 줄 때마다 그런 말을 하며, 그 폴란드 소년은 교묘하게 돈으로 교환했다. 그게 바로 연과 금전 문제를 청산하는 방법이다. 그렉은 그 이후로 그에게 돈을 갚은 적이 없었다.

시가(市價)가 얼마지? 글쎄, 미합중국에서는 [ccxciii] 니켈 백(nickel bag)이라고 부르던데. 5달러어치를 몇 배를 받고 파는 거야, 그렉?

***

제8장 새로운 시작

⟨PPSN⟩

어느 날, 연의 고국 대통령이 하사(下賜)한 손목시계가 고장났고, 설상가상으로 시곗줄까지 찢어져 두 동강이 났다. 그 현상은 어떤 불길한 전조를 암시했다. 뭔가 안 좋은 일이 곧 닥쳐올 모양이다. 이력서인 CV를 인터넷 카페에서 작성하는 도중에 연은 우연히 본 뉴스(news) 속보에 대경실색(大驚失色)했다. 그의 대통령이 자살했다는 내용이 각종 외신의 주요 헤드라인(headline)으로 떠 있었다. 뜻하지 않은 대통령 서거(逝去) 특보는 연에게도 충격인 듯 그는 꼼짝하지 않고 그 자리에 돌처럼 굳어 있었다. '정신 차리자!'

중국인인 인터넷 카페 주인에게 가서 재확인하자, 그는 연을 위로했다, “그에 대해 참 유감이네요. 애도를 표합니다. 적지 않은 당신 동포들이 대통령 자살로 괴로워하겠군요.” – “글쎄, 어느 [ccxciv]도당(徒黨)이 음모를 꾸며 그를 자살하게 하지 않았을까요? 왜냐면 그 치욕적인 르윈스키 스캔들(Lewinsky scandal) 사건에서조차 빌 클린턴(Bill Clinton) 대통령은 자살하지 않았기 때문입니다, Péngyǒu([ccxcv]朋友).” “Pēngyǒu(烹友)?”[ccxcvi] – “욕으로 들렸다면 미안합니다. 내가 발음을 잘못했어요. 하지만 난 ‘Péngyǒu(朋友)’를 의도했습니다.” 그러자 인터넷 카페 주인은 호탕하게 웃어넘겼다.

여관으로 돌아온 연은 아그니에슈카(Agnieszka)라고 불리는 폴란드 여직원의 도움으로 PPSN에 필요한 모든 서류를 구비(具備)할 수 있었다. 겉보기에 그녀는 만사에 초연(超然)한 듯했으나 그에게 매우 도움이 되었다. 아그니에슈카는 연에게 어떻게 하면 개인 공공 서비스 번호를 얻을 수 있는지 상세하게 알려 주었고, “사회-보호부(Department of Social Protection)”에 가는 길까지 안내했다.

연이 그곳에 도착했을 때 벌써 사람들이 건물 밖에 길게 줄을 이루고 기다리고 있는데 얼마 전 독일에서의 상황을 연상케 했다. 그의 차례가 되자 연은 미리 작성해 준비한 서류를 제출하였지만, 담당 공무원은 그에게 당장 개인 공공 서비스 번호를 발행하지 않았다. 그러고는 연에게, 규정상 우편(郵便)으로 보내야 하므로 그의 PPSN을 받으려면 일주일 정도 걸린다고 말했다.

돌아오는 길에 마주친 밝은 색깔의 유치원복을 입은 아이들이 가르다 제복(制服)을 입은 나이 많은 남성을 졸졸 따라가고 있었다. 그는 막대사탕인 [ccxcvii]"롤리폽(lollipop)"같이 생긴 "교통-지시판"을 들고 있다. 도대체 [ccxcviii]"롤리폽-맨(lollipop man)"이야? [ccxcix]"폴리폽-맨(Polipop man)"이야?

〈친애하는 존〉

지난밤 한 쌍의 연인이 그렉, 파벨 그리고 연이 살고 있는 "남자 동굴(man cave)"에 살금살금 걸어 들어왔다. 연이 묵은 이래 누가 온 건 그들이 처음이다. 그들은 잠만 자려고 체크인한 듯 새벽에 쥐도 새도 모르게 떠났다. 공교롭게 그날 아침 한 남성이 또 들어와 그들의 소굴(巢窟)에 합류하게 되었다. 그는 존이라 불리는 영국 소년이었다. 존은 나무랄 데 없이 훌륭했다. 단 한 가지만 빼면. 그건 바로 말을 더듬는 버릇이다.

그렉은 존 보고 들으라는 듯이 연에게 의식적으로 말했다, "연, 넌 박사(博士)같이 또박또박 말해." – "뭐라고?" "의학 박사 말고 일반 박사. 넌 무슨 발표 하듯이 명료하게 발음한다고!" – "그 입 좀 다물어 줄래, 그렉? 나한테 아양 떨다니 너답지 않아. 혹시 너 나 모르게 '나불나불 돌'에 입이라도 맞췄어? 어쨌든 말이라도 고마워. 칭찬으로 받아들이지." 연은 뒤돌아 존에게 묻는다, "존, 넌 이곳이 끔찍이 지겹지 않아? 어울려 애무하거나 [ccc]'싹싹이(shag)'할 여자 친구도 없고, 오락 기기는커녕 심지어 시간 때울 텔레비전도 없어. 그리고 네 영국의 루(Lou), 미국 친구 존(John)은 혐오감(嫌惡感)을 일으킬 정도로 불쾌해.[ccci] 정말 정떨어지지 않니?" – "저– 저– 저– 아니. 난– 난– 그런 존이란 이름의 미국 친구가 어– 어– 없다고. 내가 존이야." "아니, 그게 아니야. 연은 '화장실'을 의도했어, 알겠어? 그건 그저 의인화(擬人化)한 해학(諧謔)일 뿐이라고, [cccii]'존 불(John Bull).'" 보다 못한 그렉이 끼어들었다.

영국에서 온 그 소년은 일자리를 얻으려고 이곳까지 왔다고 했다. 하지만 또 다른 목적을 염두(念頭)에 두고 있었다, "저– 저– 저, 난 내– 내– 내– 내가 보고 싶은 영국 인기 배우인 키이라 나이틀리가 이곳에 최근 왔다는 소문을 들었거든." – "그래? 난 그런 소리 못 들었는데. 그녀를 닮은 누군가를 보긴 했는데 호주에서 왔다고 했어." "그래서? 그– 그녀는 그 [ccciii]대척지(對蹠地)에서 왔대? 그러면 그녀가 아니네." – "존, 너 그녀랑 하고 싶지? 그렇지?" "아– 아– 아– 아– 아– 아니야!"

해가 중천(中天)에 뜬 대낮부터 연 일행은 술을 마시기 시작했고 존은 그런 그들을 순박한 웃음을 지으며 바라만 보고 있었다. "한잔하러 낄래, 존?" – "아니, 아냐, 나– 나– 난 저– 저– 술을 안 마셔." "음, 그러면 '11시차([ccciv]elevenses)'는 어때, 존?" 연이 찻잔을 존에게 건넸다, "뭔 일 있어?" – "나– 난 내가– 내가 덜떨어졌다고 여겨." "오, 그만 해, 존. 넌 덜되지 않았어. 오히려 영리한걸." – "그– 그러나 나– 난 다른 사람처럼 마– 말할 수가 없어, 연." "제발, 네 말 더듬는 문제로 고민하지 마, 존. 넌 입이 개똥이 아니야! 이 말이 네게 위로가 될지는 모르지만, 넌 본토박이 영국인이고 난 아니야. 내가 보기에 발음하는 데 있어 네 문제는 그냥 TV가 '치지직거리는' 잠깐의 기술적 어려움 정도야. 왜냐면 너의 영어 듣기 능력과 뇌는 나랑 급 자체가 다르거든. 말하기에서 때때로 나도 엉망일 때가 있어. 심호흡하고, 처음부터 천천히 그리고 분명하게 말해 봐. 절대로 한 번에 네 머릿속의 수많은 단어를 말할 수 있다고 생각해서는 안 돼. 신이 아닌 이상 입 한 번 뻥긋하면 모든 말이 동시에 정확히 쏟아져 나오기는 불가능함을 항상 명심하고, 일단 하나씩 차례로 생각하고 말할 수 있다면 그 뒤론 일사천리(一瀉千里)야."

저녁을 먹으러 가는 길에 연은 팔자 콧수염을 한 스코틀랜드 사람을 안뜰에서 마주쳤는데 그는 짧은 스커트(skirt)인 킬트(kilt)를 입고 격자무늬의 [cccv]나사(羅紗)를 왼쪽 어깨에 걸치고 있었다. "안녕하시오, 난 데이비드(David)라고 하오." – "안녕하세요, 선생님! 전 동양에서 온 연이라고 합니다." "선생님이라 부르지 말고 그냥 데이비(Davy)라고 부르시오, 연 군. 오늘은 이슬비가 내리는구려, 그렇지 않소?" – "확실히 그렇네요, 데이비. 심기 불편해하지 않으셨으면 좋겠습니다만 혹시 [cccvi]웨일스 사람(Taffy)이세요?" "그럴 리가! 난 스코틀랜드 출신이오. 하하, 당신은 유머와 재치가 있군요." – "제 객쩍은(客–) 소리를 관대히 봐주셔서 감사합니다." "허허, 별말씀을. 그러나저러나 내 말을 귀담아들어 두시게. 지금 당신 동포 중 누군가 사악한 목적으로 저 창문을 통해 엿보고 있소." – "지금 당신 무슨 말을 하고 있어요? 이 여관에는 우리 나라 사람이 아무도 없어요." "쉿! 목소리를 낮추시게, 청년. 언젠가 왜인지 이해하게 되네. 그때가 오면 내가 전갈(傳喝)을 보내겠소. 당신이 아이 때부터 줄곧 괴기(怪奇)한 어둠에 휩싸인 유령이 당신을 기다려 왔소, 깨어난 생물이여, 단연 가장 진화한 자(者)여. 지금 문제는 그다음에 우리가 정리하겠소." 그러고 나서 비밀을 품고 있는 그 남성은 바람과 같이 가 버렸다.

〈전대미문 성 패트릭 축일〉

성 패트릭 축일(St. Patrick's Day)은 아일랜드에서 전국적으로 크게 행사하는 법정 연례(年例) 공휴일이다. 이른 봄의 성 패트릭 축일은 이미 오래전에 지나 버렸지만 무슨 까닭에서인지 수백 년 만에 유례(類例)없이 열리고 있었다. 어디서 나타났는지 무수한 사람들이 도로를 빼곡히 채웠고, 셀 수 없을 정도로 많은 장식 꽃과 색종이 조각인 컨페티(confetti)가 흩뿌려진 수레에는 초록 아일랜드 요정 레프러콘과 정령들이 타고 있었다. 화려한 행렬 가운데 사람들의 미소는 빛났고 그중에서 특히 아이들의 웃음은 눈이 부실 정도였다. 참관하다 보니 어느덧 연의 그날 하루가 그렇게 쏜살같이 지나갔다.

숙소로 돌아온 연은 접수원 아그니에슈카로부터 "연 귀하"라고 적힌 편지를 받았다. 바로 그를 다음 단계로 갈 수 있게 해 주는 PPSN이다.

학생 비자를 얻으러 연은 아일랜드 은행(Bank of Ireland)에 천 유로를 맡기고 은행 통장 없이 계좌를 개설했다. 그러고 나서 카드 발급과 함께 현재 잔고의 증명을 요청했다. 잔고 양식은 전 세계가 다 비슷하게 '출금'과 '입금'이라고 쓰여 있다. 예전처럼 그는 일주일 남짓을 기다려야 했다.

약 일주일 뒤, "버러-키(Burgh Quay)"로 간 연은 "아일랜드 귀화 이민국(Irish Naturalisation and Immigration Service)"이라는 관공서로 들어갔다. 안에는 예기한 대로 이른 아침부터 많은 사람들로 박작거렸다. 연이 가르다 이민국에 정식으로 비자를 신청하자, 접수하는 공무원이 지로(giro)로 150유로 수수료를 내야 한다고 말했다. 연속으로 헛걸음하게 만드는 번문욕례(繁文縟禮)가 도대체 무슨 소용이지?

그가 모든 지원 절차를 마무리했을 때는 3번째 방문이었고 각 1주씩 총 3주가 걸렸다. 연의 차례가 되자 담당 주무관이 그에게 잠시 기다리라고 말했는데 그 순간이 마치 영원 같았다. 대기자 명단에 올라 차례를 기다린 그는 결국 학생 비자를 받아 뛸 듯이 기뻤다. 흥분된 마음을 가라앉히고 비자 날짜를 유심히 보니 3개월짜리다. 연은 놀라 그 자리에서 석상처럼 굳어 버렸다. 이윽고 정신을 차린 그의 얼굴은 격노로 붉으락푸르락했고 격론(激論)이 시작되었다. "당신이 나에게 어처구니없게 짧은 비자를 준 근거가 그 법 몇 조입니까? 공신력(公信力)이 있는 겁니까?" - "네, 임의 재량으로 일 처리를 하진 않죠." "그렇다면 그 규칙이 왜 나한테는 적용되지 않습니까?" - "검열(檢閱)을 통과해도 당신의 문제는 다른 사례와는 별개로 취급됩니다." "전임자나 나에게 정식 비자를 준다고 약속했던 그 사람 좀 만나게 해 주세요. 무슨 말도 안 되는 소리를 합니까?" 연은 비자를 더 연장해 주길 끝까지 요구했다.

그들의 언쟁 중에 법무부 고위 관리가 그들에게 다가오더니 아무런 설명 없이 지정된 날에 연의 학생 비자 기간을 늘려 주겠다고 약속했다. 그러나 연은 품고 있던 의구심을 해소하기 위해 확답(確答)을 원했다. 그가 고위 관료에게 그때가 언제냐고 문의하자, 아일랜드 관료는 비자 만료일에 3개월을 다시 연장한다고 덧붙여 말하면서 그렇게 연에게 1년 비자를 줄 수 있다고 보장했다. "대단해! 참 너그럽군요! 근데 하나도 안 고마워요." 그는 항의를 안 하고 그 문제를 지나칠 수 없었다, "산수(算數)는 나도 해요. 당신은 동일 조건의 다른 학생한테는 1년짜리를 주면서 지금 나만 차별하고 있잖아요! 해명해 보세요! 내가 틀렸음을 증명해 봐요!" 연이 머리를 가로저으며 이해할 수 없다는 듯 잔뜩 찡그린 표정으로 격렬하게 불만을 표출하자 그 나이가 지긋한 고위 관료도 결국 같이 흥분했다, "그 태도는 뭐야? 다시는 그런 짓 하지 마! 내가 너에게 분명히 말했지? 네 학생 비자를 단축하지 않겠다고. 내 말은 우리가 학생 비자 취소를 안 한다고, 알겠어?"

법무부 고위 공무원은 큰 소리로 계속 말하며 기선(機先)을 잡으려고 했지만, 연은 그가 원하는 방향으로 끌려가지 않았다. “다른 이들은 매년 150유로만 내면 끝인 데 반해 나만 매번(每番) 그 긴 시간을 줄 서서 기다리고 150유로씩 1년에 4번 내야 한다면 너무 터무니없잖아요! 당신의 억지 논법(論法)은 내겐 안 통해요. 이건 옛날 [cccvii] 십일조(十一租)보다 더 나쁘잖아! 완전 착취야! 빌어먹을! 당신은 이런 식으로 나의 권리를 침해할 수는 없어! 좀 이해심을 보여 봐요!” – “입다물어! 끝!”

〈템플 바〉

템플 바(Temple Bar)는 더블린 중심부를 가로지르는 리피강(River Liffey)의 남쪽 기슭에 있다. 거리는 갖가지 흥밋거리로 가득 차 있으며 공연하는 길거리 예술가들과 기타, 바이올린(violin), 아코디언(accordion) 등을 연주하는 음악가들로 바글바글했다.

도심 한 가운데를 통과해 걸어가며 그렉은 소년 시절 영화사가 영화를 만들기 위해 더블린에서 야외 촬영(撮影)을 하는 장면을 자주 봤다고 자랑스럽게 얘기했다. 그를 빤히 보던 연은 그렉에게 그가 아나킨 스카이워커(Anakin Skywalker)를 연기한 헤이든 크리스텐슨(Hayden Christensen)을 닮았다고 말했다. 그의 말이 떨어지기가 무섭게 그렉은 의기양양하게 쿵쿵 발소리를 내더니 스타-워즈(Star Wars) 배경 음악 중 다스 베이더(Darth

Vader) 주제곡인 "The Imperial March"의 선율을 흉내 내며 뽐내듯 걸었다.

과거 영화 제작자가 진짜 아일랜드를 소재로 영화를 만들었다면 그들은 과감하게 있는 그대로 그 본성을 찍었을 터이다. 그 비참함을. 아일랜드의 만화경은 고장 났다. 다채로운 사람들의 삶은 빛의 기념비처럼 전혀 움직이지 않는다. 흐리멍덩한 눈을 한 부랑자들이 어둠의 빛 주변을 활기 없이 돌아다닐 뿐이었다.

리피강 위 돌–[cccviii]난간동자(欄干童子)로 이루어진 오코넬–다리(O'Connell Bridge) 옆에 있는 조그만 다리를 지나 템플 바 구역으로 들어서자, 점점 더 거리의 공연가와 여행객으로 붐비고 옛날 방식의 운치(韻致) 있는 마차 탑승 여행도 재현되고 있었다.

한참을 거닐며 구경하다 어느 거리 모퉁이에서 그렉은 연의 팔을 홱 잡아끌었다, "잠시만 기다려. 나 할일이 좀 있어." 그렉은 연을 홀로 두고 주변을 경계하면서 사라졌다. 그는 누군가를 따돌리려 하는 모양이다. 아니면 연이 그의 불법 거래를 고자질할까 봐 우려해서일지도 모른다. 잠시 후 그렉은 어디에서인지 모르게 돌아왔다, "택시 잡아야 해!"

그렉은 가는 도중에 택시 운전사와 요금 문제로 옥신각신했고, 운전수는 중간에 멈추더니 그들을 내쫓았다, "꺼져!" 한밤중에 어딘지도 모르는 곳에 내린 그렉은 경찰서인 "가르다–서(署)"로 걸어가기 시작했고 안에 들어가더니 느닷없이 소동을 일으켰다. 그러나 아무도 나와서 그를 제지하지 않았다. 그렉이 주변을 둘러보며 소리친다, "빌어먹을([cccix]Kurwa)! 봤지? 그들은 시민을 보호하는 데 좆도 신경 안 써! 이건 직무 유기라고, 형편없는 가르다야!" 당장 그때뿐이겠지만 그의 얼굴은 흥분해 붉으락푸르락 했다.

어찌 되었든 그의 돌발 행동 때문에 그들은 집까지 걸어오게 되었다. 연은 잠시 [cccx]망연(茫然)했지만, 그들이 택시를 탔는데 오히려 숙소까지 먼 길을 뱅 돌아온 사실에 그렉에게 바로 화가 났다. 연은 얼굴을 찌푸리며 그렉을 매섭게 쏘아보았지만, 그는 신경조차 쓰지 않았다.

연과 그렉이 바깥바람을 쐬러 공원에 간 날은 주말이었다. 그들이 공원에서 마리화나를 피우고 있는 동안 2명의 가르다 대원(隊員)이 주변에서 그 장면을 목격했다. 둘 중 한 명이 그들에게 접근하려고 했지만, 나머지 한 명이 그에게 물러서라고 신호했고 그들은 바로 가 버렸다. 이를 보고 그렉이 우쭐댄다, "하하! 이제야 마음이 통하는군!"

대마초가 든 담배를 피운 후 그들은 템플 바로 갔다. 거리는 떠들썩한 인파로 인산인해를 이뤘다. 즉석 연주와 반주(伴奏)를 하는 음악가와 거리 공연자, 그리고 나이트클럽 보안 요원과 행인까지 마당발인 그렉은 인사하느라 정신없었다. 마치 모든 곳이 그가 아는 사람들로 가득 찬 듯했다. 그렇게 그렉 일행은 한동안 템플 바에서 흥청거렸다.

"그렉, 몇 시야?" – "지금 11시 되기 15분 전이야. 오, 딱 좋을 때군. 자정 전까지 할 수 있겠네." "뭘?" – "금방 알게 돼. 따라와."

〈곱사등이 댄스? 원숭이 기어가기?〉

그렉이 들어간 나이트클럽 안에는 특이하게도 중국인 술집 지배인과 불가리아 보안 요원이 있었다.

"내가 너에게 화끈한 처녀를 얻게 해 줄 묘약(妙藥)이 있는데." – "뭐라고? 최음제(催淫劑)? 아니면 몰래 음료 속에 넣는 마취제(痲醉劑)?" "정확히는 아니지만, 얼추 비슷해." 하지만 그렉은 슬그머니 연의 맥주잔 안에 약을 던져 넣었고 그는 꿀꺽꿀꺽 단숨에 들이켰다. 그 후로 맥주 몇 잔을 더 마시는 동안 그 이상한 약이 연을 도취시키기까지 그리 오래 걸리지 않았다. 멍한 상태로 몇 분 동안 좌석에 몸을 파묻고 앉아 있던 그가 무대로 가 미친 듯이 춤을 추기 시작했다. 그런 연을 보던 한 뚱뚱한 소녀가 그쪽으로 달려오더니 그를 껴안고 느닷없이 혀를 밀어 넣으며 진하게 입을 맞추었다. 연은 그녀를 거부하지는 않았다. 왜냐면 완전히 약에 취해 그의 눈에 그녀는 날씬해 보였기 때문이다. 그렉은 포복절도하였고 잠시 후 몰래 내뺐다.

무아지경으로 춤을 추면서 그는 환각 속에서 무대 중앙으로 향했다.

우리의 친애하는 연이 [cccxi]곱사등이가 된 듯 신나게 씨말처럼 껑충거리는 중이다! 저런, 저런! 완전 뇌까지 꼽추처럼 뒤틀렸다.

그런데 그의 우스꽝스러운 행동은 재밌다기보다 비꼬는 듯 보여서, 보안 요원들은 얼굴이 굳은 채 다가와 연의 팔을 등 뒤로 비틀어, 그를 밖으로 끌고 나가 길바닥에 내동댕이쳤다.

연이 여관 쪽으로 터벅터벅 걸어오는데 기껏해야 스무 살도 안 되어 보이는 한 아일랜드 소년이 그쪽으로 다가왔다. 그냥 지나치는가 싶더니 그는 냅다 팔을 연의 어깨에 두르고 매우 흡족한 듯이 큰 소리로 웃음을 터뜨렸다. "이봐, 친구! 당신 정말 대단해! 아하하!" 연은 별거 아니라는 듯이 양어깨를 으쓱하며 미소를 지었다. 그 소년은 더 이상 집적대지 않고 이내 자기 갈 길을 갔고, 덩그러니 혼자 남겨진 연은 쫓겨난 나이트클럽을 멍하니 바라보았다. "거기서 뱅글뱅글 돌더니 머리까지 돌았나 봐. 그 춤은 완전히 어릿광대-극이었어."

늦은 아침에 일어난 연은 전날 밤 그가 무슨 짓을 했는지 기억하고 무안해 낯 뜨거워졌다. "그래, 그렉이 날 두고 훌쩍 사라졌지. 그러고 나서 난 의식을 잃었고. 내가 도대체 스스로에게 무슨 짓을 했지? 혐오스러워! 진창에서 뒹굴고 있는 돼지 중 하나와 키스하다니!" 며칠 뒤, 밤에 그는 우연히 TV에서 [cccxii] "경박한 할(Shallow Hal)"이라는 영화를 보고 달곰씁쓸한 미소를 지었다. "가볍게 행동만 한 게 아니라 그녀도 내게 가벼웠군!"

연이 어학원에서 돌아오니 누군가 여관 계산대 앞 폭신한 긴 의자에 앉아 있다. 그는 다름 아닌 바로 그날 그를 쫓아냈던 보안 요원 중 한 명인 불가리아 사람인데, 천치(天痴)처럼 웃고 있었다. 그건 연이 대마를 처음 흡연했을 때의 증상이다. '저 경비원은 또 무슨 일이라 [cccxiii]해시시(hashish) 하며 배시시 웃고 있대?' 아그니에슈카로부터 그 불가리아 남성이 일시 해고 상태라고 전해 들었을 때, 연은 그를 동정했다.

방에 돌아왔는데 뭔가 이상하다. 그렉은 그의 기괴한 짓에 관해 아무 말도 하지 않았다. 연은 즉시 상황을 파악했다. 그렉 역시 그날 약에 취해 있어서 마지막에 일어난 그 사건을 기억하지 못하기 때문이었다. 그는 팔 굽혀 펴기와 윗몸 일으키기를 하는 중이다. 생각해 보면, 흡연과 음주는 물론 대마초까지 피우는 그렉에게 운동은 좋은 선택이었다.

연은 가끔 반나체로 잤는데, 그렉은 그의 체형이 브루스 리 같다고 감탄했고 이후 그 폴란드 소년이 운동하고 싶은 동기(動機)가 되었다. 연의 체격은 균형이 잘 잡힌 알짜 근육투성이여서 그렉은 그와 같이 되려고 노력하였고 몸 만드는 보충제까지 섭취한 결과 근육이 제법 커졌다. 그런데 몇 주 후 그렉이 푸념했다, "어이, 도대체 네 '맥줏배'는 어딨어, 연? 난 네 체형이 질투(嫉妬)나." – "난 태어났을 때부터 뼈가 굵었고 배불뚝이가 오래 유지된 적이 없어, 유전이지." 그렉이 그를 쏘아보았다, "나 운동하려는데 사기 꺾지 말아 줄래, 연?"

〈추격〉

도심 한 가운데, 연이 걸으며 과음으로 인한 숙취를 날려 버리는데, 근처에서 어떤 아일랜드 남성이 황급히 도망치고 그 뒤를 한 명의 가르다 대원이 쫓고 있다. 그러나 탈주자의 도주 능력이 경찰을 상회해 곤봉을 한 손에 든 가르다는 그를 잡을 수가 없었다. 즉, 경찰이 뜀박질에서 도망자에게 뒤처지는 이상한 광경이 펼쳐졌다. 더블린 첨탑 주변에 있는 사람들은 고양이 쥐잡기 게임이 얄궂게 "톰과 제리(Tom and Jerry)" 소동이 되어 버린 현장을 흥겹게 구경하고 있었다. 물론 가르다는 총을 가지고 있었지만, 그 상황에서 판단하건대 이런 하찮은 일에 그것도 자신의 뜀박질이 느려 총을 사용한다면, 그는 의심할 여지 없이 불이익을 받게 되며 더 나아가 중범죄자가 될 수 있다. 그가 더 빨리 달렸다면 그 경범죄 용의자(容疑者)를 잡을 수 있기 때문이다. 방관자 중 한 사람이 옛날 아일랜드 억양으로 외치며 면박을 주었다, "여, [cccxiv]패디(Paddy), [cccxv]평편족(扁平足)이 어떻게 순경이 되었냐?[cccxvi] 왜 이리 느려? [cccxvii]패디 왜건(paddy wagon) 타고 쫓으면 어때? 아니면 슈퍼맨이라도 와 달라고 고함치던가. 뿡, 뿡! 메탄(methane) 가스(gas) 추진력으로 맹렬히 질주해서 저 자식에게 확 달려들어! 우리가 영국 '잡자'보다 열등해선 절대 안 돼!" 이에 주변에 지나가는 사람들 모두 웃다가 눈물이 나올 지경이었다. 기나긴 추격 끝에 두 사람은 시야에서 사라졌다. 누가 달리기에서 이길까?

〈짝사랑에 빠진 여인〉

아시아 청년 연은 수업엔 흥미가 없었다. 원했던 학생 비자를 얻었기 때문이다. 이에 반해 다른 이들은 수업에 열심히 참여했다. 그래도 연의 특이한 매력은 다른 학생들을 매료했고 급기야(及其也) 한 브라질(Brazil) 소녀를 짝사랑에 빠지게 했다.

"오늘 우리는 둘이 한 쌍이 되어 정해진 주제에 관해 토론합니다. 자, 두 사람씩 조를 만듭시다!" 연은 그 소녀와 팀(team)이 되어 협력하게 되었다. "우리가 짝지어진 이상, 여느 때보다도 잘될 거야, 연. 더 좋은 상황을 만들기 위해 앞으로 우리 친하게 지내, 알았지?" '짝지었다고? 흠, 뭔가 말려드는 느낌이 드네.'

연의 아일랜드 교사 에린(Erin)은 자신의 분야인 영어에 매우 유능했는데 원숭이도 나무에서 떨어진다고 그런 그녀도 그날따라 교과 과정을 반 학생들에게 가르치다가 명백한 실수를 저질렀다. 연이 그걸 지적하니 에린은 그의 말에 반박했다. 그러나 그들의 논쟁은 에린이 자신의 단순 실수가 크게 번지자 깔끔하게 자기 잘못을 인정하면서 오래가지 않고 일단락되었다. 하지만 문제는 연이 오만함을 넘어 거드럭거렸다는 점이며 그게 에린의 심기를 상하게 했다.

"글쎄, 연의 지식은 꽤 사실로서 적확(的確)하네요, 군계일학(群鷄一鶴) 백미(白眉) 씨!" 다소 성난 아일랜드 여교사는 몇 초간 침묵 후 삐쳤는지 첨언했다, "난 당신이 안식 휴가차(安息休暇次) 먼 이곳까지 온 줄 알았어요, 박식(博識) 선생. 당신은 나보다 한 수 위입니다. 금후 연 군이 이 반을 가르치고 나 대신 출석 점검하세요.” 에린의 말에 반 전체가 살벌(殺伐)할 정도로 조용해졌다. 이번에는 연도 잠자코 있었다, '설마 그럴 리가! 그냥 오류(誤謬)를 지적했을 뿐이라고!'

사실 연의 반에서 첫 영어 선생은 폴란드 여성이었는데 오래 가지 못하고 지금의 아일랜드 여교사가 그녀의 자리를 대신했다. 그 폴란드 교사는 외국 출신이라 쫓겨난 게 아니라 영국 사람으로 간주될 정도로 영어를 매우 잘하는 연이 이미 그녀의 수준을 월등(越等)히 넘어 버렸기 때문이다. 어느 날, 아일랜드 교사 에린이 그녀의 학생들에게 질문했다, “자 이 문장에서 어디가 틀렸는지 답할 사람?” 한 나비 문신을 새긴 브라질 소녀가 에린에게 답했다, “'물고기들(fishes)'이 틀렸어요. 제가 영어를 잘 몰랐을 때 항상 '바다에 저 물고기들을 봐.'라고 말했거든요.” 그러자 말레이시아(Malaysia) [cccxviii]군도(群島)에서 온 남학생이 맞장구친다, “정답 같은데?” 이에 에린이 미소를 지으며 고개를 끄덕였다. 이때 연이 에린에게 대수롭지 않은 듯 말했다, “영문법에서 물고기 한 종류의 복수형으로서 '물고기'는 맞아요. 하지만 바다에는 여러 종류의 물고기가 있죠. 따라서 '물고기, 물고기들' 둘 다 정답입니다.”

이후 학생들은 연에게 은근한, 어떤 일종의 존경심을 내비쳤고, 연의 반 짝꿍인 야스민(Yasmin)이라 불리는 여학생은 점차 그를 좋아하게 되었다. 그런 야스민의 초롱초롱한 눈도 이따금 그녀의 가보인 조그만 휴대용 손궤(-櫃)에 시선을 둘 때마다 의기

소침(意氣銷沈)하게 변하곤 했다.

브라질 사람은 그의 나라 사람처럼 모여 어울리기를 매우 좋아하고 살아남기 위해 주변 환경을 가족 친화적으로 만드는 기질이 있다. 타국에서도 그들은 어디서 났는지 모를 자국의 토종 음식을 교환하고 알뜰하게 살아가며 모국의 정을 느끼지만, 향수병은 그들도 어쩔 수 없었다. 연은 자기 생각을 입 밖으로 내뱉으며 다짐하듯 혼잣말했다, "난 내가 태어난 땅이 그립지만, 향수병에 걸리진 않아. 난 집이나 고향보다 완전한 자유를 간절히 바라!"

연은 학교 사무실로 가서 직원에게 요청했다, "내가 영어 수업을 빼먹어도 출석률을 조정해 줄 수 있습니까?" – "그런 짓은 못 합니다! 예외 없습니다. 당신이 아무리 놀랄 만한 영어 실력을 지녔어도 마찬가지입니다."

방과 후, 그는 인도(India)에서 온 한 소녀를 마주쳤는데 이마 중간에는 큰 사파이어(sapphire) 보석이 박혀 있었고 이국풍(異國風)의 윗도리는 배꼽을 드러내고 있었다. 그녀의 도도한 태도로 판단해 봤을 때, 필시(必是) 그녀는 카스트의 높은 신분으로 추정된다. 적어도 그녀가 천민 중의 천민 파리아(pariah)나 최하층 천민인 수드라(Sudra)는 물론, 평민인 바이샤(Vaisya)도 아님은 의심할 여지가 없었다.

여하튼(如何–) 그 연–에린 사건 이래, 관계가 틀어져야 할 아일랜드 교사 에린은 오히려 야릇하게 연에게 친절해졌다. 항상 긴 치마와 노출이 없는 수수한 옷을 겹겹이 입었던 교사 에린이 그날부터 무슨 심경(心境)의 변화가 있었는지 옷도 적게 입다 못해 미니스커트(miniskirt)에 배꼽이 드러난 티셔츠까지 입고 교실에 등장했다. 그녀는 수업을 시작하고 창밖을 보더니 무언가를 응시하며 말했다, “이상해요. 주변 순찰하는 일도 보기 힘든 나태(懶怠)한 가르다가 최근에 보통 때와 달리 설치고 다니네요.”

그때 연의 배가 갑자기 큰 소리로 꼬르륵거리며 시위(示威)하기 시작해 그는 행여나(幸-) 들킬까 수업 중에 바깥으로 나갔고, 간식을 그의 입 속에 털어 넣었다. 그런 일은 오랫동안 위와 대장이 과민한 상태에 약간의 염증이 있어서 이따금 발생했다. 그가 본국에 있었을 때 등에 100킬로그램의 술이 담긴 상자와 통을 지고 배달하는 일을 한동안 했는데, 그 특이한 형태의 장기에 압박을 주는 중노동이 만성 장염, 위염 그리고 소화 불량을 유발하여서 생긴 잔병이다. 위장이 비어 있지 않을 때조차도 꾸르륵거리는 생리 현상은 그를 무척 난처하게 하였다. 그건 근본적으로 복통도 결장(結腸)의 뒤틀림도 아니다. 그 꼬르륵거리는 배는 도대체 뭐지? 스트레스와 피로로 인한 단순 과민 대장 증후군인가?

〈아일랜드 교사〉

아일랜드 교사 에린은 연의 영어 아킬레스(Achilles)-건(腱)이 무엇인지 재확인할 수 있게 해 준, 그에게 유익한 사람이었다. 그의 영어에서 유일한 약점은 바로 듣기였다. 그녀는 학생들에게 종종 아일랜드 영화를 보여 주었고 영화, 라디오 등에 귀 기울여 잘 들으라고 조언하면서, 연과 똑같이 듣기의 중요성에 대해 강조했다. 에린은 연이 그걸 해낼 수 있는 가장 유력한 사람이라는 사실을 이미 알고 있었다.

밤에 주류 판매 허가 상점인 오프-라이선스(off-licence)가 문을 닫아 연은 파벨에게 나중에 줄 테니 우선 가지고 있는 맥주 한 캔을 달라고 청했다. 파벨은 큰 소리로 투덜거리며 소형 냉장고인 미니바(minibar)에서 손바닥만 한 알루미늄(aluminium) 합금 맥주통을 하나 꺼내 들더니 그대로 방 밖으로 나가 버렸고, 그런 파벨의 태도는 참을 수 없을 만큼 그를 격분케 했다. 몇 분이 지나 연이 안마당으로 나가 그의 마지막 맥주통을 벽에 던졌다, "어이쿠, 이거 참! 실례를 해 버렸네?!" 그러던 그는 몇 초 후 첨언했다, "우리는 친구잖아, 맞지? 뭐가 대수인데?" 파벨은 연의 예상치 못한 행동에 순간 놀라 멍하니 있었다. 그러다 정신을 차린 파벨은 연에게 그대로 되돌려주었다. "그럼 네 [cccxix]애그로(aggro)는 뭔데?!" 파벨도 그의 맥주통을 따라 집어 던졌다. 마침 숙소로 돌아온 그렉이 그들을 바라보며 히죽 웃었다, "너희 둘은 죽이 척척 잘 맞네! 너희들 북미의 '맥주 아작내기(beer bust)' 파티 하는 중이야? 아니면 '스코틀랜드 망치 던지기(Scottish hammer throw)' 놀이? 벽 너머로 힘껏 높이 던져야지! 그런데 망치 막대기가 어딨지? 하하! 바(bar)를 사용하려면 술집인 바(bar)로 가. 안 할 거면, 너희 둘이 서로 공평하게 주고받은 지금, 그만하고 제발 진정해!" 난데없이 나와 헛소리를 하는 그렉을 파벨이 얼굴을 찡그리며 쳐다보았다, "함부로 떠죽대지 말고 우리 싸움에 쓸데없이 말참견하지 마, 그렉!"

그로부터 약 일주일 동안 쉴 새 없이 비가 내려 창유리를 후두두 치고 있는데, 일거리 없는 문제에서 벗어나게 할 해법을 찾아달라고 조르는 연에게 신물이 난 파벨은 그에게 짜증을 냈다, "그 망할 우는 소리 좀 그만해! 넌 맞벌이 집 어린애가 아니라고! 그 정도는 스스로 알아서 해야지! 매번 날 질문 공세로 괴롭히고 있잖아." 그는 다 피운 담배를 탁상 위 재떨이에 비벼 끄며 말을 이었다, "기분 나쁘게 하려고 한 얘기는 아니야! 연 넌 내 사소한 도움에 기대지 않고 스스로 살 수 있어." – "딱히 기분 나쁘진 않아. 네 말이 맞아. 계속 성가시게 한 점 사과하지. 그만 귀찮게 할게. 어쨌든 이번에는 네 충고가 꽤 참고할 만하네." 그 순간 그렉이 방으로 들어왔다, "너희 둘 이번엔 또 뭐로 다투고 있어?"

〈이사〉

그다음 주, 파벨은 폭스(Fox)라 불리는 [cccxx]지주(地主)를 연에게 소개해 줬다. 폭스가 그에게 제시한 보증금과 방세(房貰)는 낼 만한 금액이어서 연은 기꺼이 이사했다. 폭스의 집은 큰 길가 옆 골목의 막다른 곳에 자리 잡고 있다.

파벨은 연을 보고 특유의 모자란 표정을 지으며 입을 살짝 벌렸다, "이봐, 잘 봐! 네가 살 집 뒤에, 크로크 경기장(Croke Park)

이 있어. 유럽에서 4번째로 큰 경기장으로, 유투(U2), 엘튼 존(Elton John), 본 조비(Bon Jovi), 폴리스(The Police), 셀린 디옹(Celine Dion), 웨스트라이프(Westlife)같이 내로라하는 가수들이 지금까지 음악회를 열어 공연했던 곳이야. 연, 네가 운이 좋다면 집에서 그들의 콘서트(concert)도 들을 수 있어." - "그거 꽤 떠들썩하고 흥미롭겠네. 고마워, 벗이여." "그건 그렇고, 동무, 집들이할 거지? 아니면 총각들끼리 파티라도?" - "누가 장가라도 간대? 매일 남자들끼리 놀면서 새삼스레 무슨. 저, 있잖아, 정확히 말하면 이곳은 내 집이 아니고 난 당분간 결혼할 계획이 전혀 없어. 그냥 에일이나 좀 마시자. 이번엔 내가 살게."

그렇게 그의 새 거처가 정해졌고 단층에서 동거인들과 생활하게 되었는데 그들은 한 쌍의 연인이다. 한 명은 이탈리아 처녀고 다른 이는 스페인(Spain)계 이탈리아 남성이었다. 집에 들어가자 놀랍게도 붉은빛이 도는 분홍색 여성 속옷이 연의 방 바로 앞 빨래 건조대에 걸려 있었다. 그 이탈리아 소녀의 기행은 연을 어리둥절하게 했다. 저런, 거긴 그대의 [cccxxi]일실형 주거(一室型住居)가 아니라오, 동거인 아가씨.

키 큰 이탈리아 처자는 구레나룻이 있는 왜소(矮小)하지만 몸놀림이 잰 스페인계 이탈리아 남성과 줄곧 같이 있었다. 몇 주 뒤 폭스는 연을 방문했다, "저 이탈리아 여성이 나에게 빨래 건조대에 넌 팬티 위치가 약간 바뀌었다며 젊은이가 자기 속바지를 만지작거렸다고 말하더군. 그래서 말인데 내 집에서는 점잖게 굴었으면 좋겠네!" - "전 그곳 근처도 가지 않았어요. 속옷 하의를 만지작거리는 짓은 더더욱 안 했죠. 기왕(旣往) 말이 나온 김에 나도 할 말 좀 합시다. 그녀는 다른 공간도 많은데 왜 항상 내 방 앞에다 빨래를 널어놓는 겁니까?" 폭스가 가고 난 후, 연은 항의하기 위해 동거인들의 방문을 두드렸다. 그들이 나오자마자 그는 분노에 차 소리쳤다, "너희 둘만 이 집에서 살고 싶다면 그냥 폭스 씨에게 요청해 그렇게 해! 젠장, 왜 날 모함(謀陷)해 바보로 만드냐?!" 키 작은 스페인 남자가, 노발대발(怒發大發)해 씩씩거리며 떠나려는 연에게 변명했다, "필시 뭔가 오해가 좀 있었나 본데, 내 여자친구는 그런 짓을 할 사람이 절대 아니야. 그녀는 단지 폭스에게 당신이 그녀의 세탁물을 가끔 본다고 얘기했을 뿐이야." 그러면서 그 [cccxxii]앙바틈한 청년이 연의 어깨를 움켜잡았는데 힘이 엄청났다, "내 말 끝까지 들어 봐. 그런 의도가 아니었어. 그건 단순히 표현상의 문제로, 오해야, 알아듣겠어?" - "글쎄, 난 조금도 동감할 수 없어. 그 더러운 손 치워. 빨리! 나쁜 새끼야. 계속 그렇게 나오면 후회하게 될 거야, [cccxxiii]다고(Dago). 네가 힘자랑하며 '씨불알' 대단하다고 뽐낸들 내 거만하겠나? 뭔가 단단히 착각한 모양인데, 그냥 꺼져라!" 연은 그의 손을 뿌리치고 밖으로 나갔다.

연의 집주인 폭스는 60대지만 건강하고 그의 부동산 관리를 남의 도움 없이 홀로 할 수 있어, 다른 [cccxxiv]부재-지주(不在地主)와는 달리 지주 겸 관리인 역할을 동시에 했다. 부동산-왕인 폭스의 자택에 인접한 땅 대부분이 그의 소유라 토지 경계 분쟁도 없어 보였고, 그의 손녀(孫女)뻘 되어 보이는 젊은 부인은 여주인으로서 연을 친절히 대해 주었다. 당시 그의 건물에는 연과 같은 나라 사람 3명이 [cccxxv]"가정-유학" 중이었다.

이틀 뒤 저녁, 불룩한 옷소매의 연보라 드레스를 입고 암갈색의 굽이 없는 낮은 신발을 신은 날씬한 체형의 프랑스 소녀가 하얀 강아지를 품에 안은 채 그 아시아인 3인조와 함께 예고도 없이 불쑥 연을 방문했다. 프랑스 소녀는 명랑한 부잣집 따님 같았는데 야릇하게 침착함과 [cccxxvi]스스럼의 기미(機微)가 공존했다.

그들은 먼저 자신들을 소개했다, "만나서 반가워요. 난 마리(Marie)라고 해요." - "연입니다. 좋은 저녁입니다(Bonsoir), 마리 아가씨(Mademoiselle Marie). 환영해요(Bienvenue)! 당신은 파리 사람인가요(Vous êtes parisien)?" "아뇨. 프랑스어 하실 줄 아시네요? 그것도 잘하세요." - "나만 그런 게 아니라 영어를 사용하는 적지 않은 사람이 프랑스어를 하죠. 그나저나, 무슨 바람이 불어서 여기까지 오셨나요, 마리 아가씨?" "저, 아가씨 소리 안 해 주셨으면 좋겠어요. 귀족도 아닌데 듣기 불편해요. 전 여기 당신에게 [cccxxvii]오르되브르(hors d'oeuvre)로 드시라고 직접 만든 [cccxxviii]카나페(canapé) 좀 주러 왔어요." - "끝내주네요! 안주로 [cccxxix]파테(pâté)랑 같이 편하게 먹을 수 있겠네요." 작은 파이(pie) 하나를 집어 먹은 후 그는 감탄했다, "우와! 프랑스 과자 가게에서 파는 식품보다 더 감칠맛이 나네! 이야기가 났으니 말인데 괜찮다면 하나 더 먹을래요." 그들이 그렇게 간식을 먹고 있는 와중에 마리는 연에게 다소곳한 미소를 지으며 말했다, "저, 사실 난 당신이 이전에 영어 시험에서 자신만만(自信滿滿)한 표정으로 100점 맞았을 때 잠깐 봤어요. 굉장하더군요. 당신은 최고예요." – "고맙습니다. 어쩌다가, 정확히 아는 문제만 나와 맞추었을 뿐인걸요. 여담(餘談)이지만, 목에 조그만 장신구를 두른 그 개는 비숑 프리제(Bichon Frisé) 아닌가요? 이름과는 달리 본디 프랑스산은 아니지만." "예, 맞아요. 연 당신, 박식하군요." – "아! 그저 비숑 프리제를 영화 "슈렉(Shrek) 2"에서 봤을 뿐이에요." "당신은 뽐내며 자랑하진 않네요," 마리는 킬킬 웃었다.

그렇게 가볍게 대화를 시작하고 소파에서 그녀가 만든 카나페를 먹으며 그들은 친해졌다. 어느 순간인가 연은 마리의 일행에 대해 묘하게 안 좋은 느낌이 들었고, 연과 같은 나라 사람 3명이 마치 연을 노리는 적인 양 서로 은밀하게 눈빛을 주고받는 장면도 포착했다. 어둠이 내리깔리기 시작할 무렵 마리는 자리에서 먼저 일어났다. 연은 그들을 문까지 바래다주며 그녀에게 넌지시 물었다, "이곳 생활이 단조롭지 않아요?" – "아마도? 농담 한번 해봤어요," 마리는 온후(溫厚)함을 풍기며 유쾌하게 웃었다, "그동안 단순히 학업 때문에 머물렀는데 일주일 후면 프랑스로 돌아가게 돼요. 그러나 걱정하지 마요. 지리적으로 가까워서 우리는 곧 다시 만날 테니까요." – "국교 회복을 위해 영국을 통해서, 그렇죠?" 마리는 연의 영국과 프랑스 관계에 관한 역사 유머에 입을 가리고 킥킥거렸다, "만나서 즐거웠어요. 나중에 만나요!" 마리가 먼저 작별 인사를 했다. "다시 볼 수 있겠죠, 맞죠?" 연이 못내 아쉬워하는 표정을 지었다. "사정이 허락한다면." – "안녕. 그럼 다시 또 봐요!"

그들이 돌아간 뒤 연의 안색이 좋지 않았다, "망했다! 저런, 그 데이비란 스코틀랜드 사람 말이 헛소리가 아니었네. 좀 더 답사할 필요가 있겠어."

〈두 번째 이사〉

며칠이 지나 폭스는 연을 저녁에 초대했다. 다섯 가지 코스(course)가 있는 만찬이었고 음식은 모두 은식기에 담겼다. 연이 폭스 집에 도착했을 때, 샛노란 색으로 변해 버린 냄비 요리에 넣을 새끼 양고기를 썰고 있던 폭스 부인은 문을 열어 주고 그를 따뜻하게 맞아 주었다. 폭스의 집은 수수하면서도 멋있는 가구와 비품(備品)으로 꾸며져 있었다. 폭스 부인이 연에게 자리를 안내하자 폭스가 그를 반겼다, "어서 오게, 연. 자네는 식전에 마시는 술을 어떤 종류로 할 텐가? [cccxxx] 베르무트(vermouth)? 아니면 샴페인(champagne)?" – "베르무트가 좋겠네요."

오랜 시간이 지나도 끝내지 못한 푸짐한 식사 덕분에 연은 포만감으로 만족스러웠다. 그는 손가락같이 생긴 [cccxxxi] "막대생선튀김(fish finger)"를 집으며 폭스 부인을 쳐다보았다, "그 [cccxxxii] 타르타르 양념(tartare sauce)을 건네주시겠습니까?" – "기꺼이.

그리고 후식(後食)은 뭐로 드릴까요? 브랜디(brandy)에 담근 과일? 아니면 비스킷?" "과일이 입가심으로 괜찮을 듯해요, 부인." 그러면서 연은 말과는 반대로 앞에 놓인 비스킷을 집으며 플루트(flute)처럼 길쭉한 잔으로 샴페인까지 음미하고 있었고, 조끼를 입은 폭스는 지하 저장고에 내려가 큰 와인-통에서 [cccxxxiii]디캔팅(decanting)을 마쳤다. 다시 올라온 그는 연에게 와인 잔을 건네고 벽로(壁爐)에서 바람-문을 조작했다. 폭스는 연에게 미안한 듯한 웃음을 띠며 풀무가 걸려 있는 벽로 선반 위에 놓인 작은 도기 조각상을 만지작거린다, "손님을 초대해 안 좋은 소식(消息)부터 전달하고 싶진 않지만, 연, 자네가 방을 비워주었으면 하네. 내 일실형 주거 중 한 곳으로 옮겨주는 편이 좋겠어. 자네, 와인을 다 마시면 여기 내 [cccxxxiv]사실(私室)로 와 주겠나?" 잠시 후 연이 폭스의 서재로 갔는데 그곳의 바닥은 [cccxxxv]나무쪽으로 된 복잡한 모자이크(mosaic) 문양이 돋보였고, 책상에는 다양한 종류의 [cccxxxvi]서진(書鎭)이 있었다.

"난 문진(文鎭) 수집가지. 특히 유리로 세공된 제품을 좋아하네. 그래도 이렇게나 많은 유리 문진을 가지고 있는 건 좀 그렇지? 거기엔 또 다른 이유가 있네. 알다시피 내가 더블린에 땅을 여러 군데 가지고 있어서 산더미같이 많은 서류를 처리해야 하거든. 그래서 난 불가피하게 서진 수집가가 되었네. 자, 이제 본론으로 돌아오도록 하지. 난 자네에게 [cccxxxvii]스튜디오(studio) 한 채를 할당해 주려고 하는데, 연 자네 생각은 어떤가?" – "그 말은 지금 저 보고 이사 가라고요, 맞아요?" "바로 그렇다네! 자네는 그곳에서 첫 달 동안은 집세를 내지 않고 지내도 되네." – "좋아요!"

연은 그렇게 폭스의 차를 타고 단칸방 집으로 짐을 옮기러 갔다. 그 말인즉슨 이제부터 동거인 없이 그 혼자 산다는 뜻이다. 차를 타고 이동하는데, 밤에 웬 구급차가 그들의 길목 가운데에서 있었다. "발동기(發動機)인 엔진(engine)이 아직 공회전하고 있는데, 배기관을 통해 나오는 소리로 판단하건대 고물이네요." 운전석 옆자리에 앉은 연이 말했다, "하지만 저 덜거덕거리는 승합차의 발동기나 기화기(氣化器)에 특별히 고칠 문제는 없는 듯해요." 그들이 바싹 다가가니 원인이 드러났다. "보이죠? 콘크리트(concrete)에 크고 깊게 구멍이 나 바퀴가 끼었어요. 그래서 그들이 응급 환자(應急患者)의 이송이 더 늦어지기 전에 차량의 축을 들어 올리려 함이 틀림없습니다." 연의 말이 끝나기가 무섭게 준의료인(paramedic)과 직원이 구급차 밖으로 나와, 밀어 올리는 기구인 잭(jack)으로 차틀을 드는 작업에 착수했다. 그들이 그러는 동안 폭스와 연은 개조한 사제(私製) 카 오디오(car audio) 기기를 켜 놓은 채 차 안에서 기다렸고, 잠시 생각을 멈춘 연은 폭스가 개인적으로 맞춤 제작한 파란색 계기판을 넋없이 바라보았다.

금세, 배가 남산만 해 출산이 임박한 임산부가 들것에 실려 구급차로 옮겨졌고 병원의 조산실(助産室)로 떠났다. 구급차는 마치 아무 일도 없었던 듯 신속히 사라졌다. 이 때문에 연이 목적지까지 걸어서 5분이면 가는 거리를 차로 30분이 걸렸다.

큰 길가에 연이 앞으로 살 건물이 있는데 2층이다. 먼저 안으로 들어간 폭스가 연에게 들어오라고 손짓했다, "자 보게! 좁지만 조리·냉난방 기기 등 최신 설비가 갖추어져 있네." 죽 둘러보니 맨 위층 다락방보다는 나은 전형적인 단칸방이었다. 연이 월세가 얼마냐고 묻자, 폭스는 그에게 매달 400유로씩 방세로 요구했다. '이 무슨 착취인가!' "자네는 터무니없이 비싸다고 생각할지도 모르나 그렇지 않다네. 여긴 더블린이라고, 젊은 친구." – "난 이 가격에 묵을 여유가 안 됩니다." "좋네, 이렇게 하도록 하지. 내가 자네의 전기료와 수도료를 첫 3개월 동안은 내겠네. 이것이 내가 제시할 수 있는 최선의 조건이네." – "좋아요, 거래합시다." 그의 여정 동안 짐이 반으로 줄어서, 새집에서 그의 짐을 정리하는 덴 오래 걸리지 않았다.

파벨은 바로 다음 날 연을 방문했다, "훌륭해! 이제 너만의 집이 생겼네. 웬일이냐." 연이 사정을 설명하자, 파벨은 혀를 찼다, "흥! 그~ '따고(dago)'는 야비(野卑)한 거짓말쟁이야. 그들은 자신들의 거짓말로 다른 사람들이 불행해지기를 좋아해. 그러니 그 따위로 살지." – "나는 이렇게 표현하고 싶어, [cccxxxviii]'맘마–미아(mamma mia)!' 정말 [cccxxxix]마라스카(marasca)같이 씁쓸한 경험이었어. 그들은 어떤 형태로든 자극을 원하는 변태들이 맞아. 그들의 연애(戀愛) 생활이 무미건조해서 그런가?"

늦은 오후 연은 잡화점에서 조그만 쓰레기통을 구매한 후, 중앙 우체국(General Post Office)으로 갔다. 접수대의 중년 여성 직원은 마치 그가 이곳에 처음임을 아는 듯 자세히 설명해 준다, "법적으로 당신이 쓰레기를 버리려면 쓰레기 처리 우표(郵票)가 필요해요." – "요구하는 가격이 얼마인데요?" "일반폐기물용(廢棄物用)은 장당 2.9유로가 들죠. 그리고 다른 하나는 2유로예요." – "일반 쓰레기용으로 2장 주세요. 아, 그리고 기타(其他) 용도로 한 장도." 그녀는 우표를 건네주며 마지막까지 친절히 설명해 준다, "그냥 그 우표를 쓰레기 봉지에 부착하면 됩니다."

〈록의 피바다〉

어느 하루, 누군가 문을 두드리는 소리에 연이 내객(來客)을 맞으러 나가 보니, 옷에 가르다 [cccxl]휘장(徽章)을 단 키가 큰 아일랜드 사람이 서 있었다.

"쉬시는 데 방해하려고 한 건 아닙니다, 선생님. 전 가르다의 캐릭(Carrik) 경위입니다. 건너편 거리에서 누군가의 머리가 잘린 살인 사건이 발생해 우리는 용의자를 찾아 이 일대를 샅샅이 뒤지고 있습니다. 피해자가 잘 가는 곳을 범행 전에 미리 물색(物色)해 계획적으로 한 살인인지 아니면 단순히 살의 없는 우발적 살인인지 단서를 찾아내려고 하는 중이죠. 혹시 살인 현장을 목격하셨나요?" – "아뇨, 난 거기서 살인이 일어난 사실조차 몰랐어요." "아주 좋아요. 협조에 감사합니다. 안녕히 계십시오!"

연은 바로 코앞에서 그런 끔찍한 살인 사건이 발생했다는 그의 말을 믿지 않았다. "저거 또라이 아냐?"

다음 날 아침, 혐오감을 일으키는 광경에 이웃들이 핼쑥해져서 있는, 문제의 살인자가 일으킨 욕지기 나는 피투성이 현장 옆을 지나가면서도 연은 태연했다. 당장 먹고살 걱정을 해야 하는 절망의 고뇌가 거리의 피바다를 엎질러진 빨강 페인트로 보이게 했다.

늘 그렇듯이 그는 자리가 빈 삯일이라도 찾으려고 [cccxli]가가호호(家家戶戶) 돌며, 복사한 70장의 이력서 중 몇십 장을 작은 회색 천가방에서 꺼내 사람들에게 나눠 주고 늦은 오후에 집으로 돌아왔다. 요리를 잘 못하는 연은 도매로 산 1.99유로짜리 생닭을 양념을 바르지 않고 소금 간도 하나도 안 한 채 통째로 오븐(oven)에 구웠다. 그래도 닭 껍질이 까맣게 타지 않고 황갈색으로 잘 구워졌다. 그는 흡족한 마음에 중얼거렸다, "자, 불은 끄고 여열로 갈색이 될 때까지 마무리를 완벽하게 하는 편이 낫겠다. 그러고 보니 꽤 잘했네, 요리에 서투른 내가!" 그런데 연에는 뭔가 특별한 점이 있었다. 어떻게 요리에 서투른 그가 예전에 수란을 뚝딱 만들 수 있었는가?

바로 그 순간 크로크 경기장 주변 상공을 맴도는 한 헬리콥터가 연의 눈에 띄었다. 하늘은 석양에 벌겋게 번져, 후끈 달아오른 공연장의 환호와 환상적인 조화를 이루었고, 공연하는 U2의 희미한 목소리가 연의 집까지 들렸다. 세계적으로 유명한 아일랜드 음악가와 광적인 팬이 만나니 축제의 밤이 따로 없었다. "이거 원, 최고참(最古參)에 속하는 유투는 아직도 아일랜드에서는 대세(大勢)로군. 나도 조국에서 마찬가지였으면…" 연은 뜻 모를 말을 나지막이 중얼거렸다.

〈이웃〉

그의 인근은 전원적(田園的)이진 않지만, 수도임에도 질붉은 저녁노을과 어우러진 풍경은 서정적(抒情的)이다. 서로 오가며 인사하면서 이웃끼리 친해지기까지는 그리 오래 걸리지 않았다.

화사한 봄꽃을 보며, 연은 저녁놀을 만끽하는 중이다.

"사후 세계에서 사람들은 천직(天職)을 가지고 생활할까? 아니면 여전히 돈을 벌기 위한 직업을 구할까? 직업이 목적이 되어야지 수단이 되면 사회가 발전하는 데 한계가 있을 수밖에 없어."

민들레꽃이 활짝 웃고 월계수 요정이 달콤한 향기를 풍기며 애무하니 그는 그곳이 평화롭고 위안(慰安)이 되었다. 더블린 변두리 지역에서, 거칠 것 없는 햇볕에 일광욕하는 모습은 영국과 더불어 흐린 날씨로 유명한 아일랜드에서 확실히 드문 광경이다.

연과 이웃 간의 삶은 서로 편안할 만큼 친숙해졌다. 집으로 돌아오는 길에 연은 한 흑인 소년을 봤는데, 그는 며칠 전에 거리에서 [cccxlii]밴조(banjo)를 연주했던 소년이었다. 소년은 운동복 차림에 농구공을 겨드랑이에 끼고 걸어오고 있었다. 연은 그에게 농구 한-판 하자고 제안했고 소년은 망설임 없이 이에 응했다.

일반적으로 신체 조건에서, 아프리카 초원을 뛰어다니며 사냥하던 흑인이 다른 인종보다 농구에서 유리함은 사실이다. 비단(非但) 농구뿐만은 아니지만. 아시아인인 연은 게임 내내 그 흑인 소년에게 끌려다녔다. 그런데도 그는 지는 게임을 결국 마지막 자유투에서 골을 넣어 이겼다. 하지만 자존심 강한 흑인 소년은 결과에 승복(承服)하지 않았다, "네가 점프(jump)하기 전에 반칙했다고!" – "이거 원, 내가 두 발이 공중에 떴을 때 반칙했고, 골은 일단 유효하니 맞아." "그건 네 말이겠지! 넌 심판이 아니잖아!" 그러나 게임은 이미 끝났다.

"아 참, 이름도 안 물어봤네! 다음에 만나면 꼭 물어봐야지!"

일거리에 대한 근심을 잠시 잊으려, 늦은 밤 연은 태연하게 전형적인 아일랜드 나이트클럽을 찾았다. 빈 탁자에 자리한 그는 무도장에서 춤추는 사람들을 멍하니 바라보고 있었다. 분명 주변에는 아무도 없었는데 난데없이 한 통통한 아일랜드 여성이 나타나 그곳은 그녀의 남자친구 자리라고 소리치며 그에게 버럭 화를 냈다.

평상시 같으면 그런 억울한 상황에 발끈해 따지겠지만, 만사에 신경 안 쓰고 쉬러 온 그였기에 대꾸도 안 했다. 연은 즉시 담배를 피우러 밖으로 나가 궐련갑(卷煙匣)을 열었다. 공교롭게도 말아 놓은 담배가 모두 떨어졌다. 주변에는 "반짝이 짤막 상의(spangled cropped top)"를 입고 복부를 시원하게 드러낸 네덜란드 여성이 쪼그리고 앉아 담배를 피우고 있었다. 연은 그녀에게 담배 한 개비를 줄 수 있겠냐고 물었고 그녀는 선뜻 그에게 말보르(Marlboro) 담배 한 개비를 건넸다. 연이 그녀에게 고맙다고 인사하고 떠나려 하자 그녀는 그에게 소리쳤다, "기다려! 어딜 가려고?!" 그가 주춤하자, 그녀는 큰 소리로 대가를 요구했다. "뭐라고?! 당신 나 지금 들볶는 거야?" – "아닌데? 그건 당신의 선택이야." 결국 연은 그녀의 요구대로 고작 담배 한 개비를 무려 2유로에 사게 되었다. 허망(虛妄)한 표정을 짓던 그는 담배에 불을 붙이고 그녀의 옆에 쪼그려 앉았다. 그런 연을 보며 네덜란드 여성이 거침없이 자기 생각을 입 밖으로 뱉었다, "그렇게 '쌕쌕(shag)'거리고 싶으면, 네덜란드로 오는 편이 나아." – "그 침튀기는 입 좀 닥치시지! 완전 날강도가 따로 없네! 네가 네덜란드인이면 네덜란드식으로 공평하게 분담해야지. 술김에만 통하는 네덜란드식 만용은 아니라고!" 연의 말에 주변 사람들이 웃음을 터뜨렸다. "술에 관한 네덜란드 허세가 나온 김에 하는 말인데, 맨정신에도 나한테 그런 말 할 수 있어, '나대년'아?" – "빈정대면서 날 폄하(貶下)하면 따먹을 줄 알았냐? '비역질' 나니 꺼져 버려, 더럽게 아는 체하는 놈아!" "누가 널 '따'먹냐, 말쑥한 척하는 경박한 년아. 난 '비역쟁이'가 아니고 넌 정말 내 타입이 아니니 네가 정 원한다면 네 아랫도리 대신 그 주둥이로 날 뿅가게 해버려도 괜찮아. 네 주둥이는 딱 그 용도야." 취기가 오른 두 사람의 대화가 점점 저질스럽게 흘러가자 스스로 염증(厭症)을 느낀 그는 그녀를 뒤로하고 떠났다.

그날 밤 집에 돌아와 카디건(cardigan)을 입은 채 마티니(martini) 한 잔을 홀짝이며 고전 음악을 듣다가 그는 전례 없는 불가해한 감정에 휩싸였다.

다음 날 아침 연은 수십 장의 이력서가 담긴 작은 천가방을 들고 교외로 나갔다. 도중에 한 신문팔이 소년이 그가 가는 길에서 있었다, “[cccxliii]호외요(號外)! 호외!” 그가 흔드는 신문지의 앞면에는 유명한 슈퍼스타(superstar)의 부고(訃告)가 대서특필돼 실려 있었다. 호외 신문을 단 한 번도 사 본 적이 없는 연은 처음으로 즉석에서 한 부를 구매한 후 전부 읽어보았다. 늘 그렇듯 적지 않은 팝-스타(pop star)가 약물로 인한 심장 박동 정지로 사망하지만, 이번 사건은 뭔가 이상했다.

오후에 학교로 가는 길에는 템플 바 입구에 아일랜드 편의점인 센트라(Centra)가 있는데, “치킨 필레 롤(chicken fillet roll)”을 1.99유로에 팔았다. 싼 가격에 비해 양이 푸짐해 그곳에서 그는 항상 저녁을 해결했다. [cccxliv]‘닭고기-막대-샌드위치’는 아일랜드 더블린에서 서민을 위한 저렴한 음식 중 하나이지만 꽤 먹을 만하다. 그곳 생활에 익숙해지면서 연은 거리의 악사가 연주하는 음악에 귀를 기울이곤 하였고, 그들이 연주를 잘했을 땐, 자신이 빈곤한데도 그들의 가치 있는 연주에 대한 답례로 소액을 기꺼이 후원하였다.

매일 편의점 간이식당에서 똑같은 음식을 사 먹는 데 신물이 나 대학가로 음식점을 찾아 내려오는 길에, 연은 새로 출시된 메뉴를 구매하면 식품 1개를 덤으로 준다는 광고 현수막(懸垂幕)을 내건 론디스(Londis)에 들렀다. 편의점 안에는 귀여운 중동(中東) 소녀가 일하고 있어서 연은 그녀가 그를 맞이할 때까지 기다렸다. 잠시 후 그녀의 큰 눈망울이 그에게로 향했다. "무얼 도와드릴까요?" – "나 이 새 메뉴 원해요." "안타깝게도 지금 그 메뉴는 이용할 수 없어요." – "나중에 언제 살 수 있는데요?" "나도 잘 모르겠어요." 그는 광고에 낚여 온 스스로에게 짜증이 났다. "이 광고는 감질(疳疾)나게 하는 미끼인가요?" 그녀가 무슨 말인지 몰라 눈을 말똥말똥 뜨고 연을 바라보자, 그는 첨언했다. "뭐 한번 덥석 물어 주죠." 그가 고기를 낚는 어부를 흉내 내니 그녀는 그제야 이해했다는 듯 킥킥거렸다. "이건 갈고리고, 이제 난 낚였네요. 좋아요, 저걸로 주세요." 연은 다른 메뉴의 식품을 사서 군말 없이 떠났고, 편의점 소녀는 떠나는 그에게 정감이 가는 미소를 지었다.

거리를 걸어 내려오던 연은 나무판이 바닥에 깔린 부두의 한 작은 노점에서 블랙-커피(black coffee)에 위스키가 가미된 아이리시 커피(Irish coffee)를 홀짝이며 폭스 부인이 손수 만들어 준 "칠면조 젤리(turkey in [cccxlv]aspic)"를 가방에서 꺼내 음미했는데, 부스러기가 쉽게 떨어지지 않아 먹기 매우 편했다. 늦은 오후 그는 한가롭게 어슬렁거리면서 주위를 산책하듯 돌아다녔다. 마치 더블린의 지도가 그의 머릿속에 각인된 양. 대부분의 영국 건물이 그렇듯, 아일랜드 주택도 보편적으로 박공이 있는

지붕에 양각으로 장식이 된 난간이 있어 특색 있게 도드라져 보인다.

아일랜드에 온 지 어느덧 몇 달이 다 되어 가는데 변한 건 없고 그의 지갑만 얇아져 갔다. "이런, 이렇게 허덕대다가 자동으로 유럽에서 추방당하겠는걸?" 그는 아일랜드에서 자력으로 살기 위해 아등바등 분투(奮鬪)하기 시작했다. 연에겐 말 그대로 사활(死活)의 문제다.

〈파스〉

Foras Áiseanna Saothair, 즉 'Labour Facilities Foundation'으로 번역되는 이른바 파스(FÁS)는 일거리가 없는 사람의 고용(雇傭)을 돕는 정부 기관으로, 실업자에 대한 관리 책임 부서다. 한마디로 고용 지원 기관이다. 연이 돈 문제로 곤궁한 와중에, 인터넷 카페 대신 파스에서 무상으로 CV를 수정, 복사할 수 있었고 그때까지 그 무엇도 그의 의욕을 꺾지 못했다.

〈순회〉

연은 일거리를 찾으러 좀 더 멀리 나가 보기로 작심했다. 그래서 그는 예전에 더블린 지도 조각을 얻었던 가게에서 아예 지도책을 통째로 샀다.

던드럼(Dundrum)은 아일랜드어로 'Dún Droma'라고 하는데 '산등성이 요새'를 의미한다. 그렇게 이름 지어진 대로 마을 전체가 주변에 비해 [cccxlvi]두두룩하게 되어 있었고 도로는 뱀처럼 구불구불 마을과 산을 감아 돌고 있다. 길을 걷던 연은 고령으로 인해 지팡이를 짚고 가는 한 노파를 만났다. 같은 길을 지나게 된 그들은 서로를 소개하고, 걸어가면서 이런저런 이야기를 나눴다, "토끼풀이 아일랜드 국화(國花)이라던데요?" – "토끼풀? 어마, 난 그런 사실을 전혀 몰랐네." "노부인, 아일랜드 국가의 상징이라고요. 토끼풀 모르세요? 클로버(clover)!" 연은 순간 무슨 말을 할지 몰라 어리둥절해 걸음을 멈췄다. 그 노부인은 신경 쓰지 않고 마치 처음부터 혼자 걸어온 듯 가던 길을 갔다. 그녀는 노인성 치매(癡呆)를 앓고 있었다.

연은 던드럼에 있는 아시아인 식당의 음식 나르는 일에 지원한 후 되돌아오는 길에 버스 안에서 10대 초반의 어린 소녀 맞은편에 앉게 되었다. 그는 그녀에게 정겹게 인사를 건넸다, "안녕! 병아리같이 귀엽네?" 그러자 그 어린 소녀의 얼굴은 연분홍색으로 붉어졌다. '이번엔 또 뭐지? 내가 저 애에게 한 말 중에 잘못된 점이라도 있나?' 그는 소녀를 위해 애써 태연한 척 못 본 체했다.

어느 늦은 오후, 학교에서 집으로 돌아오는 길에 두 남자 거지가 연에게 접근했다, "잔돈 좀 있으면 나눠 주시면 고맙겠습니다, 선생님!" 그는 있는 잔돈을 전부 그들에게 주고 가던 길을 갔다.

연의 예전 "청소년 여관" 근처에서, 어쩌다 안면이 있게 된 파벨의 친구 중 [cccxlvii]'실없쟁이'가 그에게 장난삼아 농담을 툭 던졌다, "이봐, 검은 머리 친구, 무기 밀매를 하는 모양인데, 내 말이 맞지?" 연은 그의 장난기 어린 농담에 맞받아친다, "그래, 경찰 따위가 건들 잡범이 아니야. 날 잡으려면, 군대를 출동시켜야 할걸? 난 미니건으로 알려진 M134 Minigun 같은 치명적인 기관총을 운송하거든. 그건 집중 폭격에 대응해 [cccxlviii]탄막(彈幕)을 만드는 데 효과적이고, 총알로 어떤 단단한 물체도 벌집같이 구멍투성이로 만들 수 있어. 그리고 AK-47 같은 기관단총도 다루지. 하지만 무기 이외의 장비나 사소한 [cccxlix]소이탄(燒夷彈), 최루탄(催淚彈) 그리고 테이저(Taser)는 취급하지 않아. 자동 소총 칼라시니코프(Avtomat Kalashnikov)는 전 세계적으로 공인된 아름다운 러시아 아이야. 이 펀치(punch)를 한번 느껴 보면 못 잊을걸? 네가 러시아 제품을 좋아하지 않는다면, 우지(Uzi)를 추천해. 기본적으로 같지만 이스라엘산이야. 참, 난 현금만 받아. 지금 당장 구매한다면 탄창에 탄약을 채워 덤으로 줄 수 있지." – "너 진짜로 총기에 능숙하구나? 고객 서비스로서 더 자세히 알려줘!" "그 총은 탄착점(彈着點)이 잘 모인다는 사실 빼고 나머지는 잘 몰라."

그들을 뒤로하고 연은 계속 걷다가 옛 숙소 앞에서 파벨과 마주쳤다. 그들은 현관(玄關) 계단에 앉아 그동안 못다 한 이야기를 했는데 그 주제는 바로 접수대 직원인, 그런대로 괜찮게 생긴 아그니에슈카였다. 얘기 중에 흥이 돋았는지 파벨은 그의 자작곡인 "오, 아그니에슈카, 내 사랑!"을 부른다, "오 아그니에슈카, 내 사랑, 나의 사랑을 받아 주오! 어쩌고저쩌고." 그러고 나서 어떻게 그 곡을 만들었는지 얘기하기 시작했다. 요약하면 연 뒤에 새로 들어온 기타리스트(guitarist)가 기타를 연주하다가 파벨과 함께 곡을 만들었다고 한다. 그러면서, 이틀 뒤에 그 기타 연주자는 방에서 돌연사했는데 일주일 뒤 부검 결과 최종적으로 사인이 뇌졸중으로 밝혀졌다고 덧붙였다. 그 얘기 후, 파벨은 돌연, 한때 그렉과 파벨을 놀리려고 농담으로 그녀를 좋아했다고 한 연을 흉내 냈다, "얘들아! 아그니에슈카는 내 거야!" 파벨이 익살스러운 표정을 짓자, 연은 낄낄거렸다, "너 조금 많이 마셨구나." 그때 파벨의 친구인 혈색 좋은 얼굴을 한 미국인이 끼어들었다, "거 참, 말참견을 안 할 수가 없네. 나쁜 뜻으로 말하는 건 아니지만, 솔직히 말하면 난 그런 훌라-후프(Hula-Hoop)같이 허리 군살이 있는 땅딸보 아가씨는 안 좋아해. 왜냐면 포동포동 살찐 여자랑은 [cccl]'떡(bone)'을 칠 수 없거든. 내가 어떻게 그녀의 치골(恥骨)을 찾을 수 있겠어? 미국에서는 널린 게 우리한테 대주고 싶어 안달 난 가슴 빵빵하고 엉덩이 큰 여자인데. 난 빠질게." 연이 바로 뒤이어 덧붙여 말했다, "나도."

다음 날 연은 블랙록(Blackrock)으로 면접을 보러 갔으나 소용없었다. 그는 점심때가 되자 철로 옆 파도가 철썩철썩 치는 제방(堤防) 위에 앉아 샌드위치를 한 손에 들고, 멍하니 칙칙한 바다를 바라보며 한참 동안 생각에 잠겼다.

다시 더블린 시내로 돌아오는데, 아래쪽 거리인 대학가 근처에서 한 러시아인이 몸통이 물고기 꼬리처럼 삼각형으로 된 삼현

(三絃) 기타를 연주하고 있었다. 콘트라베이스(contrabass) 발랄라이카(Balalaika)다. 더블린 예술인 중에서 실제로 그걸 연주하는 일은 매우 드물어 그는 연주가 끝날 때까지 흥미롭게 쳐다보았다. 가기 전에 연은 관람료로 유로 동전을 바구니에 던져 주며 그에게 말했다, "언제 한번 다른 이들과의 즉흥 재즈 합주를 듣고 싶네요."

바로 그다음 날 연이 이번에는 블랜차즈타운(Blanchardstown) 옆에 있는 작은 마을에서 돌아다니고 있다, "도대체 내가 일자리가 있을 턱이 없는 이런 외딴 부락(部落)에서 뭘 하고 있지?" 그가 걷는 길가의 주택은 예외 없이 박공집이다. 북쪽으로 5분 정도 걸으니, 정원의 구조물에 덩굴 식물이 자라서 이루어진 나무그늘 산책길이 나왔다. 그 [cccli]게일(Gael)의 비밀 화원으로 가는 통로는 소유주의 경탄할 만한 예술적 가지치기 기술을 보란 듯이 뽐내고 있었다. 그가 감상하고 있는 도중에 한 사람이 어디서인지 모르게 나타났다. 염소수염을 한 나이 든 켈트 남성은 퉁명스럽게 쏘아붙인다, "난 당신이랑 영어로 대화 안 하오." 연은 미소를 지으며 반박했다, "글쎄, 그건 나도 마찬가지인걸요." 더 이상 볼일이 없던 연은 즉시 그 자리를 떠나 블랜차즈타운의 대형 쇼핑몰로 향했다, "뭐 저런 주인 영감(令監)이 다 있어!"

켈트 노인은 뭔가 분위기가 범상치 않아서 연이 평상시 같았다면, 좋은 대화로 인연을 만들어 지금의 문제를 해결하는 쪽으로 사건을 진행시켰을 수 있었을지도 모른다. 하지만, 이곳에 와서도 일자리를 구한 적이 없고 돈만 떨어져 가는 그는 당장 절박했다.

야외 체험 학습을 나온 한 무리의 유치원생이 쇼핑몰의 버거킹과 맥도날드 연쇄점 가운데 서 있다. 그들 중 한 명이 다른 아이에게 자랑스럽게 얘기했다, “맥도날드가 버거킹보다 훨씬 나아!” 그러자 그의 편에 있는 아이들이 동의한다, “맥도날드가 대세야!” 그 광경을 본 연이 끼어들더니 운(韻)을 맞추어 우스갯소리를 한다, “코 파거킹(Booger King) 대(對) 막~똥나드라(McDung’s)! 승자는, 아일랜드 혈통 막~똥~나드라!”[ccclii] 아이들이 한바탕 웃음을 터뜨릴 때 연은 그들에게 부드러운 눈길을 주었다, “있잖아, 아가들아, 그들은 좀비(zombie) 같은 자본주의자야. 아마 너희들에게 마법을 걸었을지도 몰라. 얏! [cccliii] ‘가르더라(Abracadabra)!’” 아이들은 천진스레 킥킥거리더니 연에게 묻는다, “좀비도 주문을 외울 줄 알아요?” 연은 웃으며 고개를 저었다. 잠시 건물에 들어갔던 교사가 나오는 모습을 본 그는 한쪽 눈을 찡긋거리며 아이들에게 작별 인사를 했다. 연은 아이들이라 어차피 이해하지 못한다고 생각해 삼켰던 말을 돌아오는 길에 홀로 중얼거렸다, “연쇄점의 큰-형님(Big Brother)은 대부분 미국에 본사가 있는 대기업인데 그곳에서 다른 경제를 황폐(荒廢)케 하고 있다. 그들은 파급력이 강한 사업을 지구촌 구석구석 퍼뜨려, 노예 상인으로서 노예를 양산하며 자신의 엄지손가락 하나로 간단히 제어하려고 해. 그 악착같이 돈을 모으는 사업에는 어떠한

창의성도, 삶의 존재 이유도 없지. 허풍만 가득한 협잡꾼들이 제로섬 게임에서 그저 돈을 긁어 들이고 있을 뿐이야."

어느 오후 연은 아일랜드의 경제 상황을 살피기 위해 더블린 중심부에서 멀리 떨어진 곳까지 나갔다. 왜냐면 그는 그렇게 노력했는데도 아일랜드에서 단 한 푼도 벌지 못했고, 자신의 탓이 아닌 전 세계적 경제 위기 상황 때문이라고 여겼기 때문이다. 그가 향한 곳은 더블린 외곽의 공업 지대였다.

그곳은 폐쇄(閉鎖)한 공업 지구라기보다 소름 끼칠 정도로 을씨년스러운 죽음의 황무지에 가까웠다. 결딴난, 오래된 공장에는 차만 드문드문 있고 쥐새끼 한 마리 볼 수 없었다. "돌아가는 기계가 없으니 이 무슨 암울한 공장 지대인가! 문 닫기 직전이군!"

연달아 직접 발로 뛰어다니며 탐방(探訪)하느라 지친 연은 돌아오는 버스 안에서 잠시나마 쉴 수 있었다. 다음 일정 준비를 위해 기력을 충전하려 잠깐 눈을 붙인 그는 언제나 함께하길 바라던 스웨덴 소녀 엠마의 꿈을 꾸었다.

허드렛일 같은 단순 육체노동까지 마다하지 않고 한 집 한 집 열심히 찾아다니면서 그의 양말은 해지고 퀘매기를 몇 번이나 반복했는지 모른다, '그래도 걸인처럼 발가락에 천을 칭칭 감는 것보단 낫지.' 연은 그렇게 생각했다. 그때까지만 해도 그는 경기 대불황에 절대로 위축되지 않았고 오히려 이에 지지 않기 위해 민첩하게 움직였다. 그러나 그동안 한 고생은 결국 헛수고가 되었다. 그는 위험하고 고된 일이라도 얻으려고 필사적으로 노력했지만 소용없었다. 운명의 수레바퀴가 그에게 안 좋게 비스듬히 굴러가고 있었다.

며칠 뒤 오후, 연은 그날도, 이젠 환상이 되어 버린 일자리를 구하려 더블린 지역을 돌아다니고 있다. 그러다 도중에 옅은 갈색 대형 [cccliv]토트-백(tote bag)을 든 헝가리 가정주부와 마주쳐 인사하고 자연스럽게 같이 걷게 되었다. 그녀는 대략 150 cm 정도 키고 연은 182 cm에 달하기 때문에 큰 걸음으로 성큼성큼 가 버려 앞지르지 않게 그는 자신의 걷는 속도를 그녀에게 맞췄다. 함께 가는 동안에 그녀는 그의 언어 재능에 관해 칭찬했다, "당신은 영어를 굉장히 능숙하게 구사하네요. 난 여기 20년 동안 살아도 영어가 서툰데 당신은 생애 첫 해외여행이면서 어떻게 그렇게 영어를 잘할 수 있죠?" – "글쎄요, 일단 영어에 능숙한 이유는 내가 영화에 나오는 다양한 원어민의 영어를 열심히, 그리고 꾸준히 듣는 훈련을 해 왔기 때문이죠. 선별하는 방법은 그냥 가장 많은 원어민이 본 영화예요. 특히 유명한 영화들요. 영화가 지덕(知德) 계발(啓發)을 위해 가치 있는지와는 무관하게. 이는 과학적으로는 설명할 수 없는 궁극의 진리입니다." 대화가 자기 본위(本位)의 젠체하는 쪽으로 흐르자, 연은 화제를 돌렸다, "그나저나 질문이 있는데 [ccclv]굴라시(goulash)는 본디 헝가리 음식인데 왜 체코에서 더 유명하죠? 훨씬 맛있나요?" – "그럴 리가요! 그건 프라하 방식이 인기 있기 때문이죠. 원조(元祖) [ccclvi]구야시(gulyás)를 맛보고 싶다면 부다페스트로 오세요. 단순하지만 그게 본래의 구야시죠." 연은 침을 꿀꺽 삼켰다, "두 배로 낼 테니 당신의 굴라시를 맛볼 수 있을까요?" – "아니, 그건 안 돼요! 난 결코 어떤 남자도 내 집에 들이지 않아요!" 그리고 그녀는 홱 가 버렸다. "난 분명 성적인 의미로 말하지 않았는데. 내가 동냥아치같이 굴었나?"

얼마 뒤 직업-소개소를 찾은 연은 집으로 돌아가 정장으로 갈아입은 후 폭이 넓은 [ccclvii]윈저 매듭(Windsor knot)으로 넥타이(necktie)를 매고 자진(自進)하여 그곳에 갔다. "아, 옷 구김을 방지하는 접이식 양복 휴대 자루(garment bag)가 마침내 쓸모있게 됐군."

큰 방으로 통하는 작은 방인 대기실에서 기다림 없이, 연이 여성 접수 담당자에게 지원서를 주자마자 그녀는 바로 면접을 보았고 그에게 구직 목적의 일관성을 가져야 한다고 충고했다, "당신의 주 경력과 원하는 직업이 맞질 않군요. 당신에게 참고삼아 말하는데, 임시변통의 직업은 시간만 헛되이 낭비하기 쉬워요. 앞으로 직업이 당신의 바람이나 경력에 부합될지는 자신에게 달려있어요." 상담이 끝나고 그동안 답답하게 느껴졌던 목을 죄고 있던 넥타이를 풀어 헤친 채 이층 버스에 올라탄 순간, 연은 낭패(狼狽)스럽다는 듯 당황한 표정이 역력했다. 올 때 호주머니에 있는 잔돈을 써서 몰랐는데 지갑을 통째로 집에 놔두고 와 버렸다. 바로 그때 어떤 도량(度量)이 넓은 아프리카 사내가 다가와 그 대신 버스비를 요금함에 넣어 연을 [ccclviii]원조(援助)했다. "고맙습니다, 선생님. 성함(姓銜)이?" – "난 자메이카(Jamaica)에서 온 자마르(Jamar)라고 하오. 나의 푼돈으로 당신을 도울 수 있어서 오히려 내가 기쁩니다. 그러잖아도 잔돈이 거추장스러웠을 뿐이니 마음 쓰지 마시오." "송구(悚懼)하지만, 자마르, 어쨌든 신세를 졌습니다." – "좋소!" "저어, 자마르, 당신은 영국식 영어를 구사하지 않는군요. 내가 알기론, 자메이카는 영국 통치 아래에 있었을 텐데요." – "맞소. 그러나 우리 나라는 아메리카 대륙의 쿠바(Cuba)에 가까운 카리브해(Caribbean Sea)에 있는 섬나라요. 자메이카 사람은 정통 영국식 영어를 쓰지 않소. 엄밀히 말하면 우리는 영어에 기반한 아프리카 크리올-어(Creole language)를 씁니다."

⟨이색 소풍 II⟩

어느 날 밤, 연은 동포가 경영하는 슈퍼마켓으로부터 문자 메시지(message)를 받았다, "[ccclix]명일(明日) 오전 10시 XXX에서 소풍이 있습니다. 가능하면 참석하셔서 자리를 빛내 주세요." 그는 잠시 망설이다가 구직에 도움이 될지 모른다는 실오라기 같은 희망을 품고 참석하기로 마음먹었다. 교포들이 야유회(野遊會)를 간 날은 법정 공휴일이다. 그들은 산과 들이 있는 곳으로 놀러 갔다. 연은 그곳까지, [ccclx]평저선(平底船)이 지나다니는 리피강 위의 오코넬-다리를 건너 몇 시간을 계속 걸었다. 가던 경로 중간에 그는 다수의 아이들이 어떤 장소에 운집해 있는 광경에 이

목이 끌렸다. 바로 공원 속 동물원이다. 한 목말을 탄 아이가 눈 앞의 동물을 손가락으로 가리키며 부모에게 말한다, "아빠, 저 코끼리, 코뿔소, 하마(河馬)같이 두꺼운 피부를 가진 큰 동물을 뭐라고 불러요?" – "얘야, 그건 전문 용어로 [ccclxi]후피 동물(厚皮動物)이라고 한단다." "미국 [ccclxii]'그림–신문(tabloid)' 만화에 나오는 코끼리가 자기가 공화당이라고 했어. 아빠, 그게 무슨 말이에요?" – "어, 그건 말이지… 공화당은 매우 커. 민주당보다 덩치가 크고 피부, 특히 낯짝이 두꺼워서 얼굴을 붉힐 줄 몰라 부끄러움을 모른단다. 어려운 말로는 후안무치(厚顔無恥)라고 하는데, 알 필요는 없어." "아빠, 당나귀는 어떤데?" – "그들은 그냥 '멍나귀'야."

연이 동물원을 지나치고 얼마 안 가 바로 그의 나라 사람들을 찾았다. 참가자들은 구기 경기를 이제 막 시작하고 있었다. "뭐야?! 소풍이 아니라 운동회였어?" 하지만 연은 운동이 친목을 빨리 다지겠다고 생각해 나쁘게 보진 않았다. 단, 처음 보는 사이끼리는 역시 좀 그랬다. 연의 사정은 절박했지만 겉으로는 태연하게, 그저 그들의 경기를 관전(觀戰)하였다.

경기가 끝나길 기다리는 동안 연은 어슬렁거리며 산책하다 숲 속 깊은 곳까지 들어가게 되었다. 어느 순간 나무가 갑자기 사라지고 탁 트인 초원이 나타났다. 그곳에는 네발짐승 무리가 떼 지어 한가롭게 풀을 뜯어 먹고 있었다. 지금은 멸종된, 이른바 큰뿔–사슴(giant deer)이라 불리는 아일랜드 엘크(Irish elk)를 연상케 하는 큰 사슴 무리였는데 그중 한 마리는 거대하게 가지진 뿔이 검은 플라스틱 봉지로 덮여 있었다. 인간들이 이곳까지 그들의 서식지를 점령하고 있다는 표시다. 그 장면은 왠지 애처로워 그냥 실소해 넘어갈 수가 없었다. 게임이 모두 끝난 후, 그들은 대화를 나누며 소풍 바구니에 싸 온 음식을 다 같이 먹었다. 새로 온 연에게 부담을 주지 않으려는 듯 무심한 척 자연스럽게 대했지만, 그는 그것이 허울이라고 느꼈다.

연은 아일랜드에서 역시 따뜻한 환영을 받지 못했고 정치적 [ccclxiii]폭력주의자로 취급받거나 초면인 여관 주인에 의해, 무차별 훼손을 즐기는 문화 예술의 파괴자로 오해받는 일까지 있었다. 손님을 받으면서 침입자로 본다? 전적으로 그건 [ccclxiv]"아일랜드식 모순(Irish bull)"이다. 게다가 초면부지(初面不知)의 사람에게는 농담이라도 전혀 재밌지 않다. "당신이 주장하는 문제의 '테러리스트(terrorist)'란 뜻을 난 이해할 수가 없어요. 가만 보자, 아, 알겠어요. 당신은 필시 외국인 혐오증이 도졌군요, 맞죠? 아니면 무슨 일이 있기를 고대(苦待)하던가? 난 당신이 사람을 외모로 평가한다는 사실은 알겠는데 왜 나를 폭력주의와 연관을 시키는지 당최 알 수가 없네요." 연의 얼굴은 노여움으로 확 달아올랐는데 그게 그를 더욱 위협적으로 보이게 했다. "불법 무기 밀매상에다 이젠 테러리스트로 오해를 받아? 다음은 뭐지? 나에 대한 소문이라도 떠도나? 그럴 리가 없지! 단순노동도 못 구할 정도로 존재감도 없는데 뭘."

학교에 가랴 생계를 꾸리려 없는 일자리를 구하랴 연은 점점 정신적으로 지쳐갔다. 그는 집으로 오는 길에 파벨과 마주쳤다. 파벨은 길 건너편에서 그에게 고함치며 손을 흔들었다, "오랜만이야, 연. 근황은 어때?" – "그저 그래!" "그저 그래? 그러면 얼마나 오래 이 상황을 헤쳐 나갈 수 있다고 봐?" – "배 째. 죽을 맛이야. 조금도 나아질 기미가 안 보여. 위험한 일도 마다치 않고 찾으러 멀리까지 나가 봤는데, 제길! 난 일 없이 어정거리는 사람이 아니라고!" 연이 투덜댔다. "대비책이라도 있어?" – "개뿔 있기는!" 그러자 파벨은 그에게 단정적인 말투로 충고했다, "지금부터 내 말 잘 들어. 유럽 학교 여름 방학이 보통 6월 하순에 시작해. 말하자면, 학생들이 매년 용돈을 벌러 단기적으로 일하는 시기라고! 그건 네가 일자리 구할 시간적 여유가 얼마 없다는 상황을 뜻해. 정말이야. 꾸물거리면 안 돼! 빨리빨리!" – "제기랄! 난 그렇게 이곳 물정에 밝지는 않지만, 네 말이 맞는 듯해. 넌 나의 진정한 친구니까 빈말할 리가 없지. 그나저나 술 한잔하면서 얘기 좀 하고 싶은데 어때, 파벨?" "비공식으로? 그럼, 우선 먼저, 비공식으로 술을 파는 곳을 가야겠지." – "하하, 재밌군. 너 은근히 재치 덩어리야, 파벨" "그건 너도 마찬가지야! 자, 진탕(−宕) 마셔보자!"

사실 파벨은 술꾼이지만 알코올 중독자는 아니었다. 엄밀히 말하면 알코올 중독은 애주(愛酒)와 같지 않다. 게다가 그 술고래는 거대하고 강인한 간(肝)을 가졌다. 하지만 너무 과신하지는 말도록, 파벨. 왜냐면 그러다 간장병(肝臟病)에 걸리기 쉬우니까.

〈트위터〉

집에서 웬일인지 날이 서 있는 연이 싸구려 오디오 기기를 앞뒤로 움직이며 연결하고 있다. 소리는 음량을 키울수록 나빠졌다. 그의 휴대용 음악 재생기에 콩알만 한 저가 앰프(amp)가 내장(內藏)되어 있기 때문이다. "싸구려 스피커를 설치했지만, 음향학적으로 이 방의 구조는 그리 나쁘진 않네." 파벨은 연의 평소(平素) 같지 않은 행동에 다소 놀란 표정이다. 연은 왜 그가 이상한 짓을 했는지 설명했다, "난 그렇게 [ccclxv]하이-엔드 스테레오(high-end stereo) 장비에 미치진 않았지만 내 귀가 꽤 밝아서 그래. 워낙 저가형이라 그런가, 5유로 지폐 몇 장짜리 오디오 기기를 [ccclxvi]조율하기가 쉽지 않네. 단지 값싼 기기 때문에 음악 작품의 음이 뭉개지게 하고 싶지 않거든."

잠시 침묵이 흐르고 연은 파벨을 바라보며 웃었다, "그러나저러나 왜 우리가 여기에 있지?" 파벨은 연의 집에 들어온 이래 처음으로 입을 떼며 대답했다, "자식, 우리가 여기 있는 이유는 뒷병으로 맥주를 해치우기 위해서지. 자 당장 마셔 볼까나?" – "하하, 그래, 우린 술친구였지?" "그래. 맥주를 위하여 건배!" – "맥주를 위하여!" "기꺼이!" – "하하, 놀라운 사실은 파벨 네가 재치 있는 말을 할 줄 안다는 거야. 이봐, 근데 네 얼굴은 웃을 때조차 경직돼서 진지해 보여. 얼굴 마사지가 좀 필요할 듯한데?" "하하. 거울 보는 느낌 안 들어? 우리 둘 중 한 사람에게만 적용되지는 않는데?" 파벨은 연의 재기 넘치는 소견(所見)에 응수했다. 그들은 이미 다른 맥주는 다 끝냈고 기네스를 마시기 시작했다. 기네스 생맥주(draught) 캔 안에는 조그마한 부속품이 들어 소리가 났다. "이봐 파벨, 너 이게 뭔지 알아?" – "내 머리로 그걸 알겠냐?" 연은 알루미늄 합금 맥주통을 반으로 쪼개 그것을 꺼냈다. 파벨이 안의 내용물을 보고 고개를 갸우뚱했다, "이 작은 플라스틱 공은 어디에 쓰지?" 연이 무언가 기억난 듯 손뼉을 쳤다, "아, 생각났다! 이건 작은 도구로서 위젯(widget)이라고 부르는데, 통을 딸 때 기압 차로 인해 압축된 질소가 나와 기네스 맥주에 크림 같은 거품을 일으키게 해."

파벨은 기네스를 마시며 연에게 말했다, "이 음악은 단순해 편하게 들리는데? 하하!" – "맞아. 그리고 귀에 쏙쏙 들어오지. 그런데 어떻게 기네스가 이렇게 깊은 맛을 지니게 되었을까? 재료? 통기법(通氣法)? 주조 기술? 아니면 그밖에 무언가 때문?" "자꾸 전문적인 사항을 나에게 묻지 마, 연. 난 기네스 맥주의 발명가인 아서 기네스(Arthur Guinness)가 아니라고."

음악을 들으면서 그들은 이야기를 나누기보다 주로 술을 마셨다. 화장실에 자주 가는 연의 행태를 본 파벨이 농담한다, "어이, 연, [ccclxvii]아드레날(adrenal)에 문제 있어?" – "아니! 단지 한 번 갈겼을 뿐이야. 어떻게 우리가 '아드레날_린(adrenal_in)'도 없이 막역(莫逆)한 사이가 되었겠어? 말장난한 김에 지적하는데 넌

'부신' 문제라고 말하면 안 되고 '방광(膀胱)' 또는 '전립선' 문제라고 했어야지, [ccclxviii]'아갈싸개'야!" "좋아, 알겠어," 파벨은 크게 웃으며 말했다. "그래야지. 그나저나 나 오늘 AIB(Allied Irish Banks) 은행 근처에서 그렉을 만났는데 나에게 보여줄 게 있다며 안으로 데리고 가더니 말도 없이 또 사라져 버렸어. 어쩌면 그렉은 나를 두고 가 버리는 장난을 좋아하는지도 몰라. 아니라면 왜 날 동반해 거기로 갔을까? 난 직업도 없고 유럽 사람도 아니라 은행이 나한테 자금을 융통해 줄 이유가 전혀 없잖아, 그렇지?"

– "이봐, 연, 그 빌어먹을 그렉 노박(Greg Nowak)을 믿지 말고 멀리하는 편이 좋아. 그가 너에게 마리화나를 주는 저의(底意)는 널 약에 중독시켜 대마초를 팔아먹으려 함이야. 설상가상으로 널 꼬셔서 죄를 저지르게 하려 한다고 생각해. 결코 마약 밀매자랑은 어울려선 안 돼! [ccclxix]쇠미(衰微) 속에서 살아가면, 같이 스러져갈 뿐이야. 넌 그를 조심해야 해."

그리고 그들은 잠시 침묵을 지켰고 연은 화제를 바꿨다, "지금 내 몸무게는 66 kg이야. 그동안 죽 77 kg이었거든. 나 몸무게가 심각하게 줄고 있어." – "우선 한 가지 이유로 이거는 확실해. 네가 담배를 끊으면, 다시 몸무게를 늘릴 수 있어." "하하! [ccclxx]데데한 소리! 그건 너나 나나 마찬가지야, [ccclxxi]굴뚝 선생(Mr. Chimney)!" – "흠, 그렇게 되나? 어쨌든 네가 담배 피우는 모습을 보면 꼭 고무–젖꼭지를 빠는 모양새야." "고무–젖꼭지? 공갈

젖꼭지 말하는구나. 만일 그렇다면, 내가 '젖'도 덜-떨어진 얼간이네. 그리고 너도 역시 아기고?" 그들은 술에 꽤 취한 듯, 서로 눈이 마주치자 자지러지게 포복절도했다.

"다시 네 문제로 돌아와 보면, 그건 네가 아직 새로운 아일랜드 음식과 환경에 익숙해지지 않아서 그래. 나중에 적응이 되면, 다시 체중이 예전처럼 돌아올 테니 걱정하지 마. 그건 습성이 된 기호(嗜好)의 문제야. 맛 들이기 나름이지." - "스웨덴에 있는 나의 진정한 사랑은 뭔데? 나에게는 우리 나라 여자보다 스웨덴 여자가 전 세계에서 제일 예쁜데?" "안 그럴걸. 넌 살면서 첫인상에 영향을 받지 않을 수 있다고 확신해? 네가 처음 해외로 나간 거 자체가 강렬한 인상을 새겨서 그래." - "그건 그렇지. 난 케케묵고 상투적인 문구는 좋아하지 않지만, '좋고 싫은 데엔 이유가 없다.'"

"그럴 수 있지. 스웨덴 얘기가 났으니 말인데, 위키리크스(WikiLeaks) 설립자인 그 아무개한테 무슨 일이 일어났다던데?" - "줄리언 어산지(Julian Assange) 사건은 강간과 정치적 망명이 뒤섞여 있는데, 내가 아는 한 구속 [cccl xxii] 적부(適否) 심사를 위한 출정(出廷) 영장(令狀) 단계는 이미 끝났고, 어산지는 그의 열렬한 지지자들이 모금한 보석금을 내고 풀려났어. 그런데 국제간에 도망범 인도를 논의 중이라 그가 정말로 정치적 망명자가 되어 버렸다는 소문이 돌고 있지." "연, 난 어산지가 아무래도 그 전부터 이미 여성을 추행하는 버릇이 있었다고 생각해. 그에게 악감정은 없어. 그냥 추측으로 한 말이야. 하하!" – "글쎄? 난 여자를 안 믿어. 사실 난 인간을 안 믿어. 그들 각자는 법원보다 믿을 만할지도 모르지만."

"뭐라고? 너 정부에 반대하는 파야? 나의 연약한 친구 연이 이제 반란을 일으키는 무정부주의자야? 그런 거야?" – "사법부는 겉보기에 중립적, 이성적으로 행동하는 듯 보이지만, 업무의 피로도를 낮추려 증거를 못 본 척하거나 누락(漏落) 및 왜곡해 조작을 일삼는 집단 이기주의적 쓰레기 단체야. 그들은 언론과 대중의 관심이 집중한 큰 사건에만 무슨 발표 하듯 제대로 하며 다른 일반 사건에서는 오로지 경찰과 검찰의 자료에만 전적으로 의존하지. 공무원은 민주주의라는 이름으로 위임된 힘을 지니고 있어 원고, 피고인 국민과 동격이 될 수가 없어. 그건 사람들이 전적으로 법률에 복종할 의무(義務)가 없는 미국의 [ccclxxiii] 캥거루 법정(kangaroo court)보다 더 안 좋아." "확실히 넌 민중의 선동자라는 딱지가 붙을 만한 자격이 있어, 황달 선생(黃疸先生)!" [ccclxxiv] – "이봐, 보다시피 내 간은 매우 건강하고 강해 전적으로 정반대야. 너 '공포팔이(fear–mongering)'라는 용어 들어 봤어?" "아니, '겁팔이(scare–mongering)' 같은 거야?" – "기본적으로 같아. 보통 정치인들과 군주(君主)같이 정권을 장악하려고 권력이 있는 자들이 많이 악용하지. 그들이 공포를 자극하는 조작을 하면 언론에도 나쁘진 않아. 별다른 노력 없이 특종을 얻을 수 있으니까. 그래, 그들은 선거 운동을 하면서 대중을 속이는 편이 낫다고 판단했어. 사람들이 무분별하게, 중독적이며 누그러뜨리기 힘든 공포에 깊이 동요될 때, 선거는 그들 손아귀에 들어오고 대부분의 공화당은 게임에서 승리하게 되지." "맞는 말이야! 그런데 넌 정치적 자질에 있어서 사생활에 관해 거짓말하기엔 너무 미숙해. 대권(大權)을 얻으려면 대중을 조종해야 하고, 강력한 연줄을 통해 영향력을 만들 필요가 있어. 간접적으로라도 돈을 써야 하지. 무소속 정치인은 자수성가(自手成家)하기 쉽지 않아. 그리고 네가 정치 투기장(鬪技場)에 들어가고 싶다면 적의를 호의적인 겉모습 아래 감출 필요가 있어. 정치인이 되려면, 지식은 너처럼 정확해야 하지만 사생활은 그러면 안 돼. 그래야 네 쓰라린 결점을 못 건들게 할 수 있지. 양심적이고 정직하면 정계에서 살아남을 수가 없어. 정계의 아레나(arena)에서는 강적의 눈에 모래를 뿌릴 줄 아는 자가 살아남아. 그래야 네가 네 나라에서 독재자(獨裁者)가 될 수 있어." 그 사이 그들은 벌써 술을 몇 통이나 마셔 버렸다.

〈그렉의 방문〉

어느 화창한 오후, 연은 그의 옛 숙소를 들러 주인인 마이클(Michael)에게 인사했다. "어렵쇼! 어이구 깜짝이야! 거기 서 있는 잘생긴 소년이 누구야?!" – "안녕, 마이클, 오랜만이야!" "연, 그동안 어떻게 지냈어? 폭스 양반의 단칸방 집은 살기 편안하지?" – "그럼, 물론이지. 당신은 폭스 씨와 친분이 있어?" "어떻게 하다 보니 조금 알게 됐어.” 잠시 침묵한 마이클은 몇 초 뒤에 말을 이어갔다, “우리는 여인숙을 개조했지. 깜짝 놀랄 만큼 환경친화적이면서 멋진 인테리어 디자인(interior design)으로 환경학적인 효과까지 신중하게 고려했다고! 아일랜드 사람은 모든 생태계를 존중하거든. 우린 주둥이만 산 ‘아갈싸개([ccclxxv]gobshite)’가 아니니까, 언제 다시 돌아와도 환영해.” – “있잖아, 난 이곳을 잠자리 문제로 떠나지 않았어. 어쨌거나 이번 투자가 잘 되길 바라.”

집에 돌아오니 그렉이 기별(奇別)도 없이 연의 집 앞에 와 있었다. 당시 그는 건물 구석에서 연을 놀라게 해 주려고 기다리는 중이었다, “짜잔! ‘놀랐지롱!’” – “이런! 아니 이거 그렉 아냐! 별안간 나타나다니 매우 반가운걸!” “동감!” – “무슨 바람이 불어서 여기까지 왔어?” “글쎄, 난 그냥 내 친구 연을 보러 여기서 어슬렁거리고 있었지.” 그렉은 흥미로운 듯 그의 방 뒤편에 있는 안뜰을 둘러보았다, “이곳은 대마초를 재배하기엔 최적의 [ccclxxvi]텃밭인걸!” 예상대로 그렉의 익살맞은 발언은 그를 실망케 하지 않았다, “네가 뒷마당에 마리화나를 심으면, 운이 좀 따라 주면 크게 한몫 보겠다. 생각해 봐. 그걸 큰 벽장에 은밀히 숨겨둘 수 있잖아. 내 말은, 저 화장실 문 옆에 가려진 옷장에--” – “내 눈에 흙이 들어가기 전엔 안 돼! 객쩍은 소리 그만해!” “유기 농업 같지 않아?” – “우라질! 그 주둥이는 좀 쉴 수 없냐! 근본 없는 자식, 나잇값 좀 해! 도대체 이치에 맞지 않잖아!” 연은 그렉을

ccclxxvii "입방귀"를 뀌며 조소하였다. "헛소리하다니 정신이 나갔구나!"

〈식중독〉

그날은 주말이고 막 동이 트고 있다. 이른 시간인데도 무어-가(Moore Street)에서 리들(Lidl)까지 시장 가게 주변은 수레로 이동하는 노점으로 꽉 차 있었다.

연은 아침 일찍부터 무어가에 있는 리들로 갔는데 거리에서 행상인이 다양한 물건을 도부 치고 있다.

빵, 우유, 고기는 서양에서 주식이라 상대적으로 싸다. 그러나 그 외 대부분의 유제품은 그리 싸지 않았다.

연은 산더미만큼 식재료를 샀고 달걀이 든 골판지 박스는 눌려 깨지지 않게 제일 위에 올려놓았다. 뭐, 당분간 음식 걱정은 없을 듯하다. 그는 손수레도 없이 짐을 들고 집까지 끙끙거리며 걷느라 등골이 빠질 정도로 애를 먹고 있었다. 바로 그때 한 차가 리들 맞은편에 있는 센트라의 ATM 기기로 돌진해 그곳이 수라장으로 변했다. 리들에서 나오는 중에 코앞에서 난장판을 목격한 연은 후유 하고 가슴을 쓸어내렸다.

그날 저녁 연은 독일 대형 할인 연쇄점인 리들에서 믿을 수 없을 정도로 싼 특가로 파는 돼지고기를 먹은 후에 밤에 참을 수 없는 욕지기가 났고 등에 진땀이 흘렀다. 가벼운 식중독이었다. 바로 다음 날 그의 몸 상태는 전날같이 아주 안 좋진 않아서 연은 창백한 안색을 한 채 트리니티 대학에 일을 보러 갔다. 그는 식중독에 걸린 후 아무것도 먹지 않았다. 어찌 보면 무식해 보일 수 있지만, 어떻게 하면 치료에 도움이 되는지 동물적 본능으로 알고 있었다.

그다음 날, 연은 아직 쉬어야 했지만, 집에서 시체처럼 누워있는 대신 가볍게 산책하러 나가기로 마음을 정했다. 그가 트리니티 대학 [ccclxxviii]교정(校庭)의 가장 큰 안뜰에서 비둘기에게 모이를 주고 있는데 화창한 상공에서 뱅뱅 돌며 배회하던 갈매기가 근처에 내리더니 날개를 크게 펼치고는 센 척 허세를 부리며 주변 비둘기들을 쫓아 버렸다. 또한 그것은 위협적으로 달려들어 아직 남아 있던 도시 비둘기를 압도하며 모이를 가로챘다. 그 장면을 지켜본 학생들은 배를 부여잡고 웃었다. '그래도, 아일랜드의 갈매기는 영국의 펠리컨보다 비둘기한테 낫네.' 그러는 와중에 연에게 예기치 않게 복통이 엄습해 괴롭혔고, 그는 급히 화장실로 가야 했다.

〈연기 나는 화장실〉

연은 담배를 태우면서 마치 다량의 [ccclxxix]하제(下劑)를 복용한 양 설사(泄瀉)를 줄줄 했다.

그 순간 한 남성이 그가 있는 화장실 칸막이 바깥에서 언성을 높였다, "도대체 어떤 자식이 화장실에서 담배를 피워?" 연이 입을 열려는 찰나, 옆 칸에 있던 누군가가 그 대신 대답했다, "오,

정말 미안해요. 바로 끌게요." 그러자 그 남성은 대답한 사람에게 그곳에서 흡연하지 말라고 훈계했다.

집으로 돌아오면서 연의 안색은 송장처럼 창백해졌다. 나무 널빤지가 깔린 이든-키(Eden Quay) 벤치에서 도시 비둘기에게 빵 부스러기를 떼어 던져주고 있던 노부인이 그를 보더니 걱정했다, "청년 얼굴이 잿빛이구려. 괜찮은가요?" – "문제없어요. 걱정해 주셔서 고맙습니다, 노부인."

집에 돌아온 연은 아픔을 누그러뜨리려 해열 진통제인 파라세타몰(paracetamol)과 복통 감소 [ccclxxx] 정제(錠劑)를 섭취하고 알코올로 목을 가셨다. 그는 잠시 후 약의 후속 효과(after-effect) 때문에 곯아떨어졌다. 상비약(常備藥)까지 모국에서 미리 챙겨온 그는 약국에 갈 수고를 덜었다. 그다음 날, 잠을 자서인지 증세가 상당히 호전되었다.

낫자마자 연은 오랜만에 아무 짐 없이 맨몸으로, 가볍게 바람도 쐴 겸 밖에 나갔다. 첨탑으로 가는 길에 그는 소형 말이 짐말로서 조그만 짐을 싣고 걷고 있는 광경을 목격했다. 정확히 표현하면 그건 [ccclxxxi]"꼬마 노새"로, 갈기는 사람처럼 앞이마를 덮고 있는데 묘하게 웃겼다.

〈점박이와 줄무늬〉

집 안 부엌에서 연은 스튜(stew) 요리의 일종인 라구(ragout)를 구상(構想)하고 저번 배탈 사건으로 먹기에 부적합하다고 판정 난 남은 고기와 소채를 냄비에 넣고 있다. 그러나 그 상황이 위험함을 곧 알아채고 과감히 버리기로 했다. 그래도 아쉬운 마음에 주변을 둘러보다 뒤뜰에 어슬렁거리는 고양이들을 발견했다. 그는 때때로 익히다 만 고기나 생고기를 굶주린 고양이에게 사료 대신 던져 주었다. 약간 썩어 숙성된 고기는 그냥 생고기 상태로, 더 썩어 부패에 가까운 고기는 살짝 익힌 후 식혀서 주면서 그는 뒷마당 고양이들에게 친밀감이 생기기 시작했다. 그렇게 안뜰에 상주하는 길고양이에게 창문을 통해 음식을 던져 주는 일이 연의 자잘하지만, 특이한 행동 방식 중 하나가 되었다.

한 화창한 오후, 연은 집 근처에서 고양이가 좋아하는 개박하(catmint)를 발견하고, 고양이들에게 안정감을 주기 위해 모종삽으로 파내 뒤에 있는 안마당에 옮겨 심었다. 그러는 사이 고양이와 연 사이에는 신뢰가 싹텄다. 그가 휘파람을 불 때마다 길고양이들은 도약해 철조망을 넘거나 지붕을 가로질러 안뜰로 들어왔다. 식사 시간 후에 그는 고양이들과 함께 요요(yo-yo)로 놀아 주기도 했다.

〈분필을 든 소년〉

어느 날 파벨은 연에게 진지하게 말했다, "나 오늘 한 친구랑 물건 [ccclxxxii]후무리러 가."

– "뭐라고?! 너 돌았냐? 아니면 뭐가 씌었어? 내가 단언하는데 네 머리가 어디 심하게 부딪쳐 돌지 않은 이상 도둑질은 못 할걸.

왜냐면 내가 아는 파벨은 그런 짓을 할 사람이 아니거든. 지금까지 남의 물건을 가로챈 적이 없는 사실을 고려해 볼 때 다소 너답지 않다고나 할까?" "난 돌지 않았어. 충분히 제정신이야. 더욱이 난 머리끝부터 발끝까지 진지하다고!" – "그런 날이 참으로 오기나 하겠다! 너의 헛소리와 천치 같은 행동이 날 돌아 버리게 해. 그냥 그 면상 닫고 치워줄래(Just shut and bag your face)?!" "하하! 내 얼굴은 그렇게 유연하지 않다고!" – "자, 그만 떠나지, 파벨! 뭐, 내가 널 보행자 전용 상점가까지 따라가도, 단지 그 사실만으로 날 공범(共犯)으로 만들 수는 없으니까!"

파벨 일행은 헨리-가(Henry Street)로 갔는데 그곳은 [ccclxxxiii] 갤러리아(galleria)와 쇼핑몰 천지다. 어느 지점에서, 파벨은 오른쪽으로 돌았다. 그가 휴대 전화를 받고 있는 중에 빌딩 뒤편에서 어떤 남성이 나타났다. 파벨은 GPS 자동차 길도우미 장치를 그의 등-가방에서 꺼내 흥정하기 시작하는데, 처음에는 순조롭다 싶더니 이내 가격 차이로 옥신각신한다. 이럭저럭하는 동안에 근처의 한 누더기를 걸친 아일랜드 사내가 연의 주의를 환기(喚起)시켰다. 연은 그 청년을 호기심으로 지켜보았는데, 파벨과 동료가 흥정하는 건물의 후미진 뒤편에서 그는 색분필로 길바닥에 무언가를 정자(正字)로 또박또박 쓰는 중이다. 흘림체가 아닌 활자체(活字體)같이 쓴 손-글씨는 왠지 모르게 억압된 느낌을 풍겼다.

"난 아일랜드 지방에서 태어났고 18살입니다. 교육을 꽤 받았고 직접 발로도 뛰며 직업을 구하려고 노력했는데 지금 여기 전 거지입니다. 그들은 내게 비상근직도 주지 않았어요. 정말입니다. 맹세코!"

그 아일랜드 소년조차 자신의 본토에서 천직을 찾게끔 기회조차 주어지지 못했단 사실에 그곳에 서 있던 연의 눈은 촉촉해졌고, 시간이 지날수록 울분에 시뻘게졌다. 그나마 그에게 약간의 위안이라면 파벨이 너무 바빠서 그의 약해진 모습을 발견하지 못했다는 점이다. 만약 봤다면 사내자식이 눈물이나 질질 짜고 있다고 필시 연을 놀려댔을 터이다. 연은 파벨이 눈치채지 못하게 재빨리 눈가를 손수건으로 가볍게 댔고, 그 심연의 절망에 이미 [ccclxxxiv]나락(奈落)에 있는 듯한 느낌을 받았다. 아아! 하아!

연에게 그 분필 사건이 끼친 영향은 무시할 수 없었다. 그는 그 순간 이제 짐 싸서 아일랜드를 떠날 때가 되었다고 느꼈고 중대한 결정을 했다. 연은 아일랜드 청년이 길거리에서 구걸(求乞)하는 현장을 직접 보고, 그의 이야기에 미몽(迷夢)에서 깨어나게 되었고, 일거리 찾던 과거의 기억이 머릿속을 주마등(走馬燈)처럼 스쳐 지나갔다. 아직도 흥정하고 있는 파벨을 힐끗 보며, 갑자기 불편해진 분위기에서 벗어나려고 연은 황급히 자리를 떴다. 그것은 마침내 그에게 서광(曙光)이 비치듯 분명해졌다.

악어의 눈물을 짜내며 유럽의 우파 아일랜드, 중도파 독일, 그리고 좌파 북유럽 국가 등이 그동안 관대한 척해 왔다, '당신을 잘 먹었습니다.'라고… 이는 현재 그렇지 않아 보이는 제삼 세계 국가도 결국 피해 갈 수 없는 문제다. 거래를 매듭짓지 못한 파벨을 홀로 두고 연은 실낱 같은 희망을 상실한 채 떠났다.

***

제9장 꺾인 날개

〈화창한 날의 거지들〉

"연, 우리 가야 할 곳이 있어." – "어딘데?"

"도착하면 알게 돼. 참, 난 네 돈이 다 떨어질 때가 됐다고 생각하는데. 넌 힘들고 위험한 직종도 마다 안 했는데 밥벌이도 못 했잖아. 그래도 최악의 상황에 대비해 돈을 좀 저축해 놓았나?" – "쳇! 이렇게 최악인 사태가 빈번히 발생하는 나라에서 저축이라고? 저축이 아니라 저~축이지." "연 지금 농담할 때가 아니야. 네 생각 이상으로 안 좋은 상황이다. 그동안 얼마나 많이 내가 네 목구멍에 직접 쑤셔 넣어 주면서 마음에 닿게 강조했냐! 넌 지금쯤은 이미 직업을 얻었어야 한다고! 우리는 당장 계획을 수정해야 해. 언제까지 고용주의 결정에 전적으로 들러붙어 의존할 수는 없어. '기다림'이란 단어를 믿기엔 우리 처지가 너무 좋지 않아. 지금 우리가 경기 침체에 얽혀 있어서, 자력으로 살려고 발버둥질 쳐 봤자 소용없거든. 이제부터 넌 나만 따라와." – "이 날을 위해 어디 따로 마련한 식량 땅굴이라도 있어?" "글쎄? 자, 출발하자!" 파벨은 그를 데리고 어딘가로 가기 시작했는데 더블린 첨탑을 지나 상당한 거리를 터벅터벅 걸어갔다.

긴 도보 끝에 그들은 어느 한 건물 앞에 멈췄다. 파벨은 연을 보며 씨익 웃는다, "우리는 여기서 조금 더 기다려야 해. 아직 오후 3시가 안 됐어. 교회는 보통 무료 식사를 오후 3시에 제공하거든." – "그러면..." "우리가 일렀지. 따라서 좀 빈둥거려도 괜찮아. 때론 시간을 이렇게 보내는 것도 나쁘지 않네, 그렇지?" 연은 푸른 하늘을 보며 떨떠름한 표정을 지었다, "우리 신세가 꽤 [ccclxxxv]영락(零落)하네. 이렇게 구걸할 정도로 스스로 미천(微賤)해져야 하나? 거지도 이런 상거지가 따로 없군." – "굶어 죽기보단 낫지." 그들은 대성당이 내려다보이는 근처 언덕의 잔디에 누웠다. 아일랜드의 풀은 날씨 때문에 해가 며칠 내내 쬐지 않는 이상 대체로 영국처럼 습기가 차고 눅눅했다. 늘 그렇지는 않지만 한번 해가 뜨면, 강렬한 방사형 햇살로 인해 상대적으로 보송한 북유럽 풀과는 대조적이다.

"무엇을 멍하니 생각해, 연?" – "그냥 공상의 세계에서 연금술사가 되어 [ccclxxxvi]비금속(卑金屬)을 금으로 바꾸고 종국에는 나까지 다이아몬드(diamond)로 변하는 [ccclxxxvii]백일몽(白日夢)을 꾸는 중이야. 지금 궁지에 빠진 데다 완전히 곤죽이 되어, 이런 망상이라도 안 하면 미칠지도 몰라." "글쎄, 만약 네 몸이 다이아몬드가 된다면 넌 즉시 사라질걸? 왜냐면 사람들이 서로 네 살을 뜯어가려 테니까." – "회전초가 지나가네! 썰렁하다, 파벨!"[ccclxxxviii] "넌 미국인이 아니라고, 연!" – "영어를 쓰는데 원어민식 표현을 써야지! 그럼 뭐라고 하냐?" 그때 파벨이 무언가를 쳐다보았다.

"쉿! 저 [ccclxxxix]영계(-鷄) 좀 봐! 반나체의 계집애들이 저기 있네. 환상적인 날씨가 우리에게 여성 일기 예보자 말고 비키니(bikini) 여자애들을 보내주었어. 더할 나위 없구먼! 헤헤!" – "아이고, 이런 얼뜨기야! 그래도 네가 나의 '좋을 때만 친구(fair-weather friend)'가 아니라 정말 다행이야."

오후 3시가 되자, 파벨의 말대로 교회 문이 활짝 열렸다. 그는 연을 바라보며 씩 웃었다, "자, 슬슬 움직이자!"

문 근처에 쥐새끼 한 마리 보이지 않는 때는 잠시뿐이었다. 곧 빈궁(貧窮)한 자들이 떼로 몰려들었다.

"여기 이름을 적어 넣어 주세요!" 교회 문 안쪽에 있던 여성 자원봉사자가 간략(簡略)하게 필요한 내용만 전달했다. 그녀의 옆에 있는 젊은 [cccxc]부제(副祭)인지 집사(執事)인지 모를 남성이 몰려든 비참한 자들의 이야기를 들어 주는데 그중에는 [cccxci]농아(聾啞)도 있었다. 파벨이 먼저 그의 이름을 적었고, 그들은 군대 식당 같은 빈민 무료 급식소로 들어갔다. 배식 중에 한 거지가 요리사에게 음식을 좀 더 달라고 간청하자 식량을 배급하는 장애 여성이 수프(soup)를 국자로 퍼 주며 물었다, "이 정도면 충분해요?" – "아뇨, 더 주세요." 그 거지는 체면치레(體面–)하기엔 너무 굶주려 있었다.

연과 파벨은 식사를 배급받은 뒤 탁자의 의자에 앉았다. 파벨이 연을 보더니 호탕하게 웃는다, "하하, 그리 나쁘지 않네. 자, 배 속에 쑤셔 넣자! 마음껏 먹어도 돼." – "대단한걸, 파벨! 돈 없이 어떻게 공복감을 피하는지 알려 주려 여기까지 날 데려오다니!"

연은 빵을 크게 한입 물었다, "어렵쇼?!" 빵은 곰팡내가, 우유는 쉰 맛이 났다. "과하게 발효된 음식을 먹으니, 눈에서 별이 보이네! 뭐, 난 지금 상황을 어떡해서든 견디고 할 수 있는 데까지 해야 한다고." 연은 그들이 자리한 식탁 건너편 벽에 붙은 4컷(cut)짜리 슈퍼맨 연재–만화를 쳐다보았다.

"포르노(porno) 여성: 당신이 콘돔 없이 여성들과 성교하면, 필시 에이즈(AIDS)에 걸려요, 슈퍼맨.

슈퍼맨: 난 슈퍼맨이라고! 그런 일은 내 생전(生前)에 절대 발생하지 않소!

포르노 여성: 글쎄요, 그렇다면 그녀가 덜컥 임신이라도 하면 어떻게 되죠? 당신은 낙태 지지자는 아니잖아요, 그렇지요?

슈퍼맨: 이거 원, 난 정관 수술을 했소."

파벨도 그 만화를 보며 연에게 소감을 묻는다, "이봐, 저 슈퍼맨 포스터(poster)를 어떻게 생각해?" – "글쎄, 난 그냥 저 슈퍼맨(Superman)이 [cccxcii]'스펌맨(Sperm–man)'은 아니라고 봐."

그들이 농담하는데, 근처에 있던 한 그리스(Greece) 남성이 벌떡 일어나더니 소리쳤다, "우리가 왜 이렇게 살아야 하죠? 그리스의 사례를 생각해 봅시다. 우리 나라는 영어, 신화, 정치학 등 학문과 문화의 기원인 곳입니다. 그런 우리가 구걸할 수밖에 없는 처지가 됐다고요?! 오, 맙소사! 굶어 죽을 바에야 난 차라리 666의 지배를 받는 편이 낫겠어요." 이에 파벨이 그리스 청년에게 일갈(一喝)했다, "그 망할 볼멘 입 좀 그만 징징거리지?! 도대체 이 뭐 병––" 연이 침착하게 파벨의 말을 손짓으로 가로막고 나서 그리스 청년에게 자신의 의견을 표현했다, "당신들의 교만(驕慢)이 스스로를 따돌렸죠. 그리스는 영어와 문화의 기원이 맞지만, 그것만으로 영원히 번영하기엔 충분치 않습니다. 당신 나라는 낙원처럼 아름다운 곳이나, 이 세상에 더 이상 낙원이란 존재하지 않습니다. 과도한 자만(自慢)을 던져 버리고 판도라(Pandora) 상자의 깃털처럼 날아갈 듯 상쾌한 희망으로 일어서서 가지고 있는 것을 세상에 보여 주세요. 우리와 기탄(忌憚)없이 얘기해 주셔서 감사합니다." 그러자 그리스 청년은 울음을 터뜨렸고, 거기 있던 모든 사람이 훌쩍거렸다. 그들이 처한 시대는 EU의 과도기에다 미래의 EU에 남겨진 통합 채무까지 많아 힘든 시기다.

어느 하루, 많은 사람이 줄을 지어 축구와 럭비(rugby)의 혼합 형태인 게일 축구 시합이 열리는 크로크 파크로 행진하고 있다. 사방에서 이어진 행렬은 끊이지 않았고 더블린 거리 전체를 뒤덮을 정도였다. 이렇게나 사람들이 바글거리는 모양새로 보건대, 전국 대회 결승전일 가능성이 높다. 크로크 경기장 근처 집까지 축구광들로 바글바글하자 연은 마치 자신이 초-유명 인사가 된 듯한 착각이 들었다. 흥미를 자아내는 것 중 최고는 복부가 훤히 드러난 심판복을 입은 젊은 여성들이었는데 마치 경기 심판을 보듯이 호루라기를 불며 걷고 있었다.

그 흥미로운 광경을 즐기며 파벨과 함께 집으로 돌아오는 길에, 한 재규어(Jaguar) 승용차가 아스팔트 도로 위에서 자신의 앞을 달리고 있는 자전거에 빵빵거렸다, "길 비켜!" 그러자 자전거 탄 남성은 운전자를 향해 가운뎃손가락을 세웠다, "네가 비켜, [cccxciii] 재그(Jag)!"

"파벨, 저 손가락이 [cccxciv] 에클레어(éclair)같이 달콤해 보여." - "에? 하하, 그건 비유 맞지?" "그럴 리가! 난 지금 여전히 심각하게 배고프다고! 음, 생각해 보니 에클레어보다 '막대생선튀김'이 더 낫겠군."

가난은 고난의 원인 중 하나다. 그나마 다행으로 그는 빚이 없다. 빚을 지지 않고 살아감은 언제든 일어설 수 있다는 장점이 있다. 그렇지만 돈이 없는 상태가 지속되자 의식주 문제 해결이 제대로 되지 않아 그의 강인함은 위축되었고 정신까지 혼미(昏迷)해질 지경이었다. 이런 꼴로 그는 그곳에서 자활하기는커녕 버틸 수조차 없다. 제일 곤궁할 때, 연은 전당포(典當舖)까지 갔다. 한번은 집세를 내려고 그의 전 대통령이 하사한 시계를 맡기려 했지만 거절당했다. 싸구려 수정 시계인 데다가 거래할 만한 상품이 아니라는 이유다. 가지고 있던 돈이 점점 떨어져 가고 그 당시 하루 벌어 하루 때우기조차 안 되는 상황에서 그는 담배도 말 형편이 되지 못했다. 니코틴(nicotine)에 중독된; 엄밀히 말하면 니코틴이 아니지만, 어쨌든 연은 집에서 케케묵은 담배 냄새가 나는 쓰레기통을 샅샅이 뒤지기 시작했다. 그리고 쌓인 꽁초 더미에서 검댕을 잡아 뜯어내면서 분해했다. 얼마 후 상당한 양의 피울 만한 담뱃가루가 모였다. 그렇게 그는 그걸로 변통해 며칠 분량을 더 보충했다.

그리고 연이 당분간 스스로 통금(通禁)한 시기는 아일랜드를 떠나기 불과 몇 주 전이었는데 그건 야간 치안 문제 때문이 아니었다. 그는 당시 유럽의 경제를 파악하기 위해 저녁에 TV를 보고 있었다. 여러 정치인, 경제학자, 은행가가 서로 맞대면해 TV 회견을 하며 금융 위기를 어떻게 헤쳐 나갈지에 관해 논의했다.

형식은 공개 토론회라기보다 특별 회의에 가까웠다. 그들은 솔직하게 그들 나라가 파산 직전이라고까지 표현하며 장밋빛 희망을 기대하기가 어렵다고 툭 까서 털어놓았고, 회의는 얼마 가지 않아 교착(膠着) 상태에 빠진 채 활기찬 토론으로 진전되지 못했다. 그만큼 나라의 경제가 절망적이고 어떻게 감당할 수가 없는 실정이었다. 그들은 모두 창조력이 결여(缺如)된 좀비 자본주의의 희생양이다. 금리나 환차익을 노리는 투기적 국제 단기 금융 자금과 과열된 부동산 시장에 의한 금융 거품은 지구촌 전역을 파산에 직면하게 했다. "거품은 싸구려일 뿐이야; Bauble Bubble!"

〈야스민〉

오랜만에 연이 수업을 받으러 들어오자, 야스민이 그를 반짝거리는 눈으로 쳐다보았다, "그 옷을 입으니 멋쟁이구나, 연! 진짜 끝내줘! 지난번에 네가 면도까지 깔끔하게 하고 멋들어지게 정장을 입고 걸어가는 모습을 봤는데, 정말 매트리스(The Matrix)에 나오는 키아누 리브스(Keanu Reeves)인 줄 알았어!" 평상시라면 그녀의 칭찬에 입을 헤벌쭉할 연이지만 그날따라 그의 표정은 어두웠다. 연의 사정을 들은 후 야스민은 무언가 굳은 결심을 한 듯 단호히 말했다, "난 네가 홀로 일거리 때문에 발버둥이 치는 상황을 좌시하고 있지만은 않을 테야!"

연이 구직 문제로 골머리를 앓고 있다는 사실을 알자마자 야스민은 기꺼이 그의 입사 지원서를 분담해 그녀가 일하고 있는 곳의 지배인에게도 부탁하는 등 그 대신 열심이었다. 그것은 사실 연에게 관심이 있거나 단순히 호감이 있는 정도를 넘어선 행동이었다. 어느 날 야스민은 그에게 그랜드 카날 독(Grand Canal Dock)의 북쪽에 있는 그녀가 일하는 곳에 한번 들르라고 했다.

일주일 뒤, 수업이 없는 날 연은 곧바로 수로 인근에 있는 야스민의 일터를 찾았다. 그녀는 편의점 안에 있는 간이식당에서 일하는 중이다. 연이 들어서자, 야스민은 환한 웃음으로 그를 맞이했다, "안녕, 연! 뭔 바람이 불어 여기까지 왔어?" – "그냥 너 보려고 불쑥 들렀지. 네가 그러라고 저번에 말했잖아." "잘됐네! 교대 시간이 마침 지금 끝났어. 잠시만 기다려." 야스민은 직원 탈의실로 들어가 몇 분 뒤 제복을 평상복으로 갈아입고 나왔는데 그녀가 한 자수정(紫水晶) 목걸이가 유독 도드라져 보였다. 그녀는 연을 보고 활짝 웃었다, "뭐라도 좀 먹을래?" – "아니, 괜찮아. 방금 점심 먹고 왔더니 너무 배불러서 허리띠를 풀 수 없을 정도인걸. '내가 배부르다고? 참 터무니없는 거짓말이군!' 뭐 마실 거나 다른 거라도 어때?" "술? 난 술 잘 안 마셔," 야스민이 고개를 저었다. "[cccxcv]카이피리냐(caipirinha)나 [cccxcvi]피냐 콜라다(pina colada)라도 싫어?" – "별로!" 야스민은 탈의실에 다시 들어갔다 나오더니 연에게 사사파릴라(sarsaparilla)를 주었다, "자 여기!" – "이게 뭔데?" "사사파릴라라고 부르는 음료야. 몸에 좋으니 마셔 둬."

그녀에게 잠깐 들른 후 그들은 절친하게 되었다. 시내로 돌아오면서, 야스민은 보도 옆 교회 앞에서 걸음을 멈추고 연을 바라보았다, "이곳이 내가 예배(禮拜)하러 가는 교회야. 언제 나랑 같이 갔으면 좋겠어."

〈연, 교회에 가다〉

"이제 야스민을 만나러 슬슬 떠나야겠다. 오늘은 그녀가 쉬는 날이지.” 주말이 되자 연은 야스민이 다니는 교회에 들렀다. 아이들은 들떠서 그녀가 예배 보는 교회 앞마당에서 깡충깡충 떠들며 뛰어놀고 있었다. 꼬마 아이들이 노는 모습을 묵묵히 구경하고 있던 연은 앞뜰에 있는 흙더미를 가리키며 짓궂게 농담했다, “안녕, 꼬맹이들! 죽은 사람이 저기 묻혀 있어!” 그러자 아이들은 한술 더 떠 노래한다.

<잭 더 리퍼>

잭, 꼬집는 사람이 그의 걸작이 어디 묻혔는지 알려 주네
잭, 베는 사람이 그 무덤을 팔 수 있으면 파보라고 하네
잭, 젠체하는 사람이 우리가 어리다고 놀려대네
아래로 파 아래로 얼굴이 두꺼워질 때까지

연이 야스민을 교회 안에서 발견했을 때 그녀는 열성적으로 기도(祈禱) 중이었다. ‘독실(篤實)한 신자로군.’ 그가 그녀 옆으로 슬쩍 다가가자, 야스민은 연이 온 사실에 기뻐서 밝게 웃었다. 마이크(mike)를 잡은 성직자 옷을 입은 목사가 단상에서 노래를 부르고, 천장(天障)에 매달린, [cccxcvii]오토큐(Autocue)인지 가라오케(Karaoke) 장치인지 모를 큰 모니터에 시선을 고정한 회중(會衆)은 그의 노래를 따라 부르고 있었다.

찬송가(讚頌歌)가 끝나자, 목사는 바퀴 달린 의자를 탄 노부인을 신도들에게 소개했다. “보시다시피 난 불구(不具)인 앉은뱅이

예요. 제가 10살 때 사고에 의해서 이렇게 되었죠. 양쪽 슬개골(膝蓋骨)은 산산조각나고 종지뼈 수술을 해야 했습니다. 그런데도 차도(瘥度)를 보이지 않아, 그 이래로 난 하반신불수(不隨)인 채 휠체어(wheelchair)에서 살게 되었어요." 그 노인은 그래도 신이 그녀를 축복했고, 비록 불구가 되었지만, 지금까지 삶의 기쁨을 누리고 있다는 등 틀에 박힌 진부한 연설(演說)을 늘어놓았다. 긴 연설이 끝나자, 목사는 그녀의 말을 이어받아 똑같이 케케묵은 설교로 그녀가 어떻게 그 이후 쭉 행복하게 살아왔는지 강조했다.

예배가 끝난 후, 야스민은 쿠키(cookie)와 음료를 나누어 주는 교구 목사와 인사를 나누었고, 밖으로 나와 집에 성경이 한 권 더 있다며 연에게 시간 날 때 읽어 보라고 가지고 있던 그녀의 성경을 빌려주었다. "[cccxcviii]경외서(經外書)는 없어?" – "그건 전문 연구가용이야, 연. 난 그냥 평범한 신도라 그런 책은 하나도 없어." 연이 그녀의 말에 수긍(首肯)하며 고개를 끄덕였다, "음, 이게 나한테 효험(效驗)이 없다면 난 곧바로 강제 귀환이라 너희 브라질 애들의 삼바(samba) 춤을 앞으로 볼 수 없게 돼." – "연, 신은 우리에게 돈을 주진 않으셔. 그렇지만 만일 네가 같이 살 의지가 있다면..." 그녀는 중얼거리듯 작아지는 목소리로 말했는데 목소리와는 달리 열망하는 눈빛에 연이 고개를 갸우뚱거렸다, "무슨 의지?" – "아니, 아무것도 아니야. 신경 쓰지 마." 그녀는 마치 그에게 품은 강한 감정을 떨치려는 듯 머리를 가로저었다.

학교에서 브라질인에게 연은 [cccxcix]자코모 카사노바(Giacomo Casanova)와 [cd]"통제광(Mr. Control Freak)"으로, [cdi]"양면신(兩面神)"과 같았다. 연은 다정다감하고 그들이 관계된 일에 관심을 가지고 신경 써 주었다. 한편으로 그는 다른 브라질 남성들과 다를 바 없이 매력적인 브라질 여성과 키스하고 애무했다. 단 섹스는 하지 않았는데 그게 오히려 여성들이 그의 사랑을 갈망케 했다. 그러면서도 [cdii]호협(豪俠)하여 성별을 가리지 않고 인기 있는 사내였다. 단, 마리아징야(Mariazinha)라는 쿠바계 브라질 소녀와의 관계는 예외였다. 연은 그녀를 친동생처럼 여겼다. 어느 하루, 그녀가 연에게 자신이 유모 직업을 얻었다고 자랑하자 그는 그녀를 훈계하기 시작했다, "지금 무슨 말을 하고 있어?! 그게 무슨 의미인지 잘 알 텐데. 너 같은 청소년이 유모가 된다고? 그건 [cdiii]오페어(au pair)가 아니라고!" – "그게 무슨 대수인데요, 참견쟁이 씨?" "마리아징야, 난 네가 더러운 일을 하게 놔둘 수 없어. 우선 먼저, 네가 아이를 볼 수는 있지만 늑대를 키울 상황도 고려해 봐야 해. 남자들은 단순히 아이를 맡기려고 어리고 예쁜 여자애를 고용하지는 않아. 널 꼬셔서 같이 자려 할 뿐이지." 그러자 마리아징야는 깔깔거리며 연을 쳐다보았다, "연은 스스로 고상하다고 생각하나 봐요, 실제로는 방탕하면서?" – "그러는 넌 섹스가 미용 체조라도 되는 줄 착각하나 보지, [cdiv]앙큼한 왈가닥아?" "뭐, 흔쾌히! 섹스가 나쁘진 않죠. 연이 내 아빠가 된 지금 엉덩이라도 찰싹 때려 보시지 그래? 어?" – "글쎄, 난 소꿉놀이 좋아하는 변태는 아니야. 그나저나 다시는 그 사내랑 좋아지내지 마! 안 그러면 난 널 갈보로 취급한다?!" "남 사생활 들추거나 여자의 마음을 희롱하지 마요. 그 위선으로 운명의 여신이랑 시시덕거리며 그녀를 침대에 눕혀 보지 그래요? 과연 그녀가 당신에게 빠질까요? 난 그렇게 생각 안 하는데. 왜냐면 성공했다면 이렇게 살지는 않겠죠. 당신은 지금 무척 한심해 보이거든요." — "좋아, 인제 그만! 화해다, 화해! 내가 경솔히 말했어. 내가 마리아징야 너에게 편협한 마음을 가졌던 모양이야. 난 네 아버지도 아니고 확실히 알지도 못하면서 내 견해를 강요할 수는 없지. 내 탓이다(mea culpa)." "그래요, 당신 잘못 맞아요(tua culpa)!" '내가 왜 그랬는지 도무지 모르겠어. 나도 건방진 애송이일 뿐인데 왜 그녀의 사는 방식에 관해 잔소리를 늘어놓았는지.'

〈폭스의 꽃〉

폭스를 보러 연은 그의 집에 갔는데 정면 현관 입구가 닫혀 있었다. 그는 폭스의 소재를 묻기 위해 이웃집 초인종을 눌렀다. 왜냐면 그 집 또한 폭스 소유임을 알기 때문이다. 그가 안으로 들어서자, 한 아시아인 청년이 거실에서 영국 케이블(cable) TV를 보고 있다. 텔레비전은 유일하게 폭스 건물이 아닌 바로 옆 건물의 선을 허락도 없이 따와 연결된 상태였다. "저 마귀할멈이 즉위(卽位)한 지 지겨울 정도로 오래되었지만, 왕위의 첫 계승자인 장남을 위해 cdv 양위(讓位)하려는 기미조차 보이질 않네," 그는 마침 뉴스에 나오는 영국 여왕을 보며 혼자 중얼거리고 있었다. 연은 그의 혼잣말이 끝날 때까지 침묵을 지켰고 그 아시아 남성은 곧 뒤돌아보더니 연에게 말했다, "그거 알아요? 폭스 씨의 [cdvi]'전리품 아내(戰利品 -)' 말이에요. 그의 어린 아내는 나이지리아(Nigeria) 출신이죠. 그러나 난 그녀가 폭스 씨의 트로피(trophy)가 아니라 폭스 씨가 그녀의 트로피라고 생각합니다. 생각해 봐요. 그는 수십 년 더 살기엔 이미 너무 늙었고 그의 아내는 이제 이십 대 초반이고요. 그가 기껏 10년 살고 죽으면 그땐 그의 유산이 전부 그녀의 소유가 되겠죠. 별거나 이혼 위자료(慰藉料)보다 훨씬 낫다고요. 그래서 그녀는 늙은 남편에게 천사처럼 행동하죠. 물론 저 TV 속 영국 노파 밑에서 충성을 맹세하는 사람보다는 낫지만." '대관절(大關節) 이 불편한 사람은 누구지? "전리품 남편"은 또 뭔데? 좀 성가신 타입이군,' 연은 살짝 미간을 찌푸렸다. 그는 지체(遲滯)하지 않고 그곳을 떠나며 폭스에게 전화했다, "여보세요, 연입니다." – "오, 그간 별일 없이 잘 지냈나, 나의 벗이여! 무슨 일인가?" "제 방의 등이 모조리 나갔어요. 전구가 죽은 건지, 전력선이 끊어진 건지 저로선 도무지 알 수가 없네요." – "이런! 알겠네. 곧 자네 집에서 보지." 연의 집 지주인 폭스는 그의 전화를 받자마자 바로 왔다. 폭스가 그의 집으로 들어왔을 때, 연은 이미 문 앞에서 그를 기다리고 있었고 그들은 같이 내부를 둘러보았다. "내 말 명심하게. 정전이 일어나면, 이 퓨즈-상자(fuse box)에 있는 스위치(switch)를 당겨서

켜면 만사 해결이네." 그의 건물을 떠나며 폭스는 한 가지 더 귀띔했다, "자네가 알아야 할 사항이 한 가지 더 있네. 쓰레기봉투를 홀 입구 앞이나 아니면 뒷문을 통해 안뜰에 놔둬도 되네. 굳이 종량제 우표 붙이는 수고를 할 필요가 없지. 그럼, 편히 쉬게!"

연은 그의 집을 이따금 방문하는 폭스로부터 특이한 향을 느꼈지만, 물어볼 기회가 없었다. 그러다 어느 날 폭스가 불쑥 방문했는데 지주로서가 아닌 친구로서 연의 집을 찾아온 적은 처음이었다. 그는 연의 스튜디오-집 문을 노크(knock)했다, "여, 연! 방에 들어가도 되겠나? 문은 열려 있네만." - "폭스 씨? 잠시만요!" 그의 방은 방문객을 바로 들어오라고 하기엔 너무 어수선했다. 대강 급히 치운 후, 연은 목소리를 가다듬었다, "네, 됐어요. 들어오세요!" 그러자 폭스가 들어왔다. "일단 편히 앉으세요." 그는 탁자 앞 의자에 앉아 담뱃불을 붙였는데 독특한 향내가 났다. 폭스는 그렉처럼 마리화나를 흡연하는 중이다, "요즘 자네에게 무슨 일이 있는 듯 보이는군. 한번 들어나 봐도 되겠는가? 내가 도움이 될 수 있을지도 모르니." - "좋아요, 전 사실 현재 경제적으로 불안정한 상태예요. 빌어먹을 돈도 다 떨어져 가고." 폭스는 연이 월세가 부담될 정도로 가난에 쪼들려 아직 돈이 약간이라도 남아 있을 때 아일랜드를 떠나려 한다는 얘기를 듣고 안타까워했다. 그는 지난달 전기와 수도 사용료를 대신 내주겠다고 제안했다. 단, 다음 세입자 구하는 일을 거들어 주는 조건이었다.

다음 주 어느 화창한 오후, 연은 살인 사건이 발생한 인근 가게 앞에서 폭스와 우연히 맞닥뜨렸다. 그는 무언가를 말면서 이어 붙이고 있었다, "그게 뭐예요?" – "꽂(cdvii flower)이라네. 난 최근에 관절염이 있어서 피우고 있네. 끔찍할 정도로 고약한 날씨가 증세를 더 악화시키거든. 자네도 좀 해 보려는가?" "꽂이라... 흠." 그는 그쪽으로 너무 순진해서 "꽂"이란 단어가 의미하는 바를 알지 못했지만, 폭스의 눈은 진짜 치료를 위한 목적이라고 진실을 말하는 듯했다. 폭스는 그에게 소량의 정체 모를 가루를 주었고, 얼떨결에 받아 별 의심 없이 자리를 뜨는 연을 보면서 혼자 중얼거린다, "그 무엇도 cdviii '아카풀코 골드(Acapulco gold)'처럼 기분 좋게 취하게 하는 건 없지."

연은 집에 와서 그 가루로 담배처럼 말았다. 피우는 순간, 그는 이른바 "날아간" 듯한 착각에 빠졌다. 대마초다! 하지만 그건 그렉이 그에게 피우라고 준 마리화나와는 꽤 차이가 있었다. 기분이 좋아진 연은 집 밖으로 나왔다. 청명한 하늘과 따사로운 햇살이 그를 맞이하자 그는 진짜로 하늘을 날고 있다고 느꼈다. 그렇다! 그건 순도 100%의 고급 마리화나 꽃봉오리였다.

연은 더블린 첨탑 쪽으로 걸어갔다. 갑자기 한 20대 이탈리아 남성이 그에게 말을 걸었다, "실례합니다! 당신과 말 좀 나누고 싶은데요." – "잠깐, 당신 이탈리아 사람인가요?" 그 청년은 고개를 끄덕였다. "이탈리아에서는 대개 날씨가 화창하죠?" – "다분히(多分–)!" "다 로마로다(Amore, Roma)!" – "뭐라고요?" "그건 cdix 회문(回文) 중의 하나입니다. 난 언젠가 이 지구에서 사람들이 사는 이유에 대해 환호하는 소리를 듣고 싶네요."

〈검은 천사〉

교포 슈퍼마켓 안의 민족 전통 음식을 전문으로 하는 간이식당에 간 연은 늘 앉던 곳에 자리를 잡았다. 그가 막 숟가락을 들려고 하는데, 한 아라비아 여성이 4~7살 정도로 보이는 어린 딸과 함께 그에게 다가오더니 음식을 구걸했다. 연은 자신도 영양실조로 말라가고 건강하지 못한 상태임에도 그 불우(不遇)한 어린아이를 도와야겠다는 의무감이 들었다. "매우 안타깝지만, 난 당신들에게 당장 음식을 사줄 돈이 없어요. 내 저녁이라도 괜찮다면 드셔도 됩니다." 연은 그의 음식을 나누어 주고 그들이 먹도록 자리까지 마련해 주었다. 아라비아 모녀는 앉자마자 게걸스럽게 그의 식사를 먹어 치우기 시작했다. 이를 본 요리사로 일하는 동포녀가 연에게 득달같이 달려들어 맹렬히 비난했다. "당신은 남은 음식으로 그들에게 생색을 내면서 스스로 마음이 따뜻하다고 생각하나요? 당신이 우리 가게 음식을 거지에게 준 이상, 그들은 앞으로 이런 귀찮게 하는 행동을 계속할 테고 손님들은 다시는 우리 슈퍼마켓에 오지 않으려 하겠죠!"

그 여종업원이 아라비아 모녀를 쫓아내려고 하자 그녀들은 연에게 도와달라고 애원했다. 이에 연이 한 발도 물러서지 않고 맞서며 그녀의 주장을 반박했다. "그게 나랑 무슨 관련이 있죠? 너무 극단적인 조치 아닌가요? 당신이 상관할 일이 아닙니다. 웬만

하면 큰 소리 내지 않으려고 했는데 지금 당신은 날 더는 못 참게 하고 있소. 내가 내 음식을 나눠 주는 데 당신의 허가가 필요합니까? 당신은 유급으로 자기 이익을 위해 이 간이식당에 고용되었잖아요. 선을 넘어서 과하게 간섭(干涉)하면 그냥 지배인에게 빌붙는 아첨꾼일 뿐입니다. 그리고 난 당신의 하수인이 아니고 단골손님입니다. 주제넘게 참견 말고 존중해 주세요. '우리'란 단어에 먹칠하지 마시고요. 난 이곳에서 적법하게 식사합니다."
그러자 난리를 치던 여성은 감히 그에게 대꾸하지 못했다. 연은 정의감도 투철했지만, 무엇보다 그녀에게 아랫사람처럼 취급받아 매우 화가 났다. 그는 그 간이식당뿐만 아니라 슈퍼마켓에도 단골손님이었다. 그 사건 이후로 연은 그곳에 절대 다시 가지 않았다.

〈우울함의 끝〉

연은 트리니티 대학 쪽으로 오코넬-다리를 건너며 아일랜드를 떠나기로 결심한다. 그가 가는 방향의 다리 끝 오른편에는, 아일랜드 여행사인 'USIT'가 있다. 하지만 그는 그곳에 들어가기를 잠시 망설였다. 이 나라를 떠남은 곧 그의 나라로 돌아가야 함을 의미하기 때문이다. 그리고 그것은 그에게 최악의 선택이 될 수 있었다.

여성 직원은 연에게 몇 가지 기본 사항을 묻고 항공편을 예약한 뒤, 잠시 잡담을 하면서 그에게 행운을 빌어 주었다. 처음에 그녀가 사무적으로 말하는 동안에는 그녀의 발음에 대해 이상한 점을 눈치채지 못했다. 그러나 부담 없이 사적으로 말할 때 그녀의 출신이 드러났다.

"실례지만, 당신 이탈리아 사람인가요?" 매우 밝은 귀를 가진 연은 이미 확신이 섰다. "네, 그래요. 어떻게 내가 이탈리아인임을 알았죠?" 연은 싱긋 웃었다, "당신의 억양으로 드러났죠." – "와, 그거 놀랍군요!" 그녀는 쑥스럽게 웃더니 그에게 비행기표를 건네주었다.

막상 표를 받아 들자, 그의 안색은 어두워졌다. 쓸쓸히 집으로 가는데 천둥소리와 함께 비가 쏟아진다. 연이 집 근처에 도달하자 그로부터 약간 떨어진 곳에 있던 한 아시아인이 소리쳤다, "어이구 깜짝이야! 뭣 때문에 믿을 수 없을 정도로 맑았던 날씨가 저주받은 아일랜드 날씨로 돌아왔냐?!"

〈연, 날개를 달다〉

그로부터 며칠 후 연은 존을 시내에서 마주쳤다, "안녕, 존! 우리 꽤 오래 서로 못 본 듯하네." – "안녕, 연! 그래! 마치 몇 년 된 느낌이야." "이야! 몰라보게 달라졌는걸?! 존, 너 좋아 보여. 요즘 어떻게 지내, 친구? 차나 마시자!"

카페에서 그들은 이야기를 계속했다. "저, 이거-- 어, 음-- 난 그동안 레스토랑에서 일하면서 말 더듬는 증상을 극복하려고 노력했어. 네가 말한 대로 했더니 난 더 이상 더듬거리는 영어로 말하지 않게 되었지. 발음 장애 교정으로 날 도와준 데에 정말 감사해." – "잘됐네! 네가 나중에 진짜 평생의 직업을 가지게 되면, 날 잊지 마, 친구" "물론! 넌 언제나 나의 성실한 친구이자 대장이야. 그나저나 어디 가?" – "어, 나 내가 도저히 융화(融和)될 수 없는 나라인 고국으로 떠나. 상황은 점점 더 걷잡을 수 없이 되어가고 여기서 난 직업을 찾다가 끝나 버렸지. 너와는 다르게 단순 노동직조차 얻는 데 실패해서 무척 난감해." "맙소사! 네 나라로 돌아가는 꼴을 보고만 있어야 한다니 심히 안타깝네. 내가 그간 보아온 연은 나에겐 거인이었어. 아마도 신은 너의 언어적 재능이 녹슬기를 바라지 않았을 거야. 나를 포함해 이미 네 친구인 유럽도 마찬가지지. 그리고 이건 일생에 단 한 번뿐인 기회는 아니야." – "이젠 번지르르하게 느끼한 말을 할 줄도 아네. cdx '눌변가(訥辯家)'에서 능변가(能辯家)가 다 되었어, 아주! 웅변(雄辯)의 신인 '엉덩이 돌'에 키스라도 했니?"

"말뿐이 아니라고! 자 여기 받아!" – "이게 뭐야?" "그건 우리집 가보 중 하나인데 유서 깊은 깃 모양의 펜(pen)이야. 하늘에 맹세코 진짜 익룡의 날개 화석(化石)을 삽입해 특별하게 가공했지. 그동안 날 도와준 데에 대한 보답이야. 행운을 위해 항상 지니고 있어! 그 펜으로 머지않아 연, 네가 날개를 펼치길 바라." – "나도 한 가지 빼 먹은 중요한 말이 있는데, 난 네 말처럼 절대로 내 자유 의지를 이 세상의 부자에게 매도하지 않을래. 이건 내가 일생에 받아본 가장 소중한 작별 선물이야. 고마워, 존!"

〈침체〉

고국으로 돌아가기로 마음먹은 후, 연은 성가신 출석률을 신경 쓸 이유가 없어졌다. 그래서 그는 무단-결석자(無斷缺席者)처럼 수업에 빠지기 일쑤였고 그가 꿈꾸던 세상이 끝나기 일주일 전, 교과서를 휴지통에 던져 버리고 어학당을 그만두었다. 그는 심지어 그동안 애면글면 검약(儉約)하기 위해 가계부를 써 왔던 일도 포기하고 아일랜드를 떠나기 며칠 전 은행에서 잔돈을 전부 인출하였다. 그러자 금전 출납원이 연에게 계좌를 폐기해도 괜찮냐고 물었고 그는 고개를 가로저었다, "그냥 놔둬요."

마지막으로, 방을 치우며 불필요한 짐을 줄이자 어수선했던 마음도 같이 정리되었다.

이럭저럭하는 동안, 연은 절망이란 깊은 늪에서 빠져나오지 못했고 특유의 대담무쌍함까지 잃어버렸다. "내가 태어난 나라로 돌아가야 한다면 그녀를 다시 볼 수 있을까? 그냥 사람의 발길이 닿지 않은 자그마한 골짜기로 도망가 수렵 채집 생활이나 하며 살까? 갑자기 시가 흘러나오는구나!"

<유랑>

작은 골짜기여 너의 용맹함을 들려다오

아랫지대 사람에서 어떻게 하이랜더가 되었는지를

자란 골짜기여 고지대와 모계곡이여

너의 산고를 메아리쳐다오 진리를 위해
작은 골짜기여 주머니 피리를 불어다오
전 세계에 걸쳐 용맹한 피리 부는 사나이들에게
큰 골짜기여 바람종을 불어다오
틈새에서 틈새로 바람의 소리를 들을 수 있게

"이번에 내가 태어난 국가로 돌아가면 난 절대로 운명의 굴레에서 벗어날 수 없을 텐데." 그의 말대로 "절대로"는 아니지만 그때 이후로 적지 않은 세월이 흘러야 했다. 연이 현실 세계와 인터넷에서 이전 삶의 자취를 완전히 없애고 경제적으로 나라로부터 독립하여 나간 시기는 그로부터 십여 년 뒤였다.

하필 그가 해외로 이주하려 했을 때가 세계 금융 거품이 터져 지구촌 곳곳으로 흘러 들어간 매우 안 좋은 시기였다. 특히 아이슬란드, 아일랜드 등은 국외 자본이 자국 경제의 중추적 역할을 맡았던 점을 고려하면 심각하게 영향을 받지 않을 수 없었고 도미노처럼 줄줄이 무너졌다. 경기 침체 여파로 수많은 아일랜드 사람이 직업을 잃었다. 이에 아일랜드 지역 선거 때에 발맞추어 방방곡곡(坊坊曲曲)에서 시위에 불이 붙었다.

"잘 들어, 연. 이번에 반드시 우리가 우선 해야 할 일을 확실히 계획하고 착수해야 해. 현재 정치적 추세(趨勢)를 고려하면 이건 마지막 기회야. 지금 즉시 무언가를 하지 않으면, 현재 파산한 상태나 마찬가지인 넌 즉시 이 사회에서 추방당해. 그들이 너에게 비자 연장을 해 줄 리가 없으니까." – "그렉, 너 지금 우리가 정치판에 끼어들어 선거 운동이라도 참여해야 한다는 소리야?" 그렉은 고개를 끄덕여 긍정의 뜻을 표시했다. "정확해! 준비 없이 즉석에서 하는 얘기이긴 한데, 정치인들의 계획대로 선거 운동을 도와주고 정치 집회를 통해 본격적으로 활동가가 돼야 해. 유일한 문제는 선거에서 유력한 우승 후보를 제대로 고를 수 있느냐지." – "같잖은 소리야! 우리가 정당에 가입하더라도 난 법에 따라 보호를 받을 수 없어. 그건 유럽 연합 사람들에게 한정되어 있거든. 사자 자주개자리 풀 뜯어먹는 소리 그만하고 제발 현실로 돌아와, 그렉!"

연은 그때까지 부자가 되는 건 필수 불가결(必須不可缺)이 아니라는 생각이 확고했다. 그래서 그는 돈에 굴하지 않았다. 그 욕망이 적은 사람은 너무나 순진해 단순한 사실을 깨닫지 못했다. 바로 돈이 없으면 전 세계에 있는 그의 친구들조차 계속 만날 수 없다는 현실을. 그는 나름대로 분투하며 친구를 잃지 않으려고 했지만 결국 실패로 끝났다.

하지만 혈기 왕성한 청년이었기에 기회는 남아 있었다. 단지 그가 무엇을 위해 죽을 수 있는지와 어디서 최고가 될 수 있는지를 아직 찾지 못했을 뿐이다.

연이 더블린에 있는 동안에도 그의 나라 사람이 운영하는 맥줏집과 레스토랑, 그리고 그 단골 슈퍼마켓에서 동포들을 종종 채용하곤 했다. 하지만 그를 고용해 주는 곳은 단 한 군데도 없었다. 연은 배신감(背信感)을 느꼈다. 그들이 이미 모국에서 일자리에 쓸 사람을 지정해 고용했다는 사실이 나중에 알려졌다. 그렇다면 도대체 왜 "현재 구인 중"이란 팻말을 가게 문에 걸어 놓았는지 이해할 수가 없었다. '왜 나는 기회의 공을 잡기는커녕 건들지도 못했을까? 동포와 기회의 공놀이를 하지 않아서? 그동안 잘 받아주며 협조한 건 뭔데?' 연은 만감이 교차한 표정을 지었다. 존의 말대로 아마도 운명의 여신은 그가 [cdxi] "막장-업(dead-end job)"에 종사하기를 원하지 않나 보다. 욕지기 나도록 반복되는 그들의 빈말과 허울 좋은 태도에 신물이 난 연은 그 이후로 왈가왈부하지 않고 똑같은 방법으로 그의 동포를 무시하였다.

***

제10장 외로운 여행

〈네스호〉

귀국행 비행기를 탈 날짜가 다가오자, 연은 떠나기 전 마지막으로 벨파스트(Belfast)를 거쳐 스코틀랜드 최북단을 도보 여행하고 싶었다. 그렇게 그는 예정에 없던 여행을 떠났다. 북스코틀랜드에 도착하자, 연은 마음속에 쌓인 불만을 털어내며 자연과 동화되었다. 천천히 목적 없이 거닐거나 춤추는 듯한 걸음걸이로 길이 나지 않은 무성한 숲을 헤쳐 나갔고 이따금 멈춰서 스코틀랜드 산의 경관을 즐겼다. 그러면서 그는 한 폭의 그림과 같은 대자연의 숲길에서 아리따운 처자인 엠마와 2인용 자전거를 타고 가는 자신을 상상했다. 그곳의 사시·자작·느릅·단풍·떡갈나무 등 낙엽수(落葉樹)는 태양 광선을 발한다고 느낄 정도로 눈부시게 느껴졌다. 바람이 나무 주변을 휘감아 돌 때, 나무는 오보에([cdxii] oboe)가 되어 숲 전체가 연주를 시작한다. 다시 걷는데 이번에는 고음으로 날카롭게 울부짖는 소리가 들린다. 과거 탐험가들의 자취가 남아 있는 골짜기를 지나니 오래되고 헐어 빠진 오두막이 나타났다. 집 안은 의외로 멀쩡했고 여행객이 비바람을 피하기 위한 통나무집같이 보였다. 색-털실로 무늬와 그림을 짜 넣은 오래된 천이 판자를 댄 벽에 드리워져 있고 격자무늬로 된 타르탄(tartan) 카펫(carpet)이 바닥에 깔려 있어 그 낡은 오두막은 묘하게 아취(雅趣)가 있었다.

시간이 흘러 주변이 어두워져 가는 사실조차 잊은 채 연은 무언가 골똘히 생각하고 있었다, "내가 우리 나라 사람들과 엮일 때마다 번번이(番番-) 일이 이상하고 복잡하게 꼬여, 나도 모르는 사이에 승기(乘機)의 흐름이 저조해지다 못해 절망에 이르렀지. 난 동포가 필요 없어. 하나도 안 고맙거든!" 그러나 말과는 달리, 그의 민족과 함께해 어떤 좋은 점도 없음을 알면서, 연은 그들에게 긍정적으로 행동했다. 그건 아쉬웠던 사람은 그이고 밑바닥 없는 진구렁에 빠졌다는 현실을 가리켰다.

그래도 연이 외딴섬의 일부 토착 부족을 제외한 지구상의 모든 인종을 만났음은 사실이다. 특히 아일랜드에서 다양한 사람과 함께한 시간은 그에게 무엇과도 바꿀 수 없을 만큼 귀중했다. 석양의 햇살이 황톳빛 낙엽과 다채롭게 어우러져 그의 얼굴에 비스듬히 떨어지고 있다. 그는 나부끼는 잎을 보며 자신도 모르게 "오래오래전"이란 스코틀랜드 민요인 "올드 랭 사인(Auld Lang Syne)"을 불렀다.

이른 저녁을 먹은 연은 버스를 타고 무작정 북쪽으로 향했다. 그가 도착한 곳은 그 모양이 '네시(Nessie)'를 닮은 네스호(Loch Ness)다. 한 시가 기묘한 소리가 나는 어둠 속에서 즉흥적으로 흘러나왔다.

<네시>

어린 네시 새끼야, 안개 속에 물수제비를 뜨는구나 핑 퐁
강기슭 건너편까지 물수제비를 뜨려무나 폭탄이 터지듯 펑
마침내 수면 위로 아래로 위로 자비는 없도다, 구세주여
외쳐라 네시 너의 존재를 알려라 네가 이곳의 왕이라고
안개 그림자의 옷을 두르니 네시가 흑룡으로 바뀌는구나

***

제11장 이별

〈잘 있거라, 유럽이여!〉

연은 아일랜드를 떠나기 전에 마지막으로 어학당에 잠시 들렀다. 마침 쉬는 시간이어서, 교실 곁방인 좁고 긴 대기실은 며칠 전 연이 자필 편지를 이별 선물로 주었던 같은 반 브라질 학생들로 바글거렸다. 그들이 그 자리에 있어 주는 것만으로도 그에게 힘이 되었지만, 야스민이 보이지 않았다. 그녀의 친구들은 야스민을 요즘 잘 보지 못했다고 말했고, 그날은 아침에 아파서 결석한다고 그녀로부터 학교로 전화가 왔다고 했다. 연은 야스민의 성경을 그녀의 친구에게 건네며 그녀에게 전해달라고 부탁했다. “연, 지금 떠나려는 건 아니지? 그런 거야?” 그들은 연이 곧 떠날 줄 예감이라도 한 듯 못내 아쉬워했다. 연은 희미한 미소를 띤 채 그저 묵묵히 고개를 끄덕이며 작별을 대신했다.

아일랜드에서의 마지막 날, 늘 연을 신경 써 줬던 친절한 폭스는 그를 버스 정거장까지 데려다주고 싶다고 했으나, 연은 호의만 고맙게 받겠다며 태워 주겠다는 도움을 거절했다. 헤어지는 날 꼭두새벽부터 그를 번거롭게 하고 싶지 않았기 때문이다. 이곳에 처음 도착했을 때보다는 반 이상 짐이 줄었지만, 여전히 거대한 "이민 가방"이다. 그걸 끌고 버스 정류장까지 가기엔 꽤 먼 편이었는데 운이 좋게도 그곳은 내리막길에 있었다. 연이 도착하자마자 공항버스가 멀리서 오고 있다. 그 모습이 마치 황천(黃泉)을 건너는 [cdxiii] 단정(短艇) 같았다. 모두가 시기(猜忌)・질투할 정도로 천재인 연은 한낱 수단인 돈 때문에 반강제로 고국으로 돌아가야 하는 현실에 절규했고, 그의 내면 가장 깊숙이 단호한 결의를 만들어 냈다, "자본주의가 나에게 지옥으로 가라는 선고를 내리다니! 좋아, 꺼져 주지. 하지만 다음번에 내가 지옥으로부터 다시 돌아올 때는 언제 어디서나 자유롭게 지역에 얽매이지 않는 천직으로 무장하고 올 테다!"

〈미국 흑인 음악가〉

연은 공항에 도착하자마자 저울부터 찾기 시작했다.

"저울이 어딨죠?" – "저쪽에 있네요." 그가 짐을 저울에 올려놓고 무게를 재자, 소화물 중량 제한에서 약 5킬로그램을 초과하였다. 이를 확인한 연은 예전의 악몽이 되살아나 추가 요금이 염려

되었다. 그래서 그는 알파카(alpaca) 외투와 cdxiv "새털 웃옷"을 포함한 소지품을 "이민 가방"에서 빼내기 시작했다. 연이 짐을 소화물 중량 한계까지 줄이는 과정을 처음부터 지켜본 남성 항공사 직원이 보다 못해 그에게 충고했다, "선생님! 집에 빈손으로 돌아가시려고 합니까? 우리 독일 루프트한자(Lufthansa)는 복싱(boxing)으로 비유하자면 조그만 아일랜드 라이언에어와는 체급 자체가 다릅니다. 우리는 그렇게 중량 제한에 엄격하지 않아서 아까 그 정도 초과면 충분히 통과되는데요." – "뭐라고요?!"

연이 프랑크푸르트로 가는 소형 항공기에 탑승했을 때, 좌석 위 개방형 수납장 밖으로 삐져나와 있는 배낭에 "난 당신 거예요(I'm yours)."란 글씨가 적힌 꼬리표가 눈에 띈다.

프랑크푸르트 공항에서, 머리칼을 여러 갈래로 꼬고 그걸 또 크게 세 가닥으로 땋아 붙인 cdxv "드레드록스(dreadlocks)"를 한 흑인 무리가 연의 동포가 바글거리는 대합실 뒤편에서 슬그머니 연에게 접근해, 앞에 빈 좌석이 남아도는데도 그의 옆에 앉았다. 그 낯선 사람들은 연에게 말을 걸고 싶어 하는 눈치여서 그들이 대화를 시작하게 되기까지는 오래 걸리지 않았다. 물론 진지한 대화라기보다는 잡담이었지만. 연은 마치 사람이 변한 듯 영국, 아일랜드식 영어에서 미국식으로 억양까지 완벽히 바꿔서 대화하는데, 원어민이 서로 대화한다고 해도 믿을 정도로 빠르고 막힘이 없어 대기실에 있는 그 누구도 말하는 데 옆에서 끼어들지 못했다.

"여, 형씨. 난 연. 보아하니 나랑 대화하고 싶어 하는 눈치인데?" – "요(yo), 동생, 우리는 너희 나라로 가는 비행기로 갈아타려고 여기 프랑크푸르트에 도중하차했어. 난 마이클이고 내 목을 두른 이쪽 [cdxvi]'폭신녀(beaver)'는 보조 합창 보컬(chorine)인, 올리비아(Olivia)라고 해. 올리비아, 부탁인데 우리한테 마실 것 좀 가져다줘!" 올리비아라 불리는 그녀는 연과 짧게 눈으로 인사를 나누고 곧바로 근처 매점에 음료수를 사러 자리를 떴다.

"난 그냥 동생에게 인사하고 싶었을 뿐이야. 여행은 어땠나, 형제여?" – "무탈하게 잘 다녀왔지!" "그런데 뭔가 불안해 보이는 걸?" 마이클은 마치 오랜 친구를 대하듯 그의 기분까지 신경 써 주었다. 그러자 연은 허물없이 그의 이야기를 하였고, 그들은 흥미롭게 귀 기울여 들었다.

"그래서 그 허름한 여인숙에 같이 사는 '뿔난드' 친구가, 그러니까 네 폴란드 [cdxvii]'말똥머리(buzzard)'가 동생에게 꽤 도움이 되었단 말이네. 그래도 연, 넌 그곳에서 살 수 없었고, 맞아?" – "결국 헛되이 끝났지."

연이 그의 동포 [cdxviii]밀정(密偵)에 관해 이야기하니 그들은 놀라 소리쳤다, "뭐라고?! 그런데도 넌 알면서 분풀이는커녕 그 똘마니들과 정상적인 관계를 유지해 왔다고? 얼간이냐?" – "분노를 표출하긴 했지. 하지만 아무 의미가 없었어."

연이 이야기를 마쳤을 때, 마이클 일행은 결과에 대해 아쉬움을 표했다, "저런, 망할! 그래서 끝까지 버티지 못하고 본국으로 돌아가는구나! 밑천이 드러나고 허기를 때울 몇 푼이 없어 부랑인처럼 길거리에서 손 벌리며 구걸하고 싶진 않았겠지, 맞아? 하지만 그 상황에서 어떻게 해서든 변통할 근성은 있지 않나?" – "말이 쉽지, 불가능해! 설령(設令) 그래도 마찬가지야. 네 말대로 구걸이나 야바위조차 나에게는 괜찮아. 하지만 어느 날 갑자기 추방당하겠지. 요점은 내가 세상 물정에 밝냐가 아니야. 정치에서 '분열 쟁점([cdxix]wedge issue)'일 정도로 단골 메뉴지만, 사실상 과거에 반해 오늘날 제대로 살려면 불법 이민은 거의 불가능해. 심지어 아메리카 인디언(American Indian)에게 귀속되는, 주인 없는 미국 땅에서도 말이지. 난 할 만큼 하고도 더 했어." "그런데 내가 이해 못 하는 부분이 좀 있어. 지금 너의 영어는 완벽한데, 왜 계속 귀 기울여 듣기 훈련을 해?" – "로봇 발음을 듣는 일에 신물이 났어. 그리고 난 여전히 너희 원어민을 따라잡을 수가 없어." "자 들어 봐, 동생. 우리 미국인은 영국인이 하는 말을 정확히 받아쓰지 못해. 더구나 우리는 주마다 다른 악센트와 방언 때문에 지금 우리 미국식 영어조차도 완벽히 알아들을 수가 없어." – "바로 그거라고! 난 전 세계의 다양한 영어를 100% 정확히 듣고 싶어." "여, 여, 친구, 네 능력이 과대망상증(誇大妄想症) 환자가 아님을 입증해 주었지만 넌 좀 과하게 훈련하는 듯 보여. 그렇게 되면 곧 스스로 나자빠진다고. 내 생각에 넌 듣기의 정점을 추구하는 아마추어 음악가에 가까워 보여." – "그렇지만 난 그 정도로 만족할 수 없다고!" "엄청난 고집쟁이네! 어찌 되었든, 네 능력은 원어민인 나도 놀랄 만큼 현시대에 독보적이야. 그걸 되새기니 새삼스레 내가 미국인으로 태어난 게 운이 좋았다고 느껴."

그리고 그들은 커피를 마시느라 잠깐 대화를 멈췄다. 대화가 재개되었을 때 마이클은 연을 보며 능글맞은 미소를 지었다, "연, 너도 언젠가 네가 보살필 아이를 갖겠지?" – "짹짹거리는 마누라도? 하하, 아마 그럴지도. 인간은 장래(將來)에 관해 쥐뿔도 모르기 때문이지. 게다가 내 cdxx'타임캡슐(time capsule)'만 믿을 수도 없고. 보는 바와 같이, 난 북미 원주민인 알곤킨(Algonquin)–족(族)을 닮은 동양인일 뿐이야. 난 '아시아인'이란 말 대신 '동양인'이란 단어가 자랑스러워. 나에게 태양이 떠오르는 동양이란 개발 도상 중인 준군사적 아시아 국가 시스템에 예속(隷屬)되지 않아 보이거든. 언젠가 난 나의 허름한 '개량용 주택(fixer–upper)'에서 나가 전 세계에서 살 테야. 매우 지루한 우리 나라는 내가 날개를 펼치기엔 너무 좁아."

"너 무모할 정도로 대담무쌍하면서도 아주 건전하구나!" – "고마워." "이봐, 이건 확실한 정보야. 네가 맞아. 넌 해외에서도 네 동포들에게 감시당하고 있었어." – "지금 무슨 말을 하고 있어, 마이클! 멀쩡하게 생겨서는." "아까 난 네 얘기를 듣고 뭔가 좀 꺼림칙한 느낌이 들었거든. 실은, 난 래퍼(rapper)인데 위키리크스를 위해 염탐 중이야, 정의를 위해서. 조금 전 커피 마실 때 네 수상한 동포에 관한 정보를 입수했지. 지금은 네 여행의 막바지가 아니야. 네게 참고삼아 말하는데, 네 본국에서 조심해야 해. 소란스럽고 난폭한 용역 양아치들은 자기보다 똑똑하다고 해서 봐주진 않아. 자신과 관련된 돈이 없으면 큰 해를 가하고도 남으니까. 노동 쟁의를 막으려 고용되는 폭력 단원과 같은 하이에나라고 보면 돼. 네 동족은 전 세계에 관심이 있고 친절해 보이지만 정작 공통된 기반이 없어. 겉과 속이 다르니 전 세계의 사람들과 마음이 맞질 않지. 그러나 네가 원어민보다 더 영어를 잘해도 미합중국은 너희 [cdxxi]'귀멀간이(doofus)' 편일걸? 그들의 눈에 넌 그냥 자기 자랑만 하는 가난한 떠버리거든. 전 세계의 [cdxxii]정견(政見)으로 봤을 때 네 터무니없는 능력은 매우 별나지만 얼뜨기가 지배하는 네 나라에서 넌 오도 가도 못하는 하찮은 무명인(無名人)일 뿐이야. 낮은 지능의 생물이 높은 지능의 생명체를 가지고 놀다가 볼일이 끝나면 갈가리 찢어 버린다고 표현하면 충분할까. 결딴내는 거지." 마이클은 다 마신 종이잔을 손으로 우그러뜨려서 공처럼 만들어 쓰레기통에 정확히 던져 넣었다. "여하간(如何間), 음악인치고는 마이클 넌 매우 박학다식해." – "가사가 가시 돋치게 되면 랩(rap) 음악이 때로는 록보다 강렬해지잖아. 오! 말이 요점에서 벗어나 옆길로 샜네! 그러니까 네 나라에서 그 시련의 고비를 넘길 수 있으면, 내 말은, 그때까지 살아 있기만 하면 넌 자유가 돼." 그들은 생각이 비슷했는지 서로 눈을 마주치며 빙긋 웃었다, "자, 그러면..." 그들이 동시에 같은 말을 하자, 똑같이 소리쳤다, "[cdxxiii]찌찌뽕(jinx)!" "난 여전히 네가 우리 나라 출신이 아니라는 현실을 믿을 수가 없어!" 마이클은 연을 가볍게 한 손으로 포옹(抱擁)하며 덧붙여 말했다, "갈 시간이야, 형제여. 너랑 이런저런 이야기를 해서 매우 기뻐. 악수하자," 마이클이 웃으며 손을 내밀었고, 그들은 손을 힘차게 쥐고 악수했다. "기대한 만큼 솜씨를 보여 보라고, 동생! 그럼, 다음에 또. 안녕! 다음번엔 미국에서 볼 수 있길 기대할게."

〈안녕, 자유여!〉

연은 고국으로 가는 비행기 안에서 한 설문지에 망설임 없이 무언가를 휘갈겨 써 내려가고 있다. 정부에 일일이 보고할 필요도 없고 거짓말을 할 수도 있었지만, 그는 설문지 질문에 정직하게 답했다; "얼마나 많은 나라를 여행했나? 거기서 무엇을 했나?" 열심히 설문지를 작성하면서 그는 막후(幕後)의 누군가 스파이(spy) 활동을 하는 양 은밀히 그를 염탐함을 느꼈다.

어찌 되었든 연은 전 세계에 전염병처럼 만연한 자본주의의 잔혹성에 대한 만족스러운 답 없이 본국에 귀환했다. 그 결과 여전히 그 체제의 정체를 폭로할 수 없었다. 그래도 그는 수박 겉만 핥은 채로 포기하기는 싫었다. 인간이 겨우 수십 년 살다가 가는 동안 그 시스템은 세계 곳곳에 편재(遍在)해 끝없이 지속되어 왔고, 정치, 종교, 문화와 무관하게 오랜 세월이 흘러도 스스로 붕괴(崩壞)하지 않았다.

유럽을 떠나는 비행기와 더불어 한 줄기 희망의 빛이 스러져 버렸다. 귀국하는 항공기 안에서 안전띠를 단단히 조이던 연은 집에 돌아간다는 근심에 사로잡혀 감옥의 나라에서 어떻게 살아가야 할지 초조해졌다. 정치에 미친 사람들은 적의를 극단화해 쉽게 지배하려 한다. 그는 단순히 자본주의를 흉내 내는 허울 좋은 혹성의 땅에서 신뢰할 만할 아버지 같은 존재가 될 자신이 없었다. 무엇보다도 연은 이미 그들만의 리그(league)에서 벗어난 지 오래였고, 결정적으로, 엠마가 필요했다.

<상잔>

나의 사람 원숭이와 같소
야호 와하 와 후
원수는 외나무다리에서
원숭은 나무다리에서
원수는 끔찍하지만
우리는 그렇지 않소

아직 발이 묶이지 않아, 채울 수 없는 자유에 대한 욕구가 넘치도록 분방(奔放)한 연은 지정학적으로 유리한 위치를 점유한 흉내쟁이 일족의 나라로 돌아가고 있다. 그러나 머나먼 이국땅은 마음속에서 이미 그의 고향이 되었다. "우리 나라에 뼈를 묻을 생각은 추호(秋毫)도 없다!"

한편, 비행 중 흡연을 못 하자, 연은 안달이 나 화장실에서 담배를 피울 생각까지 하며 들어왔다 나갔다 하였지만, 결국 단념했다. 그의 후각 신경은 담배를 피우지 않는 동안 극도로 예민해져서, 1인용 수세식 화장실에서 누군가 한참 전에 몰래 담배를 피운 흔적인 극미량의 담배 연기 입자조차 느낄 수 있었다. 연은 순간 역해 구역질이 나올 뻔했다.

그는 대해(大海)로 나가기 위해 그의 국적을 포기하려고 작정했다. 하지만 연 자신도 몰랐다. 그가 고국으로 돌아오기 전에 이미 어느 국적이든 선택할 수 있고 어느 나라에서도 생활할 수 있게 만드는 직업을 가졌다는 사실을. 그렇다! 백수건달(白手乾達) 연에게 천직이 생겼다. 그것도 전문적이고 선구적(先驅的)인. 돈을 벌지는 못했지만, 훌륭한 외인(外人)들과 교제하면서 그의 천직 완성에 많은 도움을 얻게 되었다. 억누를 수 없는 화염이 그의 심장 깊은 곳에서 빛나며 타오르고 있다. 이제 연의 모교는 7대양이다!

***

제12장 엇갈리는 운명

〈귀환〉

고국의 땅에 발을 디디자마자 연은 곧바로 짐을 찾으러 공항의 소화물 찾는 곳으로 향했다. 도착해 보니 나와야 할 물건이 없었다. 할 수 없이 마지막까지 기다렸지만, 승객이 다 떠날 때까지 연의 짐은 나오지 않았다. 분실 보상 요청을 해야 하나라는 불안함이 들 찰나 맨 마지막에 그의 짐이 나왔다.

"가방을 열어 봤네, 쳇!" 그러다 문득 담뱃재가 묻은 빈 담뱃갑이 생각났다, "아, 마리화나랑 섞어서 피웠는데 혹시 마리화나 잔향을 세관 마약 탐지견이 맡았나?"

어쨌거나 연은 길고 위험했던 여정에서 탈없이 귀환했다. 그의 나라는 여전히 모든 면에서 개선된 점이 하나도 없었고 앞뒤 안 가리고 밀고 나가는 방법을 써서 겉모습만 번지르르하게 외국식으로 바꾸어 놓았다. 그리고 국민은 왜 자신들이 문화적으로 열강(列強)을 따라가려고 하는지 몰랐다. 이성적으로는 도리어 퇴화하면서도. 연은 모국에 돌아와 듣기 능력을 완성하려 자신의 길에 정진했고 죄다 먹어 치울 듯한 작열(灼熱)의 의지로 영어를 게걸스럽게 흡수했다. 단순히 양적으로 노력하기보다는 매우 세심하고 정확해야 했고, 그렇게 계속 훈련하면서 조금씩 그만의 특기가 되었다. 또한 평소에 고상하게 소량의 음식 맛보기를 즐겼던 미식가 연은 해외를 다녀온 후, 마치 다식증(多食症) 환자처럼 항시 걸신(乞神)-들린 듯 음식을 먹어 대는 버릇이 들었다. 오랫동안 굶주림을 겪었기 때문으로 보인다. 그는 스스로 이 탐식증(貪食症)을 "늑대의 굶주림"이라고 별칭을 붙였다. 이로 인해 체중이 늘었는데도 연은 자기 일이 고도의 지적 에너지를 요구하므로 이를 즉시 불굴의 사그라지지 않는 뇌 에너지로 바꾸어야 괜찮다는 망상을 하며 잘못된 식습관을 고치려 하지 않았다. 그래도 그는 고국을 떠날 때를 대비해 빚지지 않고 살아갔다. 빚을 진 채 살아감은 양발에 족쇄를 채우는 꼴과 같다. 그런데 그의 삶이 언제부터인가 그의 이상처럼 현실과 괴리가 되었고 유일한 위안은, 삶의 모든 측면에서 보았을 때 그나마 되돌릴 수 없는 상황까지 가 버리진 않았다는 점이다.

연은 영화, 드라마, 노래 등 닥치는 대로 세계 각국 영어 토박이들의 말을 받아썼다. 이는 또박또박 발음하는 뉴스 수준이 아닌 이상 비영어권에서 자란 성인이 해 봤자 소용없는 일이다. 그러나 연은 정확히 진실을 알고 있었다. 미국, 영국, 캐나다, 호주, 뉴질랜드, 아일랜드 사람처럼 가장하며 발음을 흉내 내는 행위는 쓸데없는 짓이라는 걸. 물론 어느 정도 듣기 능력을 갖춘 상태에서 표준 억양과 방언을 동시에 구사할 수 있다면 좋은 일이다. 하지만 듣기의 완성 없이 완전한 이해는 존재하지 않는다. 더군다나 연은 학문적 진실의 모든 측면을 왜곡하는 거짓말쟁이가 되고 싶지 않았다. 그래서 그는 문자 그대로 완벽할 정도로 순수 듣기와 예측 듣기를 병행했고, 혹독하게 듣기 연습을 할수록 그 능력의 정점에 가까워졌다. 반면에 딱히 수입이 없던 연은 극도로 가난해진 데다 설상가상으로 온갖 안 좋은 일까지 겹치고 있었다. 그의 불행은 이미 끝자락이 아니었던가? 어떤 비참함이 또 닥친 걸까?

〈도둑이 된 연〉

연은 인간으로서 결혼해 평범한 삶의 행복을 추구하고 싶은 본능도 억누르고 감정을 삭인 채 하루하루 최고의 지성인으로 진화하고 있었다.

어느 날 저녁 연이 오랜만에 다리도 펼 겸 시내로 나갔다. 도심지 한복판에 내리자마자 그는 담뱃불을 붙였고, 어느 백화점 앞에서 담배꽁초를 길바닥에 던져 버렸다. 그때 그는 경찰 둘이 범죄자를 잡으려 잠복근무하고 있는 현장을 목격했다. 그들과 눈이 마주친 순간 경찰의 얼굴이 노여움으로 시뻘게졌다. 연은 거북해져 자리를 뜨려 했으나 경찰관은 그렇게 놔두지 않았다. 바로 경찰 둘이 그에게 씩씩거리며 다가오는데 마치 이런 말을 하는 듯했다. "네가 감히 내 앞에서 담배꽁초를 던져? 이 불량배 자식이! 네가 나에게 독기를 품어?" 경찰은 연의 신원을 조회했지만 정작 자신들이 어디 소속 누구인지 밝히지 않았다. "난 이미 신원을 밝혔고 이젠 당신 차례입니다." 연이 경찰에게 신원을 밝히지 않는다는 이유로 추궁(追窮)하자 경찰은 연이 그와 시비한다고 여기는 듯했다. "내가 누군지 이미 말했잖아요!" 그 경찰은 뻔뻔하게 바로 연의 눈앞에서, 하지도 않은 일에 대해 새빨간 거짓말을 하였고, 이에 연이 격앙(激昂)에 휩싸여 반항하는 눈초리로 그들을 쏘아보았다. 그런데 적법 절차를 지키지 않은 경찰 둘은 그들에게 사과를 요구하는 연을 강제로 연행(連行)하려고 하였다. 연은 그 거짓말쟁이들의 면상을 주먹으로 한 방 먹이고 싶었지만 그러면 결과는 뻔했다. '그렇게 나온다면, 너희들은 그 거짓말에 상응하는 벌을 받아야 하겠지. 나 튄다!'

듣기 훈련에 모든 정력을 쏟아부어 새벽부터 밤늦게까지 무리를 한 그는 기력이 쇠한 상태였고, 그 사실을 자신도 잘 알고 있었다. 그래도 그들의 잘못에 대한 대가를 치르게 하려고 그는 도망쳤다. 정확히 표현하자면 몰래 빠져나가지 않고 미친 듯이 달렸다. 사정이 달랐다면 무시할 만한 사건이었다. 그 생각지 못한 일이 벌어지기 전까지는.

경찰은 당황할 겨를도 없이 곧 자석처럼 그를 뒤쫓았다.

추격 도중에 그 거짓말쟁이 경찰이 악에 받쳐 고래고래 소리를 질렀다, "비켜요! 저 도둑놈 멈춰라! 도둑놈 잡아라!" 그때 한 여성이 우측에서 튀어나와 도둑으로 몰려 경찰로부터 도주 중인 연의 오른쪽 갈비뼈를 우산으로 정확히 찔렀고 그 자리에서 바로 늑골(肋骨)이 부서졌다. 대중 앞에서 비난-받는 수준은 이미 넘어섰다! 그것은 생명이 위험할 정도로 치명적 강타였다. 아아! 참! 연은 장차 온전한 정신으로 괜찮을까? 푹 수그려 주저앉은 그가 무슨 말을 할지 일그러진 표정에 다 쓰여 있었다, '너희 cdxxiv"원숭치(bagoon)"들은 모두 이 어리석은 행동에 대한 대가를 치러야 할 거다!' 격통으로 웅크린 채, 연은 경찰에 의해 체포, 연행되었다. 경찰서 구금 중에도 그 거짓말쟁이 경찰이 도주자의 신상 조회와 체포에 관한 문서 작성을 끝낼 때까지 그는 수갑이 채워져 있었다. 연이 왼쪽 손목에 너무 세게 수갑이 채워져 고통스러우니 좀 느슨하게 해 달라고 간청했지만, 경찰은 자기 직감이 옳다는 듯이 그를 무슨 중범죄자인 양 취급하며 들은 척도 하지 않았다. 경찰이 서류에 사인(sign)하라고 연을 풀어준 시기는 그로부터 오랜 시간이 지난 후였다. 연이 문서 내용을 들여다보았을 땐 가석방(假釋放)처럼 "…법 모(某) 조항에 의거 동의합니다."라는 문구만 눈에 띄었다. 사건 보고서 내용의 진실성이 의심되었고 매우 안 좋은 예감이 들었다. 연은 그 교활한 경찰이 죄를 날조(捏造)한다고 여겨서 문서에 서명을 거부하였고 경찰은 법원에 즉결 심판을 청구했다. 그는 경찰서로부터 걸어 나와, 공공연히 대중 앞에서 도둑으로 취급하며 자신의 명예를 훼손한 경찰을 분노에 찬 눈빛으로 쳐다보았다, "참 잘도 법을 준수하는 군! 날 조롱거리(嘲弄-)로 만든 데 대해 지금 나에게 사과하지 않으면 당신에게 재앙(災殃)이 있을지니! 날 잡아넣은 처분은 합법이야. 일단 도주했으니까 말이지. 그러나 당신은 공공연히 날 창피(猖披)를 주고 웃음거리로 만들었어. 내가 절도(竊盜)를 저질렀다고 생각해 소리친 합당한 이유를 설명하지 않으면 나를 고의로 절도범으로 체포한 데 대해 당신에게 형사상 책임을 묻겠다." – "흥, 객쩍은 소리 집어치우쇼! 삽질해 볼 테면 해 보던가! 난 제복을 입은 사법 경찰관이고 당신은 그저 도둑 용의자에 지나지 않아. 당신과 나 중 과연 누구의 말을 이 나라 사람들은 믿을까?"

연이 귀국하자 일이 이상하게 꼬여 돌아갔다.

도둑으로 몰려 가슴에 사무친 정신적 아픔과 골절의 물리적 고통은 누그러들지 않았다. 병원에 갔지만 늑골의 통증은 진정되긴 커녕 더 커져만 갔다. 그로부터 이틀 뒤 크리스마스-이브(Christmas Eve)에 연은 격통으로 몸부림치기 시작했다. 너무 강렬해 실신할 정도였지만 끝까지 정신을 가다듬고 버텼다. 태어나서 가장 고통스러운 크리스마스였다, "참으로 크리스마스답구나! 크리스마스이브에서 크리스마스로 가는 자정에 성탄극 대신 수난극인가? 이 무슨 박해(迫害)인가? 속죄(贖罪)를 재연하나?

난 예수가 아니라고! 너희들은 그릇된 행위에 대한 대가를 치러야 해, 이 [cdxxv]타기(唾棄)할 짐승들아!" 그렇다. 크리스마스 아버지라 불리는 산타클로스(Santa Claus)는 그의 인생에서 가장 괴로운 크리스마스 선물을 안겨 주었다. 그에게 보상은커녕 사과조차 없었다. 더 나아가 연은 경범죄로 법정에 서게 되었다. 그는 소송을 즐기는 편이 아니었으나 그 경찰관을 진술서와 함께 명예 훼손죄로 고소하였다. 하지만 따라쟁이가 지배하는 나라의 결과는 뻔히 예측할 수 있었다. 연의 소송은 사실 적시(摘示)로서 눈에 보이는 증거와 진술이 명명백백함에도 기각(棄却)되었다. 더군다나 그는 법정에 설 기회조차 없었다. 그렇게 그 긴 해의 투쟁은 쓸모없게 되었다. 사실 그가 소송에서 진 이유는 간단했다. 경찰은 제복을 입고 있었고 연이 잘못했기 때문이다. 단순히 도망가는 행위가 경찰의 명예 훼손을 정당화할 수 있는가? 그 둘은 별개고, 서로 무관하다. 적어도 그들은 법의 집행자로서, 시민들 앞에서만큼은 법을 지켜야 하지 않는가? 이 나라의 판사가 [cdxxvi]"노르웨이 대학살" 현장에 있었다면 절대로 그런 판결을 하지 못한다. 더 이상 어떻게 달리 그가 그 상황을 더욱 자세하게 설명하겠는가?

한술 더 떠 그들은 자신들의 더러운 계획을 정당화하여 맞고소까지 제기했다. 그리고 버스 내 감시 카메라 녹화본에 이동 시간과 경로가 드러나 아무 짓도 하지 않았음이 입증된다며 자기의 결백함과 경찰의 악의를 주장하는 연에게 허물을 덮어씌웠다. 종국(終局)에 법의 심판을 받아 처벌된 자는 즉결 심판까지 가서 [cdxxvii]과료(科料)를 낸 연뿐이었다. 둘 다 각각 서로 무관한 다른 법을 위반했고 단 한 사람만 처벌을 받았다. 그 소동의 원인이 결국 연에게 있기 때문에? 다른 사람과 다르게 행동했다는 이유만으로 아무 이유 없이 단순히 도둑으로 취급해 대중 앞에서 공개 망신을 줄 수 있는 건가? 법을 집행하는 경찰이 규정을 무시하고 제멋대로 단죄(斷罪)하나?

명백히 기만적(欺瞞的)인 경찰에 의해 계산된 공개 모욕이자 간계(奸計)였으며 소송을 왜곡된 방향으로 틀었다. 추격하던 경찰의 입에서 무의식적으로 말이 헛나왔다고 했다면 덜 억울했을 터이다. 도무지 말이 안 돼 그의 머리는 혼탁해지기 시작했고 엎친 데 덮친 격으로 [cdxxviii]광장 공포증(agoraphobia)으로 몇 달간 고생했다. 이게 따라쟁이 계급이 지배하는 국가를 위해 병역의 의무를 다한 대가인가? 모욕 감수가 소집되어 목숨을 건 인간에 대한 보상인가? 지금까지 당한 일을 곱씹으면서 그는 자신이 살고 있는 세상이 기본적으로 언론과 괴리가 있다는 진실을 깨닫게 되었다. 일반 국민이 하는 소송은 무능한 따라쟁이 나라에서는 아무 쓸모가 없었다.

연의 오랜 부재중 그의 나라에는 외관상 괄목상대(刮目相對)할 만한 변화가 있었다. 하지만 내부, 특히 그들의 지성은 아니었다.

가슴이 찢어질 듯한 고통의 시간을 보내며, 동양인인 그는 자신도 모르는 사이에 자기 나라에서조차 이방인이 되었다. 동양에서 태어났지만, 아시아 사회의 무리에 낄 수 없었고 오히려 유럽이나 아메리카 대륙 사람들과 통했다. 이 무슨 모순인가! 전부 뒤죽박죽이다. 그를 아는 몇몇 사람은 겁쟁이라고 조롱했고, 그를 모르는 대다수 사람은 그가 진짜 도둑이라고 여기며 심지어 헐뜯기까지 했다, "도대체 뭐가 씌어 그런 짓을 했니?!" [cdxxix]'"따람들(ape-ople)"이란...' 연은 그가 왜 진실이 거짓이 되고 거짓이 진실이 되는 [cdxxx]보드빌(vaudeville) 안에서 살아야 하는지 몰랐다. 그는 오른쪽 늑골을 희생하여 그 일부를 단순히 확인했을 뿐이다.

그 사건 이후 연은 두문불출(杜門不出)하며 모든 쾌락을 멀리하고 자제했다. 짐승이 동면하듯 아무것도 하지 않는 듯 보였으나 실상은 그렇지 않았다. 연은 은둔 생활 중이었다. 움직이지 않고 앉아만 있어 생긴 갖가지 잔병에도 아랑곳하지 않으며 자기 능력의 최대치 완성에 전념했고, 일체의 감정을 배제한 지성체가 되어 삶과 우주의 근본에 대해 철학적으로 사색하기 시작했다. 그로부터 약 3년 후 그는 모든 학문에서 독보적으로 진화하였다. 그렇게 집에 틀어박혔지만, 연은 바깥세상에 대비해 날카로운 기민(機敏)함은 유지했다. 물론 딱히 자신의 소유라 부를 재산도 일도 없었다. 자신의 특기인 언어 분야에 열중하면서도 그는 모든 분야에 있어 혁신적인 기점(起點)이 될 수 있는 리만 가설(Riemann hypothesis)의 해법까지 발견하게 되었다. 복잡하고 분기된 회로망을 단순화할 수 있는 컴퓨터 프로그램의 시발점이 되는 점을 제외하고도 그것은 모든 계산법에 있어 자궁(子宮)의 역할을 하였다. 그렇지만 클레이 수학 협회(Clay Mathematics Institute)는 저명한 협회의 논문으로 등록되지 않았다는 둥 자신들이 정한 방식의 풀이가 아니라는 둥 사소한 트집을 잡아 그의 공로를 인정하지 않았다. 해외에서 살 준비를 하는데 연은 엉뚱하게 자신이 되고 싶지 않은 학자가 되어 가고 있었다.

어떻게 이런 백미인 그가 매번 안 좋게 끝날 수 있을까? 그런 대우를 받을 만한가?

[cdxxxi]낙척(落拓) 인생!

그는 이 이야기를 책으로 쓰기로 결심했다. 시간은 쏜살같이 흘러갔고 어느덧 5년이 지나 그의 처녀작이 출판되어 세상의 빛을 보게 된다.

끔찍한 시간을 겪으면서도 한편으로 연은 스웨덴 온라인 웹사이트(website)에 가입해 끊임없이 엽색(獵色)하는데, 정작 결혼할 마음은 없어 보였다. 그는 그곳에 놔두고 온 진정한 사랑을 잊기 위해 다른 스웨덴 여성의 아름다움에 사로잡힌 척했다. 그러나 그의 마음은 천한 취미에 영합(迎合)하지 않았다. 그곳 여성의 마음을 가지고 놀수록, 그의 마음은 더 공허해지고 황폐해졌다. 사진이라도 찍어둘걸! 차라리 휴대 전화에 그녀의 사진이라도 있는 편이 나아 보였다. 그러던 어느 크리스마스 때 한 소녀가 웹사이트에 등록했고, 그의 눈길을 사로잡은 건 순전히 운이었다. 아! 이럴 수가!!! 연의 가슴은 미친 듯이 뛰기 시작했다.

다름 아닌 스웨덴에서 만났던 광휘(光輝)로운 미소를 지닌, 꿈에서라도 절대 잊을 수 없던 바로 그 소녀였다! 그는 잘못 본 건가 싶어 눈을 다시 비비고 보았지만 틀림없는 그녀다, "그대는 그때 정말 아찔할 정도의 아름다움 그 자체였지! 이 몸이 스러지더라도 여전히 당신을 사랑한다오!"

앞으로, 깊은 운명의 바닷속에 감춰진 어떤 사건이 이 불가사의한 일들을 겪는 불운의 연인을 기다리고 있을까? 그들은 과연 어떻게 서로의 관계를 유지해 나가려는가. 성스러운 혼인으로 결합할 수 있을까? 아니면 다른 이와 새로운 관계로 진전될까? 유럽의 오딘과 아시아 흑해의 주인만이 그들의 운명을 알 터이다.

엠마는 생기발랄한 소녀에서 어느덧 기품 있는 숙녀가 되어 있었고 웹사이트-상이지만 그 기운이 고스란히 연에게 전달되었다. 인터넷으로 꽃을 보내는 일은 시대에 뒤떨어진 행위의 일종으로 볼 수 있으나 연은 순진하게도 그녀에게 매일 한 다발의 디지털 장미를 천 송이가 될 때까지 보냈다. 하루가 멀다 하고 그는 그녀의 사진을 보았고 가슴속 깊은 곳의 형언할 수 없는 감정이 사뭇 북받쳐 오열(嗚咽)했다. 그의 뺨을 타고 비처럼 흐르는 눈물은 멈출 줄 몰랐으며, 한번 깨어나 폭포수처럼 쏟아져 나오는 감정은 주체할 수가 없었다. 그러나 연은 얄궂은 운명을 한탄할 수만은 없었다. 어떠한 방식으로든 그녀와의 재회는 그의 억눌린 감정을 단번(單番)에 일깨워 삶을 느끼게 해 주었기 때문이다.
"글쎄, 문제없어. 단지 마음이 아플 뿐이야. 눈물은 그냥 지나가는 사람이 눈에 밟혀서 잠시 흐를 뿐이야." 누가 시간이 약이라고 했던가? 시간이 흘러갈수록, 연의 상사병(相思病)은 더욱더 심해져 그녀를 미치도록 그리워했다. 그가 그녀를 처음 만났을 당시 그녀는 젊음으로 생기있게 빛났고, 현재는 성숙하여 품위가 있으면서도 매혹적인 여성스러움이 스며 나오고 있었다. "당신은 여전히 숨이 멎을 정도로 아름답구려. 내가 당신을 처음 보았을 때 당신은 막 피어나는 꽃이었는데. 내가 당신이란 꽃을 질 무렵 본다고 해도 여전히 사랑할 수 있겠느냐는 생각을 잠깐이라도 한 게 부끄럽구려. 오히려 그때 내 외모가 흐물흐물 오징어처럼 될까 걱정이오." 그녀를 열렬히 사랑했기에 덤덤히 말하는 태도가 오히려 비참해 보였다.

현재까지 이어온 그들의 사랑은 단순한 농탕질이 아님은 분명했다. 그들은 서로 사랑했지만, 여전히 짝사랑처럼 묵묵부답이었다. 이유는 간단했다. 그들이 웹사이트 "MP"의 유료 회원이 되지 않았기 때문이다. 어느 날, 그녀는 자신의 소개란에 다음과 같이 적었다; "인터넷이 무슨 소용이죠?" 순간 그 말이 연의 뇌리를 관통했다. 몇 년 전 그들이 스웨덴에서 처음 만났을 때부터 연은 그녀에게 자석처럼 이끌렸고 그녀도 마찬가지였다. 그들은 꼬투리 안의 두 콩알처럼 찰떡근원이었다. 엠마는 그릇이 큰 여성으로, 솔직하면서도 젠체하지 않았고, 그녀의 현명한 마음가짐은 연의 마음을 송두리째 뒤흔들었다. 그녀가 말한 대로 실행하기 위해 그 웹사이트에서 탈퇴하려 했지만, 그녀를 만날 수 없다는 생각에 막상 손이 가질 않았다. 연은 "MP" 사이트 프로필(profile)에, 사이트에 대해 경멸(輕蔑)하는 글을 쓰며 화를 표출했고, 공교롭게 우연의 일치인지 항변할 기회도 없이 바로 강제 탈퇴가 되었다. 결국 운명의 장난이었던가! 하지만 연은 자포자기(自暴自棄)의 심경으로 아무 여성과 결혼할 정도로 어리석지는 않았다. "그녀와 이렇게 끝낼 수 없어!" 그가 그녀를 사랑하는 이유는 강렬한 성적 호르몬(hormone)에 의해서도, 호기심 때문도 아니었다. 이후 연은 부러진 늑골의 가골(假骨)이 몸 전체를 뒤덮은 듯 주변에 무감각해졌다. 저런, 저런! 슬픔의 바다에서 눈물과 술로 마비되었구나!

세상에는 실패 방지 장치 하나 없었다. 연의 원대한 계획은 그동안 다듬어 온 지식의 방대(厖大)한 체계와 심오한 지혜(智慧)에도 수포(水泡)가 되었고, 그의 나라에서 벗어나려고 노력할수록 그 환경에 좌지우지되어 더욱 비참하게 되었다. 그래도 그가 사회 밑바닥 쓰레기로 살아가는 이유 중 하나는 다시 한번 그녀에게 닿을 수 있다고 믿기 때문이다. 그에게 그녀 없는 삶은 의미가 없었다. 그렇다고 내쫓기듯 한 푼도 없이 나가진 않았다. 연은 이미 경험한 일을 반복할 바보가 아니었다. 그래서 그는 소설가가 되기로 마음먹었다. 실제로 연은 세계 최고 수준의 다국어 능통자였지만 그것이 이야기를 꾸며내는 솜씨가 있음을 의미하지 않는다는 사실을 자신도 잘 알고 있었다. 이러한 이유로 연은 자신의 이야기를 쓰려고 한다.

현재 상태로 그녀를 만나러 갈 수는 없다. 그들이 그가 별 볼 일 없는 아무것도 아닌 존재라고 여긴다면 어떻게든 구실을 만들어 그 나라에서 축출할 게 뻔하기 때문이다. 우리는 [cdxxxii]'맘몬(mammon)'이 데몬(demon)이 아니라 마마(mamma)가 되는 잔학(殘虐)한 세상을 살고 있다. 황금만능의 시대에서 돈은 수단이 아닌 인간 계급 제도의 최고 목표가 되었다.

예전이나 지금이나 천재는 홀로 먹고 살 수 없다. 하지만 현재는 가짜 천재가 진짜 천재를 몰아내고 후원을 받아먹고 있다. 그래서 오늘날 인정받는 천재는 천재가 아니다. 그렇다고 그는 인기에 영합하는 소설을 써 돈을 벌기를 원하지도 않았다. 연이 파피루스(papyrus) 고전 문서 한 권 분량을 쓰는 데는 5년의 세월이 걸렸다. 성경처럼 추상적인 비유나 우화가 그의 처녀작이 되는 데 거부감을 느낀 연에게는 자신의 책이 실제 경험을 기반으로, 대중이 미처 경험하지 못했지만 그가 그랬듯이 그들의 인생에도 가치 있는 일부로 자리함이 목표였다. 또한 그의 책으로 인해 사회에 미치는 이익까지 고민하였다. 그래서 그는 자기 소설을, 퍼즐(puzzle)처럼, 읽으면 자연히 언어력이 키워지게끔 설계했다. 하지만 짧게 소비하는 인기 위주의 세상에서 저술업(著述業)에 전적으로 의존하면 생계를 꾸리는 데 위험 부담이 크다. 그래도 그는 그만의 방식으로 사람들을 일깨워 미래에 공헌할 수 있는 아무도 가지 않은 길을 택했다. 단순히 책을 통해서 그들에게 지혜를 전달하는 일이 매우 고달프더라도, 어떤 혹평이 채찍

질하더라도 연에게 문제가 되진 않았다. 드디어 이 악순환의 고리에서 벗어날 수 있다는 희망이 손아귀에 잡히려 한다. 인기를 뒤쫓지도 않지만 그렇다고 사후에 유명해져도 소용없다. 당신의 인생은 겨우 한 번뿐이다.[cdxxxiii] 지금이 중요하다. 오늘을 잡아라.[cdxxxiv]

미주

[i] 벌판에서 자라며 시들면 꺾여 바람에 흩날려 다니는 식물.
[ii] 여객이 휴대하지 않고 주로 여객 열차나 항공기에 탁송(託送)하는 작은 화물.
[iii] 주로 청소년 여행자를 위한 숙박 시설.
[iv] 무선 인터넷이 되는 일반적인 카페. 유료로 이용할 수 있는 자체 컴퓨터가 있을 때도 있음.
[v] 식사하기에 편리하도록 설비하여 놓은 방.
[vi] 계산대.
[vii] 호텔 등 입구의 넓은 복도로, 대기실, 휴게실, 응접실 등에 사용.
[viii] "칸막이-방"으로 긴 박스처럼 생김.
[ix] 호텔이나 여객선 따위의 휴게실이나 사교실. 로비.
[x] 성욕을 자극하는 (것).
[xi] 영국)) 맥주의 한 가지. 알코올 함유량은 약 6%.
[xii] 경계하여 지킴, 또는 지키는 그 사람.
[xiii] (자동-판매기 등의 주화를 넣는) 가늘고 긴 구멍.
[xiv] 분위기가 자연스럽지 못하고 서먹서먹하다.
[xv] 스웨덴어 'tuben'은 영어로 'tube'이며, 이는 (런던 등 유럽의) 지하철, (지하철의) 터널, 지하도를 말한다.

---

xvi 현재 우리말 맞춤법을 적용하면 “예테보리” 지만, 이 책에서는 발음대로 표기하였다.

xvii 영속어(英俗語))) 직관적인 통찰 능력. 직감.

xviii 목도리.

xix 허벅지 뒤 근육.

xx ‘유스-호스텔’ 의 우리말 번역.

xxi 술집 지배인.

xxii “베이빌롱(Baby-Long)” 은 ‘바빌론(Babylon)’ 의 철자와 음을 활용한 언어-유희일 뿐만 아니라 저자의 숨은 뜻까지 들어가 있다. 여기서 ‘baby-long’ 은 ‘아기 상태’ 를 뜻한다. 듣기의 완성은 보통 유아기에 이루어지기 때문이다.

xxiii 재킷을 우리말로 번역한 저자의 조어.

xxiv 남을 앞질러 말하거나 행동하다.

xxv 거울에 비쳤을 때 좌우대칭의 상. 미러-이미지(mirror image).

xxvi ‘유모차(乳母車), 유아차(乳兒車)’ 를 순수 우리말로 표현한 조어.

xxvii ‘platinum blonde’ 는 ‘백금색’, ‘백금색 머리의 여자’ 를 뜻하는데 이 책에서는 “백금발” 로 번역하였다.

xxviii 무표정한 얼굴(의 사람).

[xxix] 이 책의 최초 출판일 기준으로 아직 공식적으로 등재되어 있지 않은 "옌셰핑"은 머지않아 표준 외래어 표기로 인정되겠지만, 이 책에서는 발음대로 표기하였다.

[xxx] '유스-호스텔'의 우리말 번역.

[xxxi] 여기서는 '리어뷰 미러(rearview mirror)'.

[xxxii] 택시 요금 표시기.

[xxxiii] 'field goal(필드-골)'의 한자식 표기.

[xxxiv] 스웨덴어 'hej'는 영어 'hey'와 같은 말이며 여기서는 '이봐[여어]'와 '안녕'의 뜻 중에 후자의 뜻으로 쓰였다.

[xxxv] 석고의 한 가지. 희고 치밀하며 입자가 미세한 석고로, 보드랍고 찰기가 있음. [질이 좋은 것은 조각용으로 쓰임.]

[xxxvi] 때때로. 이따금.

[xxxvii] 접수대.

[xxxviii] 어수선하고 떠들썩함.

[xxxix] 시가 전차.

[xl] 혼잡한 시간.

[xli] 호텔 등의 접수대에서 숙박 절차를 밟는 일. ↔체크-아웃.

[xlii] 코청을 뚫어서 꿰는, 고리 모양의 나무나 플라스틱 또는 금속 등.

[xliii] 은근한 정을 나타내는 여자의 아름다운 눈짓.

[xliv] 다양한 주류를 판매하는 스웨덴의 국영 연쇄점.

[xlv] 원문 'saucy'를 우리말로 번역하며 만든 말.

[xlvi] 초경험적인 존재나 본질은 인식할 수 없다고 주장하는 인식론. 즉, 인간은 신을 인식할 수 없다고 주장하는 종교적 인식론.

[xlvii] 가톨릭에서, 성사를 집전하는 사제의 시종.

[xlviii] 원작의 'brainiac'을 이렇게 번역했음.

[xlix] 종교상의 원리나 이치를 서로 묻고 대답함. 기독교에서, 세례를 받을 때 주고받는, 교리에 대한 문답.

[l] 배의 키를 조종하는 손잡이가 달린 바퀴 모양의 장치.

[li] [유럽에서] 군주 집안의 남자 또는 작은 나라의 군주를 일컫던 말.

[lii] 눈 위에 등을 대고 누운 상태에서 양팔을 벌려 위-아래로, 양발을 좌우로 움직여 만든 천사 모양의 눈 자국.

[liii] 'snow angel'의 한자식 표기.

[liv] '추운 겨울'을 의인화한 말.

[lv] 머리의 꾸밈새. 머리 모양.

[lvi] 단지.

[lvii] 원문에는 영국 구어인 'fresh-air fiend'라고 되어 있다.

[lviii] 이슬람력의 9월(이 한 달 동안은 해돋이로부터 해지기까지 단식함).

[lix] 해안이나 도시에서 멀리 떨어진 내륙에 있는 땅.

[lx] 곱슬곱슬 꼬부라진 머리, 또는 그런 머리를 가진 사람. 곱슬머리.

[lxi] 'salaam' 과 'shalom' 모두 'peace' 라는 뜻으로 발음도 비슷하고 어원도 같다. 'peace' 를 우리말(한자)로 번역하면 '안녕(安寧)' 이다.

[lxii] 이탈리아어)) 'till we meet again' 이란 뜻으로 영어권에서 종종 씀.

[lxiii] 영어로는 '코셔'라고 발음 표기한다.

[lxiv] 랩톱 컴퓨터로 무릎 위에 놓고 쓸 수 있는 휴대용 소형 컴퓨터를 지칭한다.

[lxv] 웹-브라우저(Web browser)로 검색하는 일.

[lxvi] 또는 'emir' 로 표기하며 (아라비아, 아프리카의) 족장, 대공. 회교국 통치자의 칭호.

[lxvii] 중국) '老頭兒' . 발음 그대로 표기해 늙은이를 속되게 일컫는 말.

[lxviii] 가톨릭 교회에서, 교황이 시복(諡福)이 된 복자(福者)를 성인(聖人)의 명부에 올리고 모든 교회에서 그를 공경하도록

선언하는 일.

lxix 신령한 품성.

lxx 여기서는 '사지(四肢)' 를 낮추어 이르는 말.

lxxi 속어(俗語) 또는 비어(卑語))) 아일랜드 사람.

lxxii '록 뮤지션' 의 줄임말로 저자가 만든 조어.

lxxiii 박자. 장단.

lxxiv 서양 건축에서, 벽에 오목하게 파 놓은 부분. [조각품이나 꽃병 따위를 세워 둠.] 니치(niche).

lxxv 웃음과 몸을 팔며 천하게 행동하는 여자. 논다니. 매춘부.

lxxvi 차도(車道)와 인도(人道)의 경계가 되게 늘어-놓은 돌.

lxxvii 격분(激憤)

lxxviii 미국 속어로는 '파티-걸(party girl)' 이라고 하며 파티에 다니며 놀기만 하는 젊은 여성을 뜻한다.

lxxix 적갈색.

lxxx 노는 계집.

lxxxi 무엇이라 표현할 수 없게 묘하고 이상하다.

lxxxii 'japp' 은 스웨덴 속어로, 영어로 번역하면 표준 속어 또는 구어로 'yep, yup' 이 되며, 한국어로 충실히 번역하면 현재 기준으로 비표준 속어인 "옙, 넵" 이 된다.

lxxxiii [행실이나 겉모양이] 단정하고 아름다움.

[lxxxiv] 엷은 자줏빛.

[lxxxv] 외투.

[lxxxvi] 비단, 나일론 등의 수자(繻子).

[lxxxvii] '버튼'의 우리말.

[lxxxviii] 아일랜드 요정(가족 중 죽을 사람이 있을 때 울어서 이를 예고한다고 함.)

[lxxxix] 음악에서 악곡이 끝나는 느낌을 주는 부분, 또는 그러한 형태.

[xc] 실제로 해 보임. ≒라이브(live).

[xci] 웅장하고 화려함.

[xcii] '마음'을 '내장'에 비유해 '심금'을 다르게 표현한 저자의 조어.

[xciii] 여기서 '소격'은 사귀던 사이가 멀어짐이 아닌 소통의 벽을 뜻함.

[xciv] 처녀.

[xcv] 원서에서 둘의 대화는 영어였고, 영어 구어로 'shrimp'는 '좀팽이'를 뜻하기도 함.

[xcvi] 사우나.

[xcvii] 마리화나.

[xcviii] 저자의 조어.

[xcix] 원서에서 둘은 서로 영어로 대화했고, 'break a leg'는 직역하면 '다리가 부러지다'이지만 '행운을 빈다'는 뜻으로 사용하는 영어 관용구이다. 연이 행운을 비는지 아니면 기분 나빠서 중의적 표현을 이용해 진짜 "다리나 부러져라!"라고 했는지는 독자의 판단이다.

[c] 엉터리 영어 "리모컨"의 올바른 단어.

[ci] 물건을 싸거나 덮기 위하여 네모지게 만든 천.

[cii] 오형(五刑)의 한 가지. 매로 볼기를 치던 형벌.

[ciii] 장난감의 한 가지로 그것을 돌려 가며 들여다보면 여러 가지로 변하는 아름다운 무늬가 보임.

[civ] 발음을 이용한 저자의 언어-유희.

[cv] 입을 크게 벌리고 떠들썩하게 웃음.

[cvi] "대중 가면(public façade)"이란 영어, 한글, 한자 모두 저자가 만든 조어인데, 원래 'façade'에 비유적인 의미로 '허울, 가장(假裝), 거짓 모습'이란 뜻이 있다.

[cvii] 파스타(pasta)의 일종으로 좁고 짧은 튜브(tube) 모양임. 속이 빈, 가느다란 대롱처럼 만든 이탈리아식 국수.

[cviii] 반사경으로 뒤덮인 구체로 주로 무도장, 클럽 등에서 조명효과 목적으로 씀.

[cix] 백색 인종 이외의 인종을 통틀어 이르는 말.

[cx] ‘몰랐지, 메롱’의 줄임말로 비표준어(비속어도 아님). 원문 ‘yoink’를 비슷한 느낌으로 번역하였음.

[cxi] 도무지. 전혀.

[cxii] 일상의 행동이나 태도의 지침이 되는 짤막한 말. 표어. 좌우명(座右銘).

[cxiii] ‘나아갈 수도 없고 물러설 수도 없이 궁지에 몰려 있음’을 이르는 말. 진퇴양난.

[cxiv] 마침내. 결국에는.

[cxv] 후드(hood)를 번역한 저자의 조어로 두건 모양의 머리쓰개.

[cxvi] 합각머리나 맞배지붕의 양쪽 끝머리에 ‘∧’ 모양으로 붙인 두꺼운 널 또는 벽.

[cxvii] 스웨덴에서 두 번째로 큰 섬이자 가장 작은 행정 구역.

[cxviii] 최신 정보화. 업데이트(update).

[cxix] 실제의 상황. 라이브.

[cxx] 객쩍게 부리는 혈기. 분수를 모르는 협기(俠氣).

[cxxi] 현재 외래어 표기에 따르면 “칼마르”이지만, 여기서는 영국식(유럽식) 발음대로 표기했다.

[cxxii] 업보. 현재 우리 나라의 외래어 표준어 표기는 ‘카르마’이나 원발음은 ‘칼마’다.

[cxxiii] 성(城) 밖으로 둘러서 판 못.

[cxxiv] 사방과 하늘을 가리지 않은 곳. 집채의 바깥. 노천(露天).

[cxxv] 현재 외래어 표기에 따르면 "노르셰핑"이나, 이 책에서는 발음대로 표기하였다.

[cxxvi] 위스키에 레몬즙, 설탕, 소다수 따위를 타고 얼음을 넣어 만든 음료.

[cxxvii] 긴 층계의 중간쯤에 있는 조금 넓은 공간. 계단참.

[cxxviii] 국가나 민족을 초월하여 온 인류를 한 동포로 보고 인류 사회의 통일을 꾀하려는 주의를 신봉하는 사람.

[cxxix] 영구어(英口語))) '벽의 꽃'으로 무도회 따위에서 상대가 없는 젊은 여자를 뜻한다.

[cxxx] 'cherry(버찌)'는 영어 비어로 '처녀성'을 뜻하기도 한다.

[cxxxi] 원작에서 "I just wanna fertilize you." – "Are you a fertility doctor or a witch doctor?" 라고 하였고 여기서 'fertilize'는 '비료를 주다' 뜻 이외에 '수정(임신)시키다'라는 뜻이 있으며 'fertility'도 마찬가지 뜻으로 명사형이다. 영어의 재치 있는 중의적 뜻을 우리말로 그대로 살려 번역하였다.

[cxxxii] 'Chocolate'의 두 번째 'o'와 'l'을 붙여 쓰면 "Chocdate"가 된다.

[cxxxiii] 영어를 최대한 우리말에 가깝게 번역하였음. 영어의 '블라블라(blah-blah)'를 계속 읽으면 '나블나블'로 우리말의 '나불나불'과 거의 같은 발음이 된다.

[cxxxiv] 소파. 보통 누울 수 있을 정도로 길다.

[cxxxv] Global Positioning System.

[cxxxvi] 나발. 사이렌(siren).

[cxxxvii] 금품을 아끼지 않고 쓰는 솜씨가 시원스러움.

[cxxxviii] 어떤 일을 하는 데 드는 노력이나 수고.

[cxxxix] 지난날, 중죄인을 가두어 둘 때 쓰던 형구(刑具)의 한 가지.

[cxl] 세상과 동떨어져 자라거나 살아서, 보고 들은 것이 적고 마음이 좁음.

[cxli] 오줌, 또는 오줌 누는 일.

[cxlii] 자기 마음대로.

[cxliii] 'talcum powder'. 활석의 가루에 붕산, 향료 등을 섞은 가루. 땀을 멎게 하는 작용이 있어서 땀띠약 등으로 쓰임.

[cxliv] '카페라테(caffè latte)'의 우리말 번역으로 저자의 조어.

[cxlv] 매년 봄에, 일조 시간(日照時間)을 유효하기 이용하기 위하여 표준 시간을 한 시간쯤 앞당기는 제도.

[cxlvi] [물건을] 사는 사람. 산 사람. 살 사람.

[cxlvii] 스웨덴어)) 맥주.

[cxlviii] 스웨덴어)) 새우.

[cxlix] 스웨덴어)) 흡연.

[cl] 스웨덴어를 음이 비슷한 영어로 나열한 언어-유희.

[cli] 'Canuck' 은 캐나다인을 지칭하는 속어인데, 우리 나라식으로 번역한 저자의 조어.

[clii] 바로 이때. 지금.

[cliii] 묻는 대로 거침없이 대답함.

[cliv] 정도가 보통보다 지나침.

[clv] 오래지 않아. 얼마 안 가서.

[clvi] 동전을 넣고 원하는 곡의 단추를 누르면 자동적으로 그 음악이 나오게 된 장치. 주크박스.

[clvii] 레코드-음악을 감상하는 프로그램을 진행하는 사람. 디제이.

[clviii] 술자리.

[clix] 너. 자네.

[clx] 술자리에서 술잔을 차례로 돌림, 또는 그 술잔.

[clxi] (분하거나 미워서) 매섭게 쏘아보는 눈.

[clxii] 주름이 많은 중국 견종으로, 잘 짖지 않고 애교가 없는 편이다.

[clxiii] 남자끼리 성교하듯이 하는 짓.

[clxiv] 영속어로 여자-구실을 하는 남자 동성 연애자.

[clxv] 겸손(謙遜)한 말. 겸어(謙語).

[clxvi] 임신한 여성의 불룩 튀어나온 배를 일컫는 말로, 저자가 'baby bump'를 번역한 조어.

[clxvii] 양념한 양고기 조각을 꼬챙이에 끼워 구운 중동 지역의 요리.

[clxviii] 원문에서 'high'는 '높이' 외에 구어로 '술, 마약 따위에 취해 있는' 이라는 뜻으로 중의적 표현.

[clxix] 마라스키노 버찌.

[clxx] 몫몫이 나누어 돌리다.

[clxxi] 노름이나 내기 따위에서, 돈이나 물건을 지르다.

[clxxii] 카드놀이)) 상대방의 패를 보이라고 하다.

[clxxiii] 'covered bridge', 지붕이 있는 다리로 저자의 조어.

[clxxiv] 자동-계단. 에스컬레이터.

[clxxv] 무대에서 관람석으로의 통로, (패션-쇼 등의) 스테이지.

[clxxvi] 원문은 'vanity bag'으로 'vanity bag[case, box]'은 휴대용 화장품 핸드백[상자]을 뜻함. 저자의 우리말 번역 조어.

[clxxvii] 탁상용인 '데스크톱 컴퓨터'의 줄임말.

[clxxviii] 마음 내키는 대로 슬슬 거닐며 다님. 산책.

---

clxxix ‘패셔니스타(fashionista)’를 우리말로 번역한 저자의 조어.

clxxx 쓸쓸할 정도로 아주 고요하고 잠잠하다.

clxxxi 입 안에 넣어 씹어 타액과 함께 뭉친 조그만 종이공으로서, 주로 빨대나 입으로 뱉어 목표물을 맞추는 놀이에서 사용한다.

clxxxii 이집 저집 돌아다니며 연거푸 술 마시기.

clxxxiii 독두(禿頭)는 ‘대머리’란 뜻으로 여기서 “독두남”은 저자의 조어.

clxxxiv 비역.

clxxxv 심심풀이로 이야기를 주고-받음, 또는 그 이야기.

clxxxvi 널리 각지를 돌아다님. 편답(遍踏).

clxxxvii ‘food court(푸드 코트)’란 (백화점, 공항 등 큰 건물 내) ‘할당된 구획의 음식점’을 뜻한다.

clxxxviii 한 나라의 특정 은행이 발행하는 지폐. 은행 지폐.

clxxxix (건축물로서의) 다리.

cxc 북유럽 신화에 나오는 신과 자주 다툰 거인족.

cxci 찹쌀, 수수 따위의 가루를 반죽하여 밤톨만 한 크기로 동글게 빚어, 끓는 물에 삶아 건져 고물을 묻힌 떡.

cxcii 원어(原語) ‘comfort zone’를 번역한 저자의 조어로, 사

람이 안전하고 편안하며 통제할 수 있다고 느끼는 상황이나 위치.

[cxciii] 저자의 조어. 같은 나라 사람. 동포.

[cxciv] 'sweatshop'의 번역으로 (저임금으로 노동자를 장기간 혹사시키는) 착취 공장.

[cxcv] 엿기름. 몰트(malt).

[cxcvi] 캥거루 따위 암컷의 아랫배에 있는, 새끼를 넣어 기르는 주머니.

[cxcvii] '교포 남성, 교포 남자'의 줄임말.

[cxcviii] 그림을 그릴 때 화판을 받치는 삼각의 틀. 이젤(easel).

[cxcix] 동맥의 내강(內腔)이 국소적으로 늘어난 병증.

[cc] 서양 요리의 한 가지. 얇게 썬 쇠고기나 돼지고기 따위에 밀가루, 달걀, 빵가루를 묻혀 기름에 튀긴 음식.

[cci] (말이나 행동 따위가) 거칠고 천함.

[ccii] 지진이 일어난 진원(震源)의 바로 위에 해당하는 지표의 지역.

[cciii] 기둥 위에 아치를 연속적으로 가설한 구조물, 또는 반원형의 천장을 가진 통로.

[cciv] 'auto-rickshaw'를 번역하면 '자동-인력거'가 된다.

[ccv] [지난날] 품삯 이외에 더 주는 돈.

[ccvi] (그 사람의) 태어난 집.

ccvii ‘standing desk’의 우리말 번역.

ccviii ‘동포 여성, 동포 여자’의 줄임말.

ccix 대강대강 알다. 반쯤 알다.

ccx 사실보다 보태거나 깎아서 들음, 또는 말함.

ccxi 산스크리트어에서 기원한 말로 ‘만(卍)’자. 여기선 나치의 문장을 뜻한다.

ccxii 짧은 담뱃대.

ccxiii 독일어)) 모음 변이.

ccxiv 두루 돌아다니며 유람함.

ccxv ‘moving sidewalk’를 번역한 저자의 조어로, 경사의 변화 없이 수평으로 에스컬레이터처럼 움직이는 장치.

ccxvi 프랑크푸르트-한 공항의 IATA 공항 코드.

ccxvii 우연히 발생한 일. 우발-사건 또는 우발-사고.

ccxviii 관리와 공리. 공무원.

ccxix 어떠한.

ccxx 축하하는 의식이나 식전(式典).

ccxxi 원문은 "Rickety Aircraft"로, 둘 다 저자의 조어.

ccxxii 영국 공군 속어)) (비행기에 고장을 낸다는) 작은 악마.

ccxxiii '블라니 스톤'을 우리말로 번역한 저자의 조어.

ccxxiv 남김없이 모조리 쓸어버림.

[ccxxv] 밑천을 대어 주는 사람.

[ccxxvi] 재정 사무와 이재(理財)에 능한 사람.

[ccxxvii] 자양분이 많은 음식물.

[ccxxviii] 더블린 스파이어(Spire of Dublin)의 별칭.

[ccxxix] 곡물식(穀物食).

[ccxxx] 배고픈 느낌이 있다. 출출하여 무엇을 먹고 싶다.

[ccxxxi] 학생.

[ccxxxii] 맥주 캔(can).

[ccxxxiii] 저자의 조어로, 동숙인. 룸메이트.

[ccxxxiv] 입술을 둥글게 오므려서 소리내는 모음.

[ccxxxv] 'saltie' 를 지칭하며 '바다-악어' 를 뜻함.

[ccxxxvi] 'Aussie' 는 구어로 '오스트레일리아 사람' 을 뜻하며, 저자는 음을 맞춰 '호주인' 을 '호지' 로 표현하였다. [저자의 조어.]

[ccxxxvii] 'jade' 뜻에 '녹색', '녹초가 되다' 란 뜻이 있어 우리말과 음이 맞아 안배한 중의적 표현.

[ccxxxviii] 영어를 비틀어 역으로 차용하는 프랑스인과 일본인이 하는 짓이 유사함을 비꼬아 표현한 조어.

[ccxxxix] 속어) 프랑스인((개구리를 식용으로 함을 빗댄 표현.))

[ccxl] " Succour For Sucker " 는 원작에서 저자의 조어로,

'succour' 와 'sucker' 의 영어 발음이 동일함을 이용하여 재치 있게 표현함.

ccxli 청량 음료의 한 가지. 탄산수.

ccxlii 구어인 'Frenchy' 즉 '프랑스 사람' 을 번역할 때 저자가 만든 말.

ccxliii 'shell-shocked' 의 우리말 번역. '전쟁 노이로제의' .

ccxliv 연기가 물을 거쳐서 나오게 만든 담뱃대의 일종.

ccxlv 'crew cut' 을 우리말로 번역한 조어. 매우 짧은 머리.

ccxlvi 미용사.

ccxlvii 함부로 사나운 짓을 하는 사람.

ccxlviii 소리쳐 격려하고 힘을 북돋아 줌.

ccxlix 떠나는 이를 위하여, 잔치를 베풀어 작별함.

ccl 해안이나 만, 큰 호수 따위에서 양안(兩岸)의 육상 교통을 연락하는 선박.

ccli (배의) 맨 위층의 갑판.

cclii 난선을 당한 사람.

ccliii 쇠로 만든 기둥. 대빗(davit).

ccliv 해상의 거리를 나타내는 단위. 위도 1도의 60분의 1로 약 1852 m임.

cclv '프라하' 의 영어식 표기인 'Prague' 의 영어 발음.

[cclvi] 'gulyás(구야시)' 의 체코식 발음.

[cclvii] "잡자(잡者)" 는 영속어인 경찰을 뜻하는 'copper(잡는 사람)' 의 우리말 번역 조어.

[cclviii] 외롭고 쓸쓸함.

[cclix] 두두룩하게 언덕진 곳.

[cclx] 원형 교차로.

[cclxi] 얇은 종이로 가늘게 말아 놓은 담배.

[cclxii] 'raise Cain' 은 영속어로 '큰 소동을 일으키다, 골내다' 의 뜻으로, 원문에 충실하게 번역하였음.

[cclxiii] 'push up daisies' 의 어원과 관련된 문장으로, 데이지-꽃이 무덤 위에서 자라고 있음을 넌지시 표현함.

[cclxiv] 1990년대 초 영국에서 생긴 조어(造語)로 고급 음식과 술을 마실 수 있는 바(bar)를 뜻한다.

[cclxv] 1야드 길이의 잔이라 'yard of ale' 이라고 부른다.

[cclxvi] 야드-파운드법의 길이의 기본 단위. 1야드는 3피트로, 약 91.44 cm.

[cclxvii] 한쪽 어깨에서 반대쪽 겨드랑이에 걸쳐서 매는 띠.

[cclxviii] 깨끗하고 말쑥하다.

[cclxix] 현재 맞춤법 표기는 템스강이나, 이 책에서는 원어의 발음을 우선해 표기했다.

cclxx 고유명사 '타워 브리지'의 우리말 표현.

cclxxi 다리의 한끝 또는 양끝이 들리면서 열리게 되는 가동교(可動橋)

cclxxii "Pushow", "Poo-show" 둘 다 가능해 중의적 표현이다. 전자는 '다리를 밀어 올리는 쇼' 이고 후자는 '응가 쇼'로 해석할 수 있다.

cclxxiii 펠리컨.

cclxxiv the Debatable Lands.

cclxxv Troubles in Northern Ireland.

cclxxvi 하늘에 닿을 듯이 높은 건물. 아주 높은 고층 건물.

cclxxvii 'Yankee'의 어원인 네덜란드어 "Jan Kees"는 영어로 "John Cheese"란 뜻으로, 양키를 '치즈 가이'라고 어원에 충실하면서도 재치 있게 번역했다. 저자의 조어.

cclxxviii 'narwhal'은 흔히 "외뿔고래" 또는 "일각돌고래" 등으로 번역되어 알려져 있다. 어원에 충실한 저자의 번역 조어.

cclxxix 귀리죽.

cclxxx 옥수수를 으깨어 말린 박편(薄片).

cclxxxi 스코틀랜드, 아일랜드 음식으로 귀리 가루, 보리 등으로 만든 넓적한 빵.

cclxxxii 채소.

---

cclxxxiii 수란을 뜨는 데 쓰이는, 쇠로 만든 주방 기구.

cclxxxiv 'bed and breakfast'의 약어로 조반(朝飯)을 낀 1박(泊).

cclxxxv 못마땅하게 여기는 빛이 얼굴에 드러나 있다.

cclxxxvi 썬 담배.

cclxxxvii 벗. 친구.

cclxxxviii 술을 늘 대중없이 많이 먹는 사람을 농조로 이르는 말.

cclxxxix 영어로 'stoned' 뜻 중 하나가 '(술, 마약에) 취한'임. 원문에 충실한 번역으로 저자의 우리말 조어.

ccxc 아일랜드 경찰관.

ccxci 아몬드(almond).

ccxcii 도붓장수. 이곳-저곳 돌아다니며 물건을 파는 사람.

ccxciii 'nickel bag'은 미국 속어로 5달러-어치의 마약을 뜻한다.

ccxciv '떼를 지은 무리'를 얕잡아 이르는 말.

ccxcv 중국어로 '벗, 친구'를 뜻한다.

ccxcvi '팽우(烹友)'는 '친구를 삶다'는 뜻인데, '붕우(朋友)'와 중국 발음이 거의 같아서 생긴 삽화. 'Péngyǒu(朋友)'를 'Pēngyǒu(烹友)'로 잘못 발음했음.

ccxcvii 국어의 표준 외래어 표기는 미국식인 '롤리팝'이나 여기서는 상황에 맞게 영국식으로 표기했다.

ccxcviii 영국 구어)) 아동 교통-정리원.

ccxcix 경찰복을 입은 '롤리팝 맨(lollipop man)'을 표현한 저자의 조어.

ccc '섀그(shag)'의 언어-유희식 번역. 여기서 "색색"은 한자로 "色色"으로, 영어로는 "shag, shag" 또는 "sex, sex"로도 읽을 수 있는 언어-유희적 표현이다.

ccci 'Lou(루)'는 영국 구어인 'loo(루)'와 동음이의어며, 'john'은 속어로 '변소'를 뜻한다. 영어 천재 로투스의 유머와 언어 감각이 돋보이는 문장.

cccii 영국(인)을 일컫는 말. 공교롭게 그의 이름도 존이다.

ccciii 영국의 관점에서 대척지, 즉 지구 정반대편이므로 호주를 뜻한다. The Antipodes.

ccciv 영국)) 오전 11시경의 간식, 차. "11시차"는 그 번역 조어.

cccv 두꺼운 모직물.

cccvi '웨일스 사람'을 의미하는 'Taffy'가 'Davy'에서 유래되었음을 주인공 '연'이 알고 물음.

cccvii 중세 유럽의 교회에서, 생산량의 10분의 1을 거두던 조세.

cccviii 난간에 일정한 간격으로 세운 작은 기둥. banister.

cccix 폴란드 비속어.

cccx (어이가 없어서) 멍함.

cccxi 곱사등인 사람. 꼽추.

cccxii 국내에서는 “내겐 너무 가벼운 그녀”로 제목이 붙여졌던 영화다. 원제는 ‘Shallow Hal’로 여기서 ‘shallow’는 ‘얕은, 천박한, 경박한’ 등으로 번역이 되며 ‘Hal’은 남자 주인공 이름이다.

cccxiii 주로 인도-대마.

cccxiv 속어로 아일랜드 사람.

cccxv 발바닥이 오목하게 들어간 데 없이 밋밋한 발.

cccxvi 원문에서 표현된 ‘flatfoot’은 ‘평편족’ 이외에도 ‘순경’이란 뜻이 있어 역설적이면서도 해학적인 표현이다.

cccxvii 속어로 (죄수) 호송차.

cccxviii 무리를 이룬 많은 섬.

cccxix 영국 속어)) 도발(挑發).

cccxx 땅의 임자. 자기 땅을 남에게 빌려주고 지대를 받는 사람.

cccxxi (방 하나에) 침실, 부엌, 욕실로 이루어진 공동 주택. ≒ 단칸방.

cccxxii 작달막하고 딱 바라지다.

cccxxiii 영구어) 남부 유럽 사람. ((이탈리아, 스페인, 포르투갈

태생.)) 흔한 스페인 이름인 'Diego'가 변한 말.

cccxxiv 농지가 있는 곳에 살지 않는 지주.

cccxxv 외국 유학생이 일반 가정집에 거주한다는 뜻으로의 "홈스테이"란 일본에서 만든 말인데 문법적으로 오류는 없으나 뜻이 명확하지 않아 일본인과 한국인만 그런 뜻으로 씀.

cccxxvi 조심하거나 어려워하는 마음이나 태도.

cccxxvii 서양식 식사에서, 수프가 나오기 전에 간단하게 먹는 음식. 전채(前菜).

cccxxviii 프랑스)) 작은 정어리, 치즈 따위에 얹은 크래커 또는 빵으로 전채(前菜)의 일종.

cccxxix 프랑스)) 고기, 물고기 따위가 든 고기 반죽으로 전채(前菜)에 속한다.

cccxxx 향초 등으로 가미한 흰 포도주.

cccxxxi '피시-핑거(fish finger)'를 번역한 조어.

cccxxxii 생선 요리용 마요네즈 소스의 하나.

cccxxxiii 술통의 술을 다른 용기에 옮기기.

cccxxxiv 개인의 방. 개인 서재처럼 혼자 사사로이 쓰는 방.

cccxxxv 나무의 조각.

cccxxxvi 책장이나 종이쪽이 바람에 날리지 않도록 누르는 물건. 문진.

[cccxxxvii] 스튜디오 아파트먼트(studio apartment)의 줄임말로, 방 하나가 집 전체인 일실형 주거. 단칸방.

[cccxxxviii] 이탈리아어로 'mamma mia!'는 'my mom!'으로 '엄마야!'로 번역된다. 우리말로는 감탄사 '어마!'로 번역하면 정확하다.

[cccxxxix] 마라스카 체리로 작고 쓴맛이 나는 야생 버찌의 일종.

[cccxl] 직무나 신분, 명예를 나타내기 위하여 옷이나 모자 따위에 붙이는 표.

[cccxli] 집집. 한 집 한 집.

[cccxlii] 미국 민요나 재즈 따위의 경쾌한 음악의 반주에 쓰이는 현악기의 한 가지. 손가락으로 줄을 뚱겨 연주함.

[cccxliii] [돌발적인 사건 따위를 급히 알리기 위하여] 정기적으로 발간하는 것 이외에 임시로 발간하는 신문 따위의 인쇄물.

[cccxliv] "치킨 필레 롤(chicken fillet roll)"을 우리말로 번역한 조어.

[cccxlv] 아스픽(aspic)은 '고기-젤리'를 뜻한다.

[cccxlvi] 가운데가 솟아서 불룩하다.

[cccxlvii] 실없는(實-) 사람.

[cccxlviii] (어떤 지점에) '탄알이 막을 치듯이 잇달아 많이 날아오는 상태'를 이르는 말.

[cccxlix] 탄두에 유지나 황 등과 소량의 작약(炸藥)을 넣어 만든

폭탄이나 포탄. [건조물 따위를 불태우는 데 쓰임.]

[cccl] "떡(을) 치다"의 "떡"은 90년대에 생긴 은어인데, 국어-사전 등에서 비속어로도 공식 인정되지 않았다.

[cccli] 스코틀랜드 고지의 주민인 하이랜더, 또는 켈트인.

[ccclii] 원어 "Booger King"에서 'booger'는 '코딱지'이며, "McDung's"에서 'dung'은 '똥'을 뜻한다.

[cccliii] '아브라카다브라'의 'a-b-c-d' 순서를 우리말로 'ㄱ-ㄴ-ㄷ-ㄹ'로 표현한 저자의 조어.

[cccliv] 여성용 대형 핸드백.

[ccclv] 맵게 한 쇠고기와 채소의 스튜 요리.

[ccclvi] 영어식 표기 굴라시(goulash) 원형인 'gulyás'의 헝가리어 발음.

[ccclvii] 넥타이 매는 방식의 하나로 매듭의 폭이 넓음.

[ccclviii] 도와주다.

[ccclix] 내일.

[ccclx] 밑바닥이 평평한 배.

[ccclxi] 코끼리, 하마 등 피부가 두꺼운 동물.

[ccclxii] 그림을 넣은 소형 신문인 타블로이드를 번역한 저자의 조어.

[ccclxiii] '테러리스트', '테러범'의 우리말.

[ccclxiv] (언어상의) 우스운 모순, 모순된 언행으로, 줄임말은 'bull'. '이 편지를 받지 못할 때는 알려 주십시오'라고 하는 따위.

[ccclxv] '하이-엔드(high-end)'는 우리말로 번역하면 '끝내주는' 즉 '최고급의'란 뜻을 지니고 있다.

[ccclxvi] 튜닝(tuning).

[ccclxvii] 부신(副腎).

[ccclxviii] '헛소리를 지껄이는 멍청이'라는 뜻으로 '아가리' + '싸개'를 합성해 만든 저자의 조어. 원어는 'gobshite'.

[ccclxix] 쇠잔하고 미약함.

[ccclxx] 아주 변변하지 못하여 보잘것-없다.

[ccclxxi] 영어에서 '골초'를 'chimney(굴뚝)'라고 표현한다. ((굴뚝에서 연기가 피어오르는 모습에서.))

[ccclxxii] 적당함과 부적당함. 알맞음과 알맞지 않음.

[ccclxxiii] 정식 재판이 아닌 적법 절차를 건너-뛴 불규칙한 재판.

[ccclxxiv] 원문의 영어 'jaundiced'는 '황달(黃疸)에 걸린'이라는 뜻 이외에 '질투가 심한, 편견을 가진'이란 의미도 있는데 이 책에서는 후자로 쓰였다. 'jaudice'의 어원은 'yellow(노랑)'인데 '질투심 많은'의 뜻이 있다.

[ccclxxv] 아일랜드 속어)) 'gob'은 입, 'shite'는 배설물을

뜻한다.

ccclxxvi 집터에 딸리거나 집 가까이 있는 밭.

ccclxxvii (경멸, 냉소 또는 놀리는 행위로서) 입술 사이에서 혀를 떨어 내는 소리로, 저자가 'raspberry'를 번역해 만든 조어.

ccclxxviii 학교의 운동장.

ccclxxix 설사를 하게 하는 약.

ccclxxx 알약.

ccclxxxi 'miniature mule'의 우리말 번역 조어.

ccclxxxii 남의 물건을 슬그머니 휘몰아서 제 것으로 가지다.

ccclxxxiii 일반적으로 지붕이 있는 기다란 복도형 상가.

ccclxxxiv 지옥.

ccclxxxv 살림이나 세력 따위가 아주 보잘것-없이 찌부러짐. 몰락(沒落).

ccclxxxvi 공기 중에서 산화(酸化)하기 쉬운 금속을 통틀어 이르는 말.

ccclxxxvii [한낮에 꾸는 꿈이란 뜻으로] '헛된 공상'을 비유하여 이르는 말.

ccclxxxviii 미국의 황량한 벌판에 회전초(tumbleweed)가 휙 지나가는 모습을 연상해 저자가 독자적으로 표현한 문장.

ccclxxxix 우리말 '영계'에는 원래 그런 뜻이 없었으나 미국 속어인 'chick(영계, 젊은 아가씨)'에서 뜻을 가져와 만든 영어 번역-투(飜譯套)의 단어.

[cccxc] 가톨릭에서, 부제품(副祭品)을 받은 성직자. 사제(司祭)의 아래. 차부제(次副祭)의 위.

[cccxci] 귀머거리와 벙어리.

[cccxcii] 음의 유사함을 이용한 언어-유희로 만든 말로 'sperm'은 '정자(精子)'란 뜻임.

[cccxciii] 재규어 차의 줄임말.

[cccxciv] ((프랑스)) 속에 크림을 넣고 겉에 초콜릿을 뿌린 가늘고 긴 빵.

[cccxcv] 브라질 대표 칵테일로 브라질산의 럼주, 라임, 설탕으로 만든다.

[cccxcvi] 럼과 코코넛-크림, 파인애플-주스로 만든 칵테일.

[cccxcvii] 영국)) 상표명으로 텔레비전용 프롬프터(prompter) 기계.

[cccxcviii] 경외 성서(經外聖書)의 준말로, 전거가 불확실하여 '성경'에 수록되지 못한 30여 편의 문헌. 위경(僞經).

[cccxcix] 일반적으로 바람둥이 '카사노바'로 알려진 인물의 본명.

[cd] 'control freak'을 저자가 우리말로 번역한 것으로 '만사

를 자기 맘대로 하려는, 통제 욕구가 강한 사람’ .

cdi ‘Janus(야누스)’ 를 우리말로 표현한 저자의 조어.

cdii 호방하고 의협심이 강함.

cdiii 프랑스)) 숙식 제공을 받는 대신 가사를 돕는 사람. [보통 외국 여성으로 그 나라 말 배우기를 목적으로 함.]

cdiv 엉뚱한 욕심을 품고 분수 밖의 짓을 하려는 태도가 있다.

cdv 임금의 자리를 물려줌.

cdvi 비속어)) ‘trophy wife’ 를 번역한 저자의 조어로, 부유하고 나이 있는 남자의 젊고 매력적인 아내로 보통 남성의 높은 사회적 신분의 상징을 뜻한다.

cdvii 영속어)) 마리화나의 꽃봉오리.

cdviii 고급 멕시코산 마리화나의 일종.

cdix 앞뒤 어느 쪽에서 읽어도 똑같은 말.

cdx ‘눌변(訥辯)’ 이란 ‘더듬거리는 말솜씨’ 를 뜻하며, “눌변가” 는 이 책의 조어.

cdxi ‘dead-end job’ 이란 더 이상 발전 가능성이 없는 직업을 뜻하며, 이 책에서는 “막장-업” 이라는, 저자가 만든 단어를 써서 번역하였다.

cdxii 저자는 ‘oboe’ 의 어원이 ‘high + wood’ 이란 점을 알고 의도적으로 목관 악기 중 이를 선택했다.

[cdxiii] 작은 배.

[cdxiv] 다운-재킷(down jacket)의 우리말 번역 조어.

[cdxv] 여러 갈래로 땋은 머리. 머리의 타래.

[cdxvi] '섹스 상대의 여자'를 지칭하는 비어인 '비버(beaver)'를 번역한 조어.

[cdxvii] 'buzzard'가 '말똥가리' 외에 '멍청이'란 뜻을 지니고 있는데 이 문장에서는 후자의 표현으로 썼고 '말똥-'과 '-머리'를 합해 만든 조어.

[cdxviii] 은밀한 정탐꾼. 몰래 살피는 첩자. 스파이.

[cdxix] 토론에서 양쪽 파로 갈릴 만큼 강력한 분쟁을 일으켜 논란이 되는 쟁점.

[cdxx] 장래 발굴될 것을 예상하고 현재의 기물, 기록 등을 넣어 땅-속에 묻는 용기.

[cdxxi] 'doofus'에서 '귀머-거리'와 '얼간-이'를 합쳐 만든 저자의 조어.

[cdxxii] 정치상의 의견. 정치에 관한 식견.

[cdxxiii] 한때 유행어인 "찌찌뽕"은 영어의 'jinx(징스)'에서 온 말로 추정된다.

[cdxxiv] "bagoon"은 영문판 '로투스'에서 저자가 'baboon(개코원숭이)'과 'goon(용역 폭력패)'을 합성해

만든 영문 조어다. 이를 번역판에서는 "원숭-치"라고 표현하였으며 역시 저자의 우리말 조어다.

cdxxv (업신여기거나 더럽게 생각하여) 침을 뱉듯이 버리고 돌아보지 않음.

cdxxvi 경찰을 사칭(詐稱)한 자가 저지른, 2011년 노르웨이 테러.

cdxxvii 경범죄에 가하는 재산형으로 벌금보다 가볍다.

cdxxviii 군중 속이나 광장 등 탁 트인 공간에서 까닭 없이 두려움을 느끼는 증상.

cdxxix 원작 조어인 "ape-ople"은 'ape' + 'people'로서, '따라쟁이'란 뜻으로 썼고, 이를 우리말에 응용하여 '따라' + '사람'으로 합성해 '따람'이라고 표현했음.

cdxxx 노래와 춤을 섞은 풍자적인 통속 희극.

cdxxxi 역경에 빠짐. 척락.

cdxxxii 부와 탐욕의 악신.

cdxxxiii 요로(YOLO).

cdxxxiv 카르페디엠(carpe diem).